戴國煇全集 18

採訪與對談卷‧一

◎探尋東亞安定化
◎愛憎李登輝
戴國煇與王作榮對話錄

目次
contents

探尋東亞安定化

輯一　展望東亞局勢

輯二　台灣文學作家與社會運動

愛憎李登輝
戴國煇與王作榮對話錄

戴國煇全集 ⑱

採訪與對談卷・一

探尋東亞安定化

翻　　譯：林彩美・喬軍・龐惠潔
日文審校：邱振瑞

輯一

展望東亞局勢

台灣經濟與日本投資
——杉岡碩夫vs.戴國煇

◎ 林彩美譯

對談：杉岡碩夫（經濟評論家）
　　　戴國煇（亞洲經濟研究所調查研究部調查研究員）

被忽略的台灣狀況

　　本誌（經濟評論）：近年來，台灣經濟快速成長，日本資金大舉投入台灣市場，已經引發不小的效應。我們並不熟悉台灣的現況，感覺台灣原本遲緩的經濟，似乎有急起直追的態勢。杉岡先生剛從台灣考察返國，請問台灣經濟目前發展到什麼階段？其發展動力為何？可否請您從這裡談起。

　　杉岡碩夫（以下簡稱杉岡）：這次我旅行的目的，是親自看看最近日本資金投入台灣市場的狀況，自二月初約花了十天工夫，以日本投資企業為中心做了考察〔譯註：當時台日關係不尋常〕。話說回來，我覺得我們日本知識階級，對於台灣的實際狀況一直是太過於無知吧。特別是左派的知識分子特別關心中共的

中國本土的問題，被那裡的政治、經濟、社會的變動吸引了。因
為中國與台灣的關係不正常，做為左派的知識分子，對中國的了
解越深，便認定中國大陸最終會以解放的方式處理台灣問題，所
以覺得無須關注台灣的現況。或者是在意識形態上認為不要靠近
國民政府統治的地方，做為左派比較安全而姑息。抑或是日本的
保守勢力已經長期耕耘台灣的政治與經濟，也獲得了傲人的成
績，不過，在實際面仍發生了不少問題，但我們卻毫無所悉。那
些實際狀況不直接去看還是不能理解的。

　　去台灣之前，請教了戴先生，又讀完了這次亞洲經濟研究所
出版的《台灣經濟總合研究》〔《台湾経済総合研究》〕這本很
出色的書，大致上以為已知道，但觀察台灣社會的外貌，感覺與
日本的社會沒有多少差異，給人強烈的近代化印象，而沒有傳統
的落後社會的感覺。在二戰結束後如此短暫的期間內，台灣怎麼
可能在工業化與近代化上獲致這番成就？於是我在當地參觀時，
開始好奇台灣工業化的原動力是什麼。這一點不知戴先生怎麼
想。

被忽略的割讓日本前的發展階段

　　戴國煇（以下簡稱戴）：在哥倫比亞大學有位叫傑慕斯・中
村（James I. Nakamura）的學者。他兼任哥倫比亞大學的東亞研
究所與經濟學部的教授，研究日本農業發展史（最近〔1969年〕
有他的著作《日本的經濟發展與農業》〔《日本の経済発展と農
業》〕，東洋經濟新報社出版），前些日子曾造訪我們的研究

所。目前他在做明治期的日本與日本統治下的朝鮮與台灣的農業發展比較研究，前來與我交換意見。那時候，我所提出的問題是，日本的情況是，例如要理解明治維新，或是要以日本的近代化做為問題時，會回溯到幕藩體制；然而關於台灣研究卻只著眼於殖民統治，特別是後藤新平、兒玉源太郎的時期。但是明白地說，如要研究台灣，如果不以日本殖民統治50年，戰後24年，加上清末20年，總之如不擴大至前後約莫一百年的期間來思考，就無法掌握全貌。我這樣講，他非常高興說，與我相會受益良多。

　　關於後藤新平的台灣施政，我首先要指出一直以來過於神格化而造出了神話歷史。因為殖民統治第九年，台灣的財政便獨立了，以往就一般地將此全歸功於後藤新平政策的結果。從經濟理論上看的時候，我認為有頗多疑問。

　　如同在日本要理解明治維新，就必須回溯到幕藩體制，我的想法是要理解台灣的現狀，應回溯到清末重新檢討。我沒有排斥這種神話的意思，只是一直以來的研究缺漏嚴重，因此扭曲了對台灣的認識，結果不知如何研究現在的台灣，或者得到極度混亂的研究結果。我經常就此思考，該釐清研究方法。把殖民統治時期的經濟發展僅以後藤等的政策面來看，我想是不恰當也不充分。殖民地統治的前史以及當時台灣社會經濟的實際狀態正確的定位，必須同時並行，不然就無法以科學方法研究台灣經濟。

　　其實日本的參謀本部在日本占領台灣之前所做台灣調查報告的編纂以《台灣誌》於明治28年（1895）1月出版，此書編得很好，也就是說要理解清末時期，亦即殖民地統治的前史，是非常好的資料。而利用這本書做研究的，據我管見還未有其他人。請

問各位，台灣鋪設鐵路是什麼時候？是日本人鋪設的嗎？恐怕一般日本人的各位會這樣認為，但其實不然。

日本最初的鐵路，新橋至橫濱是1872年（明治5年）開通，台灣是1891年（明治24年）開始營業，沒有相差多久。李鴻章為了極力避免割讓台灣，把台灣說成化外之地、瘴癘之地，故意說出使日本當局厭惡的話。不知何時，也被台灣總督府當局或在台灣擁有權益的日本人巧為利用做宣傳，以抬高自己統治台灣的功績。請諸位想想，如果台灣是那樣的化外之地、瘴癘之地的話，已經病入膏肓的清朝，會在孤島台灣投資鋪設鐵路嗎？如此依常識即可辨明真相的謬誤，不應當積非至今。中國研究者從事洋務運動研究，卻欠缺了這塊台灣歷史，導致的研究結果嚴重紕繆。如杉岡先生所說，「正統派」中國研究者視台灣為禁忌，實在很不好。所以就是有研究洋務運動的研究者，也完全未將台灣的洋務運動納入其視角之內。如台灣煤炭的採掘，從中國全體來說也是最早的，連美國的培理（M. C. Perry）在那黑船〔譯註：指日本鎖國時代來航的外國大型船艦，這裡指培理領航的美國艦船〕回航時繞道台灣，調查基隆港水深，亦向華盛頓當局獻策應占領台灣做為停泊良港。

當時的台灣，砂糖是當然已成為國際性商品，樟腦更獨占世界市場。日本是第二位。還有茶，其中也有後藤新平把烏龍茶推銷美國之說普遍流傳著，其實不然。台灣茶在日本入台之前已進入歐洲市場。這些史實全記載在《台灣誌》。恕我話拉得太長，關於糖業資本也有有趣的史實。明治30年代初的日本資本主義猶處於實力微薄，稱不上資本過剩狀態。以台灣製糖株式會社為例

觀之，創業當初100萬圓資金不容易湊集，還請宮內省認購1,000股等，其困難可知。大股東有陳中和等台灣代表性民族資本階級的參與。後藤固然獨具慧眼，委託竹越三叉請出當時台灣北部最大民族資產階級林本源家出資（傳說香港上海銀行有其儲金200～300萬圓），當時竹越赴對岸福建拜訪遊說林家當家主林維源的過程，都在書中（竹越與三郎，《讀畫樓隨筆》〔《讀畫樓隨筆》〕，頁95～99）留下了紀錄。

我想這些意味著，當時台灣已存在相當有力的資產階級，台灣的經濟，特別是貿易已處於大規模階段。

矢內原先生的書也提到劉銘傳實施的資本主義土地調查事業，顯示在日本人入台前，雖是不完整但已有施行近代性土地調查的事實。這具有何種意義，我想有必要從社會、經濟史學的觀點重新檢討。做近代性土地調查，與鐵路投資同樣，台灣的生產力的發展階段如不是到達相當水平是不可能做也不會做吧。特別是那腐敗、末期政權的清朝，在某種意義上做了比中國本土更積極的投資。如果是化外之地、瘴癘之地是絕對不會做，這是只要有經濟學的初步常識即可判斷的事。

在被說成「三年小反，五年大反」屢屢發生反叛，使官府疲於鎮壓的台灣，鋪設鐵路，採掘石油、煤炭都早於中國本土，我們應該思索這個意義，重新以科學方法檢討。一直以來的「化外之地」、「瘴癘之地」、「三年小反，五年大反」、「分類械鬥」等的一般說法，在某層意義上是統治者為自己的方便的說法，如不從這裡著手研究的話，是不能理解台灣的經濟發展，或者做合理的說明。

　　台灣的民族資產階級，不會從天降下。支撐民族資產階級的生產力是有多大，想到這裡，地主制便當然成為阻礙。

　　特別有趣的是，聽說朝鮮的情況是，土地並非明確的私有制。這項法律漏洞導致人民的土地被強制徵收，日本以幾萬町步〔譯註：在此為面積單位，一町步為9,918平方公尺；町亦可以是距離的單位，一町為約109公尺〕的規模以「東拓」等形式確立殖民地日本人大地主制。而台灣的情形是，連製糖公司都不能如其他歐美諸國那般，在殖民地廣闢大型種植園。不能做的原因是，當時要建立大種植園只有兩個作法，殺掉那裡的地主掠奪其土地，或購買其土地。然而以那時候日本資本主義的力量來說，無法大量屠殺。甲午戰爭時，勝敗與否都不清楚，所以當然不能殺。連統治初期出現的廉價或以強權為背景的強制土地收買，都引起強烈的武裝抗日運動，所以後來與其強制土地掠奪，不如轉換政策以強制契約栽培形式確保甘蔗原料。再把時序往前推移，以明治20年代末期的日本資本主義力量，連湊集製糖公司的資本都很辛苦來看，即使能夠掠奪土地，但應該無法循正當管道收購。而且人口已超過300萬，從人口密度與土地的相對關係去思考，地價相當高，所以即使想收購土地也無法做到。

　　如以上所談，在土地私有制已確立的前提之下，成為支撐此地主制的台灣農業生產力的發展階段。前面所說民族資產階級的存在，正是此地主制發展的一個表現。

　　有這種型態的生產力階段之故，所以疲態已露的清政權要在台灣進行洋務運動，亦即進行投資。日本學者一直以來刻意不肯承認台灣經濟的實力，或是不放入視角去思考，所以不能掌握台

灣經濟的發展。依我所看，台灣生產力的發展階段，本來在日本人入台之前的時期就已非常高。所幸台灣因是邊疆的一孤島，是新開拓的國內殖民地而與對岸農村的經濟破產有所區隔，反而因從對岸流入的流亡農民的勞動力促進了開拓。當然，有砂糖、樟腦、茶葉等有利的特產品也可一並考量。

殖民地之下台灣農業的商業特性

很不好意思都我一個人在講話。我平素以為日本對台灣的殖民地統治與支配僅以以往圖式化、公式化的觀點是不充分的，對被統治民族內部的經濟狀態，社會結構的研究非常落後之故，所以不能充分了解在台灣的殖民地經濟發展。台灣的地主階層在某種意義是受到日本帝國主義的駐外機構台灣總督府的庇護，分享高率佃租的一面，研究者不可以看漏。受庇護的同時也被蔑視，處於這種具體的狀況下，心情上認為自己的祖國是中國，做為中華思想對中國文化的憧憬與「地大物博」的偉大中國觀，卻又與對日本人夷狄觀，小國野蠻人觀複雜地糾纏在一起。然而因對岸的混亂和政治腐敗的關係，不知不覺「捨華求實」吧。雖有精神上倒向中國的人，但在現實的經濟活動卻被捲入日本的殖民地開發政策之中。我想有個恰好的例子，是林本源製糖株式會社的創業。連對日本的侵入台灣感到忿怒而頑強拒絕歸台的林本源當家主林維源，最後還是不得不配合日本的殖民地開發政策。

由上可知，日本的台灣統治僅從經濟面來說，民族間的緊張關係、摩擦，在初期土地掠奪過程可看到武力抗爭，但大致因島

內部經濟的發展階段相當高之故，才有並非以竹接木，而是木與木接枝的可能，連接到經濟規模的擴大，可以這樣理解。當然經濟規模的擴大是為誰而做，是另外的問題。

杉岡：這些事情在日本幾乎未被談論過。

戴：不只日本這樣，就是台灣內部的學者也未察覺。

杉岡：總之，連矢內原先生都認為，台灣殖民地政策的成功，是因日本的殖民地政策非常好之故，屬於例外成功的事例。

戴：讀矢內原先生的那本書前面部分，大致對清末台灣之事有好評。但遺憾的是之後對清末的研究未更深化，好像一般也未注意，一直以來僅做表象的議論，這是目前的實際情況。

杉岡：因那些地方不清楚之故，所以未能從歷史面向的評價台灣農業所具有的生產力。從而也難以理解在戰後的混亂之中有了如此程度的工業化祕密。

戴：東畑精一老師在把台灣著名的《日本農業的展開過程》〔《日本農業の展開過程》〕一書中，把台灣與日本、朝鮮相比較，談及台灣農民對商品經濟非常敏感（昭和15年〔1930〕修訂第五刷，頁93～96）。在當時可說是對商機的嗅覺很敏銳。在一般的殖民地主義者認為台灣農民愚鈍的時期，東畑老師卻說台灣農民比日本農民更敏銳。理由是商品經濟。台灣的情形是不管是米或砂糖都是商品。清末以來，稻米就有剩餘，能從台灣向對岸輸出，砂糖也經由香港輸出歐美市場。甘蔗本來就是台灣的特產，也是基本作物。所以稻米和甘蔗是良性競爭關係。從日本人入台之前，台灣農民的精神狀態是極度被捲入商品經濟的。我還是覺得東畑老師的見解是卓見，眼力極高。我還未去過東南亞，

聽說那裡的農民很難照日本所要的方式生產農產品。台灣的情形是如果香蕉進口自由化就快速地擴展香蕉園；蘆筍市場開展就趕快種蘆筍，會很敏感地做對應。我想這個對應力是清末以來被捲入商品經濟鍛鍊出來的結果。所以是被那種生產力所支撐，或是有配合生產經濟的農民，否則就不會如此反應敏捷。

　　杉岡：這些是之前也請教了戴先生，承教了我們想都想不到的事情，非常寶貴也非常感謝。如您所說，的確支撐戰後台灣的工業化是農業的生產力。但是工業化達到某階段，必定由工業領軍。那麼台灣的戰後工業化，在數字上遠遠超過我們所預測的，依戴先生的邏輯該如何思考呢？

　　戴：在這之前，關於農業有必須再加以說明的部分。比如常被提到的，平均每一人米的消費量來說，朝鮮是日本內地的一半，台灣與日本內地差不多（參照山邊健太郎〈日本帝國主義與殖民地〉〔〈日本帝国主義と植民地〉〕【岩波，《講座日本史》現代2】，頁224）。這個如何解讀我想應有種種意見。我至少要指出台灣雖是殖民地，其平均卻與日本相同，這是非常不得了的事。這個意義一般很少被覺察。

　　於是便可思考稻米生產力伸展的原因是什麼。台灣是處女地一事，請各位先放在您們的印象中。台灣的具體開發是自南部而及於北部，然後到東部。正式開始大概在鴉片戰爭前後。這是為什麼呢？因為砂糖是國際商品。甲午戰爭後第一個進入台灣的日本人資本家是製糖業先驅者，靜岡人鈴木藤三郎。日本在甲午戰爭後向產業革命突進。那時砂糖的消費量增大，因輸入砂糖而致大量資金外流。以現在的說法就是外匯的流出。因此就想到要在

台灣的砂糖打如意算盤。以往一般的理解來說是，以為台灣民眾被壓榨，我說不然，日本消費者其實也蒙受大虧。因為當時印尼、古巴等砂糖的成本比台灣低，所以特別設保護關稅從台灣輸入。因此對於日本的消費者是虧大了。我的想法是，圍繞台灣砂糖的問題，賺錢的是糖業資本家，但一般消費者是吃了虧，台灣農民當然是被壓榨了。當時日本業界中也有取消保護關稅、台灣糖業受到過保護的聲音，也有批評糖業資本的高利潤。這樣一來為了提高國際競爭力，在甘蔗的栽培下了很大功夫，製糖公司也拚命督促農民。

　　甘蔗與稻米在台灣是競爭作物，所以日本在米騷動之後米不夠，就從台灣輸入米，日本的稻米豐收便禁止輸入。因此對台灣的農民來說，有到底要選擇哪一種來耕作的問題。甘蔗的生產力提升，稻米也隨之提升的機制，在前面所談的理由就可做到。我認為，這部分與朝鮮不同。如此相連結起來的情形之下，生產力便提升。

戰後台灣工業化三個支柱與其推手

　　戴：台灣工業化的問題，首先須思考美援。有趣的是，戰後當時只有台灣製糖會社非常快速地完成戰災復興。美國的援助機構、台灣的政策擔當者都注意到了，是注意到戰後砂糖市場的有利性吧。在農地改革時，製糖公司的所有地被排除在外，也很明白。美國人農地改革顧問雷正琪（W. L. Ladejinsky）主張解放製糖公司的所有農地，但遭國府當局的抗拒，終於未能解放。非常

有趣。

　　總之，從土地改革的理念來說，有農民從製糖公司以佃耕型態耕種的部分，做為農地改革的對象是當然的。然而砂糖是當時國民政府非常重要的財源。大概一年有1億美元的輸出。而利用此1億美元向日本輸入肥料、工業製品，或進行台灣電力的修復工事、機械的更新等。美援也被編入使用一事自不待言。

　　因為美國與國府的想法一致，以過去的經驗來說，若不施行農地改革，會重蹈大陸之覆轍，還有，不完全改善農業生產、社會不安之根就會留在那裡，因此肥料工廠也以美援建設。

　　舉凡政治不安，基本在於人民能不能吃飽，接著是衣料的供給。有關衣料，台灣有一段很有趣的經過。戰後美國為了防止中國大陸的赤化，送了紡織機械給國府。但在機械到達上海之前，上海已經淪陷。當然那機械便被轉送到台灣。同時在上海的紡織機械也被帶到台灣。這些機械加上美國的CCC（農產品信用公司，Commodity Credit Cooperation，隸屬美國農業部）的剩餘棉花。因此棉織物產業，特別是1950年代中期至末期扮演了台灣工業化的領導角色。做為經濟政策的負責人想的是，安定民情首先是給飯吃，解除衣料的不足，那麼暫時就可以維持。剩下的是農地改革的問題。我以為大概以這三個為支柱，而國府當局當初也做了這樣的措施，並以此狀態進入工業化。但我忘記講一件事，南韓的情形是輸入剩餘小麥之故，南韓的農業生產結構被破壞，那麼台灣又是如何呢？

　　杉岡：援助物資與在地農產物的競爭問題吧。

　　戴：這也是我的論點，我想應該這樣思考。台灣的情形是

1949到1950年之間，人口急速地增加（從中國大陸流入約一百四十萬人）。突然增加這麼多，本來是很可能被迫擴大稻米種植面積，減少砂糖生產的。然而湊巧有剩餘小麥無償被輸入，發揮了功能。因輸入剩餘小麥而免於減少砂糖生產。另一個是，因為是絕對的權力，所以把剩餘小麥磨成粉製成中國北方的主食饅頭，當作米飯之外的主食給軍人吃。然後把剩餘的米約十萬噸輸出日本。而米如有短缺就輸入泰國米，有點不合口味也請軍人將就將就。如此東拼西湊妥善安排。

而這在朝鮮的情況是，本來就不夠。台灣的情形是不管怎樣都要將之變成高價值的生產物輸出。以米為例，特別是日本愛好日本米〔譯註：台灣蓬萊米屬於日本米品種〕。與國際價格不同，價錢高。

那麼大約是砂糖40萬噸、稻米10萬噸，這種規模的台日貿易機制。這就變成輸入台灣工業化所需要的機械，或其他東西對外支付外匯的來源吧。

杉岡：實際上是有那種條件而工業化才會成功，但我們只單純地看表面的統計而說做得很順利。然後我們還有如下的疑問，就是統治台灣的是國民政府，依我們的感覺，國民政府是沒有統治大陸的能力而被趕出來，印象中是非常腐敗的權力。事實上移到台灣的當初是以解放軍之姿來的，但違背了台灣人民期待，聽說也幹了不少壞事。那相同的政權在此後，特別是工業化之際，展開相當巧妙的經濟政策，這應該如何看才好呢？

戴：在此恕我重提一次，一直以來，一般的日本人只從政策面思考台灣經濟，也就是說不願承認台灣經濟的實力而引起的一

種誤解，像杉岡先生所說此形式在感覺上被理解。另一個問題是以國府來說台灣是所剩唯一的基地，他們也為了保持政權而施行的復興政策，不得不用美援與其他種種手段嘗試，這是不能看漏的。據此兩點我想來思考經濟政策的展開。一個是美援的利用法，1951到1965年的14年間，年平均約提供1億美元的經濟援助。有關援助效果的評價，AID（美國國際開發署，Agency for International Development）在停止援助的前一年，將此事委託加州大學教授賈克貝（N. H. Jacoby）。在此報告書中，他清楚地說，美援因有非常強的附帶條件所以能夠成功。

　　為什麼這樣說，那是美援完全不經過國府立法院（國會）的審議而運作。一億美元美援如何使用，是台灣的接納機關，現在的「經合會」（行政院國際經濟合作發展委員會，相當於日本的經濟企畫廳），以前是叫作「美援會」的美國經濟援助接納組織，由此機關擬妥各種提案去申請華盛頓供給援助。從1953年說是第一次四年計畫，其實那是虛幻的計畫書，只是為了接受美援而擬出的生產目標，至多也只是生產復興的大綱。從第二次才公開發表正式的計畫書，總之，美援的運用是與國會隔離的，表示要隔離大陸時代腐敗部分之意，很遺憾不能不承認有此事。當然這種附帶條件有十足侵害國家主權的可能性，因此問題頗多，但僅就經濟面來說，可以說發揮一定程度的機能。

　　那麼，美援接納機構是由什麼樣的團體在營運呢？在日本並不很知名，一般經濟是由1963年過世的尹仲容先生（受陳誠副總統的強力支持，是此世代少有的清廉且有能力的人），農業關係則是由當過北京大學校長的自由主義者蔣夢麟先生各自為中心，

召集有能力、年輕能幹的人組成團隊。這些部分年輕能幹者，當然包含戰後成長的台灣人優秀大學畢業者，但相當部分是曾經在資源委員會所管轄生產部門，例如台灣糖業、台灣鋁礦業、中國石油台灣分工廠等在國府中央遷台以前，就被分配的一群，這些人有留學歐美、日本經驗的技術者、行政負責人等，本來是與政治無關的人。但是局勢的劇變而回不了大陸，不得不留在台灣，受尹先生或蔣先生團隊所招聘來工作。尹先生所主宰的「經合會」，或蔣先生所主宰的中國農村復興聯合委員會（簡稱JCRR）等，推動戰後台灣經濟兩機關的人事，都相當自外於國府傳統人情世故弊害，以能力為重又有高薪保證，我認為達成相當大的任務。當然只有上層者的資源，經濟是推動不了的。加之發揮機能的是，自戰前即普及的一般教育和受農業高中教育的台灣人做為主力軍被編入生產活動工作。無須贅言，支撐這些最基礎部分的，是具有先進感受性的廣泛勤勞農民。

以上所講的優秀能幹的年輕人，在工業化過程被提拔派遣美國等地。其中一部分轉任經濟官僚參與政策決定。具有可以賣力工作的環境，可以去外國或有高薪的保障，對於日本人似乎有些不能想像，但那是很大的魅力。

所以，一般舊殖民地所沒有的，特殊者的資源結構出現在台灣，我想是值得注目的。人才結構沒有缺口是很不得了的事情。大學教師雖不免有良莠不齊，但台灣的情況是幾乎不短缺。我想這事實是不可忽略的重點。

掌握今後發展關鍵的政治態度

　　杉岡：那麼這樣一來，今後的經濟政策會變成怎樣？總之，與美援相連結，開明官僚團隊展開了非常廉潔合理，除了近代性的政策，我想那還是因為有美援這特別資金，以此為中心有了可以營運經濟計畫的條件。然而今後是必須一邊自立營運自己的經濟資金的回轉，且進行更進一步的工業化，如此是不是可以看成進行自立的工業化機制已經落實了。

　　戴：我認為現在台灣落後的並不是經濟，經濟已開始在加速了。國際上的條件與種種問題可能影響台灣的經濟動盪。經濟是有生命的東西，很難預測，但我認為台灣經濟的實力已被強化了。與此相較，事實上落後的是政治。企業家意識落後的問題，欠缺納稅精神、敗德稅務官僚的橫行、低效率的行政機構等，阻礙經濟發展的因素俯拾皆是。當然這些問題都根源性地連接到政治。今後我覺得有趣的是經濟的力量能否提升這些落後的部分使之現代化，或相反地這些落後的部分拖垮了經濟的積蓄，亦即是否會扯經濟的後腿，現在的狀況，暫且捨棄國際政治的諸關係與北京和台灣的關係來考慮，我想目前是處於決勝負的時候。以國民黨十全大會的人事，提拔經濟官僚或企業家等觀之，國府當局好像表示了其相應的立場。

　　在具體的經濟政策之中，也有國際貿易局的新創立，和如同日本貿易振興會（JETRO的台灣版）的「中華貿易推廣中心」〔譯註：指外貿協會〕設立案，以及稅制改革案等有即將開始行動的樣子。

杉岡：我去台灣的時候，在報紙上大大地喧嚷著首先要改善稅務官僚的待遇、從合理的稅制著手等。

戴：令人困擾的是，不管去到哪裡，資本主義體制的情形是誰都想逃漏稅。但日本的情況是大藏省官僚很守法，監視得很嚴謹。國府的情形，稅收傳統上是從容易抽的地方先抽，不是均等負擔稅賦，所以就想設法在如何避稅上下工夫，比日本更加厲害地下種種工夫。而糟糕的是國家公務員的薪水低，因此瀆職不斷。與其說政府的稅收，毋寧是稅務官吏自己先撈一些油水（笑）。

因此整頓吸取經濟發展所增加稅收的自然增收管道，以及把吸取的稅以何種形式運用於經濟建設是個問題。此外，該如何將孫文提倡的民生主義，運用於國民所得的再分配，這是另一個問題。這又關聯到軍事費負擔的問題。

按理，有如此程度的經濟成長的話，以稅的自然增收部分應可以整頓公務員的薪水體系等等，但好像並未成功。

台灣常被說成養老院，我也覺得的確如此。大學教師七、八十歲還硬撐著，無可奈何。然而，也沒有付給那些人足夠可以過餘生的退職金。那些教師如果能像日本有稿費收入那還可以，但書也沒有銷路，真是很困難。所以雖有退休制度但不能順利施行也是當然。把稅的自然增收部分妥善活用，使老人有生活保障請他們退休，然後吸收年輕人。此舉成功與否，將是國府決勝負的地方。國民黨當局也發覺了。因發覺所以拚命從外國請回教授，或委託其制定方案。如哈佛大學的顧志耐（Simon Kuznets）教授或康乃爾大學的劉大中教授的例子。再加上台灣經濟特別容易受

國際政治關係或台灣海峽情勢影響，與今後如何變化有關，主觀意圖與客觀條件如何互相牽扯著繼續發展，如以以往的條件不變為前提來想，台灣經濟會照現在加速下去。但條件的變化如有些許出現，相當脆弱的體質就會顯現。

　　杉岡：台北車站掛著「光復大陸」或「毋忘在莒」的霓虹燈廣告，呼籲國民反攻大陸，但今日的台灣其實是受經濟邏輯支配的不是嗎？

　　戴：那是在這次的第五次四年計畫相當明白地強調了，表明海島經濟。以往應很少做那種表現。日本有海洋國家觀點。台灣是海島經濟，沒有自然資源，什麼都沒有，有的只是人，我不喜歡人力資源這語詞，但總之巧為活用勞動力，而且思考貿易立國這樣的形式。這次的第五次四年計畫非常明白地強調此事。

日本投資台灣的經過

　　杉岡：到此為止戴先生所說的話，我想有很多是以往未在日本被介紹的有趣見解，也是我們思考台灣時，隨時都要放在心上的基本條件吧。那麼，在今天台灣的工業化大致成功的階段，最近日本的資本進入顯著起來。當然從全體比率來說，1952至1967年的16年之間，對於台灣華僑以及外國人投資的實際成績來看，投資金額的百分比華僑為33.3％，美國資本為51.8％，日本11.9％，比率不大。以每件的規模來說，美國占非常大部分，日本的規模比較小。這是因為美國對投資有種種保護措施之故吧，總之現在所占比率不怎麼大，但從1967年快速地增加，我想是可

以從種種方面關注的現象。

　　我只去十天，因此不清楚詳細情形，去視察的印象最應注意的是，日本的經濟投資是為了維持日本商品既存的貿易市場，而非常反射性地投入台灣市場的感覺。例如電器製品有以東芝、松下、三洋為首的主要電器製品公司率先進軍，自1961至1962年末幾乎全部打入台灣市場了。藥品是以武田、田邊、鹽野義、藤澤、第一、山之內、大日本等，日本七大製藥商在1962年4月至1963年2月僅11個月之間全到齊了。從此可看出進入時期依業種別的集中趨勢。

　　這是說明，隨台灣工業化的進展，各業種產生出民族資本。那麼，對此台灣方面如採取保護政策，限制輸入的話，既存的日本市場便會失去。為守住市場，無論如何就要採取投資的形式。總之，與在台灣民族資本開始供給商品時期的前後，應該正好也是日本資本採取一起進入的時期。

　　從而，投資形式有相當多並不是很正式的管道。與某台灣財界人士見面時，雖是以溫和的形式，但也指摘出這一點。亦即藥品或化妝品製造商的大部分的情況是把原料從日本帶來，在此僅做包裝形式的投資。沒有真正要培養台灣工業力的姿態，因此受到台灣方面的批評。

　　而且以這種形式進入的結果，也因日本商品，特別是消費財有殖民地時代以來的商譽，因此相當多的外資企業愛用日本名稱。例如松下電器是合資公司，但稱為台灣松下電器；三洋電氣稱謂台灣三洋電氣，社名採取保留日本名稱的形式。這樣一來，台灣民族資本的競爭製造商就算是製造同一製品、同一品質的商

品，也因日方的商譽，而可以高出10%或20%的價格賣出。

　　因有這種情況，特定業種的合營企業市場占有率相當高。這是1967年的指標，電氣製品與日本的合辦資本的市場占有率約30%，藥品占15%。因此出現了事實上壓迫台灣正要成長的民族資本問題。

　　我們在這裡感到疑惑的是，利用品牌名的力量等事，比如當資本自由化之際，美國資本進入日本的時候，日本的產業資本以此做為反對自由化的根據，若是這樣搞的話，日本資本會被美國資本毫不費勁擊敗，所以應停止自由化，一直以來使用此邏輯。

　　同樣的資本，來到開發中國家的台灣，自己卻在搞希望美國不要對自己搞的事情。依我們來看，這是無視台灣的民族感情或逼迫民族資本本身的成長停滯，是過於性急的投資。

　　戴：杉岡先生所說那時期的事情，製藥的情形是有這樣的問題。因為公布了台灣能製造的藥品就不能輸入的法令，所以急急忙忙以採取合營企業的形式，為了維持既有的市場占有率之故，日本製藥公司一連串投入台灣市場。結果是把日本國內的過當競爭照樣帶到台灣。這是閒話，台灣與日本人同樣，都很愛吃藥，實在不太好。

　　有關日本企業進入台灣市場的作法，國府當局的經濟政策也有其原因。台灣一方面好像以孫文的民生主義的經濟計畫做為號召，於此同時，美國透過美援機關給了不少壓力，令之自由競爭，也就是不要過度保護。這個策略便微妙地反映到政界，常影響經濟政策的實施。

　　所以台灣內部的製造商，具體地說如大同製鋼就很困擾。好

024 戴國煇全集 18 ◆ 採訪與對談卷一

不容易茁壯起來，各種外資系家電關係企業的進入應是很困擾的。在這地方我想是有不滿。民族資本才剛培育起來外國企業便進來。如杉岡先生所說，如對當地沒有太大好處的投資，而且加上裡應外合，今後會發生種種糾紛是完全可以預想的。

杉岡：因有人接納，合辦才能成立吧。

戴：如大同製鋼、味全食品等自力創業者沒問題，那些不能自力創業的公司，便直截了當搭上政府接納外資政策的便車，搞了合辦。以前我寫過，1950年代的外資尚不多見，積極進入大概是自1963至1964年前後。日本的投資是1966至1967年前後，當初金額不大。那時，國府當局若無外資投資就很困窘，因為經常有不知美援什麼時候被停止的不安。從國際情勢來說，接納外資，在某種意義上也是對政治性的自我保全加分。

杉岡：聽說某時期出現了因不接納外資所以台灣工業化沒進展，外資政策沒做好，所以遭到抨擊。

戴：這是從民族主義的立場，如何看待外資的問題。同時，國府為了保護自己的政權，以什麼形式利用外資，又把它如何連結到經濟發展來利用，是最大的課題。在這點上，有邏輯的矛盾，就如同盾的兩面吧。

於是，外資政策如果是相當公開的話，不用心經營的企業家們便把握任何人脈要與日本企業扯上關係。最初是利用其品牌為主要目的，形式上採取技術導入而嘗試合辦。

那階段與日本企業的關係是大概以台灣人為中心，尋找舊知合作，今後改以大資本，亦即從商品進出口或是技術合作方式而轉移到投資的階段，我對未來的發展拭目以待。

掌控貿易的日本商社

杉岡：全面地對日本經濟進入台灣市場的評價，留待此對談的最後來做。就我所見範圍的現象，再來講一些。

台灣當地經濟界有力者，希望我對日本經濟進入做思考的另一點是最近日本的總合商社開始被高度關切這事。日本的總合商社在台灣的勢力，在數字上很難掌握，但其力量很大。依我的觀察，台灣的民族資本雖能製造東西，但在販賣力方面非常差。大陸來的資本家這一點比台灣的資本家優秀，但不像日本總合商社擁有世界規模的販賣力。

與此相較，日本的總合商社擁有世界性資訊網與販賣網，台灣的工業化所生產的產品，相當部分由日本總合商社販賣。台灣好不容易工業化了，貿易面卻受日本總合商社的支配。或日本的總合商社賤買台灣的工業商品，事實上有控制台灣經濟的一面，因此聞說對日本的商社起了警戒心。

恰巧有關於此印象深刻的是日本罐頭，特別是蘆筍與洋菇在西德市場最近被台灣產的完全打敗。因此蘆筍罐頭製造商、有名的北海道的Cradle企業因而倒閉。

日本業界的說法是台灣物美價廉的商品，打垮日本的蘆筍，去當地問了才知，實際是日本總合商社讓台灣罐頭製造商製造，然後貼上日本總合商社的商標輸出西德。製造蘆筍罐頭的的確是台灣的企業，而將此在更高層次組織販賣的是日本的總合商社。

這麼一來，就此一蘆筍輸出案例，不可以單純地認為北海道Cradle的倒閉是被台灣罐頭製造商擊敗。因為日本總合商社與其

讓北海道Cradel製造，不如讓台灣的罐頭公司製造後輸出更有競爭力。不能忽略了在拓展市場，或者利潤豐厚的考慮之下，把台灣的罐頭公司當作承包工廠的一面。

由此來看，日本總合商社在台灣出口業務，感覺是擁有相當的力量。

戴：即帶有國際性。

杉岡：商社在某種意義是帶有國際性，也是非常短期性的只追求眼前利益、代表性的組織，其在台灣擁有龐大的影響力，亦必須考慮引發當地反彈的問題。可是此問題意外地很少被指出。

戴：台灣是有察覺到啊。所以這次的台灣版JETRO就是那種構思。還有「外貿協會」要被擴大為國際貿易局等有相當的動作。另外一個是，國府有個叫作中央信託局的機構，以往是在購買方面承擔政府的委託採購任務，銷售能力幾近零。這正如杉岡先生所指點。

這是個小插曲，也是有關蘆筍罐頭因品質不良被外國退貨時，標示的原出口國為「台灣・日本」，而被指摘：「台灣至今還是日本殖民地嗎」。

剛才杉岡先生提到，大陸系中國人的國際市場銷售貨品能力的事情，我想那是與華僑有關。然而這華僑議題又很複雜，令人頭痛。想想新加坡，聞說接二連三建立中國大陸商品的百貨公司，香港也蓋了很多百貨公司。那華僑今後如何因應，還有華僑自身今後如何蛻變是問題吧。但我想是無法與日本近代化的總合商社較量。

在這裡，我想杉岡先生視察過的可果美（Kagome）的問題

應被提出。總之那是委託台灣製糖公司的農場供給部分原料。實際上這成了爭論的問題，出現了贊成的人；與認為「豈有此理，那不是日本帝國主義的再現嗎」的反對者兩方的意見。

　　且說問題將如何演變。台灣是海島經濟，海島經濟除以貿易立國以外沒有其他方法，就算能製造出類似可果美品牌的蕃茄醬，也不一定賣得出去，必須利用已占有日本市場的可果美銷售管道。不應主張過度的民族主義，但不能買辦化的說法，聽說目前已逐漸獲得共識。

　　我想終究是，在自己這方如何控制流通過程的利潤問題。還有一個是如何引進生產技術的問題。自己這方有資本與勞動者，但技術無法趕上，所以暫且採用合辦方式，等琢磨好技術再出手，是眼前台灣一部分企業家的考量吧。

台灣企業幹部的問題點

　　戴：在此，資本家的性格當然是個問題。我想請教杉岡先生，您覺得台灣企業家的性格如何？

　　杉岡：短期間的旅行，不一定能視察到那個程度。台灣人與日本人不同，說話很溫和，也感覺不到明顯的個別差異。

　　戴：我想約可分為三種類型來談。此三種之中，抽離他們的一般性的話，台灣的企業家多半講求短期內回收投資。最近稍微延長，但至今我所見面的人大概訂為兩年。日本的中小企業是三年吧。

　　杉岡：日本的中小企業也已經不是那種狀況，而是產業資本

性的。

　　戴：這個還是來自於台灣所處的特殊國際地位，而對資本的不安。所以，有什麼可以賺就一窩蜂地撲上去，撲上去然後大家互扯後腿，將之搞垮。另外則是以無論如何趁可以賺的時候抓一把的方式。

　　而最近因文化大革命，台灣海峽情勢比較平穩，外資的引進比以前進行得順暢，或因越南特需而增加實力，照這個勁頭似乎可行。因此企業家之中也有積極出錢，比如請在東大留學的學生再繼續研究兩年，回來後高薪聘入自己公司，這種想法的企業家開始出現，這是以往沒有過的現象。從模仿日本技術的階段到親手實行技術革新的積極性終於開始出現，成為最近顯著的傾向。

　　於是我認為今後會成長的是，具有近代性感覺，自己也開拓銷路，進行近代性體質改善，並以公司組織經營的近代產業資本家，今後可望伸展。這是一個類型。第二類型是全依靠日本商社，然後巧妙地隨波逐流。第三類型是比鄉鎮小工廠稍微好，為家族式的小規模經營，這樣好就跳來做這個，那樣好就跳去做那個，大約談不上是企業家的作為。這樣想的話，現在正好是處在分水嶺吧，從家族公司到近代的股份公司，或從商業資本蛻變為產業資本，大約接近中間階段。

　　在這樣的情況下，最近開始有後繼者問題被提出來議論。以往的代表性創業者大概是單槍匹馬為多。大同製鋼、味全食品大概就是這樣的。這種創業者開始在考慮接班人的問題。來訪問我的企業家之中，二、三年前是問我有沒有優秀的技術工程師可以介紹；但最近的趨勢是不喜歡學經營學的，比方你這種學經濟學

的就不行。你的種種分析非常有參考價值，但沒有辦法立刻為老闆賺錢（笑）。老闆想要的人才是能夠做市場調查，建立近代性銷售網的。由此可知資本家的想法在改變。

然而市場上還是存留不安的氣氛，例如憂心後越南會變成怎樣，而不能做長期展望的投資。因此塑膠關係等的裝置產業，這四、五年因台灣海峽相對安定，而拓展市場，就一下變得很大。如鋼鐵一貫工廠那樣大規模投資就非常困難。圍繞台灣政治、國際情勢的諸動向，我想基本上制約了台灣資本家或企業家的性格。

杉岡：由於我在這次旅行中，考察的都是具有代表性的優秀企業之故，我的感覺是，台灣的資本家雖是商業資本家，但都與自己白手起家建立公司的日本的經營者不同，以優秀的、品格優異者居多的感覺，工作能力十分出色。聽日本某大型製造商的合辦公司說，由日本派遣的董事，若是漫不經心的話甚至會被台籍幹部取代。我的印象是，經營者個人作風較強勢，其部屬的中堅幹部較為薄弱。大概是同家族經營之故，即便是有優秀的人才，也很難升遷，因此傾向前往美國。好不容易有優秀年輕的大學畢業生，每年約有一千人去美國，回來的聽說只有百分之五，這對台灣真是件可惜的事情。

戴：就是這點，日本現在出現對年功序列〔譯註：按照年資、貢獻決定職位的制度〕的批評。我以為年功序列是伸展日本資本主義擴張的不能忽視的因素之一。沒有年功序列，職工會感到很不安。在傳統上不想受人指使，至少日本人和中國人都抱有同樣的想法。日本的情形是受年功序列的保障，老年生活會受到

照顧，所以願意工作。台灣的情形是，雖然開始有大企業出現，但詢問工作人員，多半回答感到很不安，不知什麼時候會怎樣，因此，勞動者的流動率很高，有些許薪水差距都可成為流動的理由。台灣的資本家因為社會性、國際性的不能長期投資的諸情事，同時也微妙地影響勞動者。特別是高級技術者與熟練工人，因薪資的高低而有激烈的流動。因此不會出現讓自己與企業同步成長的情形。所以，細胞分裂現象不斷出現在企業，味精（Monosodium Glutamate，MSG）產業是個好例子，結果是更加變成過當競爭而陸續倒閉的情形。培育公司，自己也在裡頭接受分紅這事，未能成為社會性的通則。

　　杉岡：只是，我的印象是，如果不培養中堅幹部，充實管理體制，今後台灣工業化已到無法前進的階段，目前似乎也已進入解決此課題的階段。

　　戴：正如所您說，但考慮人才外流問題的時候，有必要與國力的增長或頹勢的關聯來思考。思考日本時，我想也必須思考日本的國力。日本經過了甲午戰爭、日俄戰爭、九一八事變，總之，國力呈曲線快速上升現象。那個時期沒有人才外流。當然接受人才的美國，其社會與經濟諸條件相當不同，不能一概而論。至少當時日本留學生的想法是：與其留在海外，不如歸國更有生存意義，又有工作的場所。

　　杉岡：是為了歸來而去。

　　戴：台灣的留學生則是一去不復返。

　　杉岡：真可惜。

　　戴：大家都知道很可惜，可是沒有拉回的力量。

　　杉岡：不過，工業化已那麼進步……。

　　戴：就是這個問題。工業化如日本曲線快速上升，也有國力的增長，所以會回來。不只是心靈依歸的問題。「人不只為麵包而生存」的原理，年輕人應更容易接受，說來還是要尋求有意義的工作、能發揮自己的力量的職場，所以留學生歸來與否，不應僅以單純的待遇問題或經濟問題來思考。

評價台灣的勞動力

　　杉岡：話題移到台灣的資本家論或年輕知識分子問題，日本的資本最近急遽擠進台灣的原因是，如常被提及的利用台灣的低工資，我想對此稍作思考。事實上日本資本的進入，有部分是想利用台灣龐大的低工資人力。台灣的工業化剛起步，比起日本工資相當便宜。這是因為勞動力的供給基本上相當程度地供過於求，勞動力供給源的農村經濟水準相對較低的問題有關係。

　　我視察台北附近與高雄、台南，看了北部與南部工業地帶，感覺今日台灣勞動力狀況起了很大的變化。例如台北市的情況是已過了可依賴近郊進入台北市的通勤勞動力階段，現在已進入不從中南部招募勞動者並供應寄宿，否則招集不到人的階段。高雄也已過了可從市內或近郊供應的階段，不從屏東縣或台南縣招攬就不行的狀況。

　　日本企業到了台灣，就有取用不盡的廉價勞動力，曾存在日本的低工資觀已與現實相當不符，正處於流動化的狀況。其實，工資水準依各地而有很大的不同。我所調查的案例是針織品為台

灣新興產業之一，台北針織品工廠一個月工資最高為3,000元新台幣，最低為1,000元，換算日幣最高約為27,000到29,000圓。平均為1,800至2,000元新台幣，日幣約為16,200到18,000圓。針織品工資相當高。同樣是纖維產業，台北的毛織紡織是平均1,000元新台幣，約為9,000日圓的程度。

然而台北附近，開車往南約一小時的地方，鶯歌有日本某文具製造商的合辦公司，那裡是700至750元新台幣，約合6,300至6,750日圓。台南的食品加工製造商的話，計時工資為2.5元新台幣，以一日8小時，每月工作25天計算，也僅合4,500日圓。

但是，同樣是南部到工業化極度發展的高雄又高起來，年輕女子也只有660元新台幣左右，有如此顯著的不均衡。在台灣一般來說勞動力是以20歲前後的人為對象，中高年齡層不在此範圍，但勞動力相應是非常流動化的狀況。

因此，也不是絕對的低工資，而是逐年變動隨著上升。但是與日本相比，是具有一定差距的工資。是依業種、熟練度而各有千秋，有很大變動的狀況，即使這次短期間的旅行也可明顯觀察到。

另一個問題是，我們日本的中小企業很懼怕開發中國家的低工資，但一般低工資很多情況是與低生產性相關聯，有低工資的地方是低生產性的。最可怕的是低工資，而且是相對的生產性高的情況，始能發揮競爭力。從這一點來說，所謂台灣的勞動力，現在依業種也有生產性很低的，但據聞從日本進入企業的管理者說，經過訓練有馬上進步達到日本水準的可能性。還有比日本更有好處的是，那些勞工不以勞動為苦且非常順從。順從所代表的

真正義涵雖然應該探討，但總之對於管理者來說，不像日本勞動者裝副不耐煩的臉，那些勞工很勤勞，考慮今後勞動生產性的時候，日本的進入產業認為非常有希望。而且與日本之間有工資水準的差距，那差距不像是會縮小，對於日本的資本還是很有魅力的。

　　對此勞動力低廉引人注目的最大動向，可舉出日本企業對高雄加工區壓倒性的投資。加工區到今年二月，已開工的有80家，日本是最多的34家，其次是華僑的27家，台灣資本19家。在此，例如某日本電子零件製造商製造零件，拿來日本做為在日本製品的零件組合進去，如果在日本製造零件成本就要140日圓，然而在高雄的工廠只需45日圓，加工高雄工廠的利潤以及種種成本，以CIF〔譯註：到岸價格，成本＋保險費＋運費，Cost, Insurance and Freight〕70日圓就可輸出日本本公司。總之以一半價格即可出貨。

　　從而，所謂以特惠關稅與開發中國家的競爭問題，也不單是台灣與日本的競爭，同樣是日本的資本，也有能夠組織台灣勞動力的企業，與不能的中小企業之間的競爭型態，把台灣的存在凸顯出來。而且那投資的日本企業與台灣的利潤，又有相互的複雜關係。以勞動力不足，對於日本是單純的經濟目的的投資，一旦進入就出現複雜的關係，我有這種感覺。在這點上，不知戴先生如何看？

　　戴：我認為現今工資水準的高低不一是因為工資還只是家計補助性的性質所致。戶主的工資還不能完全維持家族生活之故，所以不能以完全離村的形式就業，獨立維持生計，從而工廠少的

地方工資低。而因為牽引廉價勞動力的力量還很弱，所以工資差距很大，隨著工業化更進展，勞動力供需關係呈現更不平衡，但我想狀況會改變。聽說高雄加工區已逐漸有勞動力不足的情況，已經不得不從自行車通勤圈外去尋找勞動力了。企業已開始新建寄宿舍，以確保勞動力。台灣支撐低工資的女工，並不是為維持自己生計，只是擔負補助家計角色的形式而就業者為多。因工作不會弄得灰頭土臉，而且做起來又輕鬆，普通的家族人口多、生活苦，所以有那種型態的出外賺錢。

今後工業化更進展，當然這部分會改變。如此一來勞動力的流動會更劇烈。如台南食品製造商一般4,500日圓的情形是不會再有了。針織品的情形是，特殊熟練工大概可達能自立生活，足夠支付附近的房租又可以吃飯的程度，或可以稍微有儲蓄。然而一般的情況是還做不到那樣。即便薪資能達到這種水準，從中南部去到台北近邊，付了房租就沒了，這就沒辦法做。宿舍等的設備當然就有必要，情況還未到那裡，因此企業也還未做考慮。

杉岡：但現狀是若不蓋宿舍，第二高雄加工區是絕對不能建造的，情況已經演變到這個地步。

戴：現在的工資究竟是補助家計性質十分濃厚的階段，因此工資的高低差距是當然的。我來東京是昭和30年，與那時候的日本相似吧。

例如台灣糖業公司，這一年來有非常快速開始思考機械化的徵兆，就是說以往以臨時工應急的，最近已不容易招集工人，工資低些也要做乾淨而輕鬆的工作，例如回絕甘蔗收穫等田間工作而選擇罐頭工廠。

　　以往台灣的農家戶數與農家人口都是微增傾向。最近沒有確認統計，但看報紙或雜誌的報導，或聽來日的有識之士說，農村的年輕勞動者開始在出走了。

　　杉岡：是這樣。

　　戴：這還是一個新現象。

　　杉岡：與以往相較，勞動力相對短缺，但比起日本還是相當豐富。

　　戴：日本一般的經濟學者，過去是以如何減少農村人口、促進近代化為課題。然而，現在是因為外移過多而傷腦筋，為農村處於人口過少狀態，巨大城市的問題該如何解決而慌張。台灣的學者如何思考日本目前的狀態讓人覺得十分有趣，但是否注意到日本的都市化、巨大都市形成等的弊害性。

　　現在的台灣體制如持續的話，又支撐台灣經濟的外部因素沒有變更，就會追趕日本的後塵，出現農村人口過少現象，而在台北至中壢間形成巨大都市吧。

日本對外經濟政策的貧乏與危險性

　　杉岡：從我的立場，我想把到此所談做個總結。印象最深的是日本的經濟進入，起先是做輸出，因台灣的民族資本出現，為了確保輸出市場而進入台灣，姑且做應付一時的投資。

　　其次是日本的勞動力不足愈趨顯著。恰好有高雄加工區在那邊，便爭先恐後地進入。只是在順應眼前的事態，沒有長遠考慮台灣的政治、經濟問題，而對於此企業的投資有什麼意義，以企

業的立場有沒有清楚地思考，似乎是隨便地只看眼前的狀況而投資。那累積不知不覺變成相當大。詢問日本投資企業在當地的當事者對於此事的想法，他們的回答是想了也不能怎樣，所以就不去想。我想恐怕大家都一樣吧。

　　今後世界的社會主義與以中共為中心的東亞政治情勢如何變化還不清楚，但是照現在這樣日本繼續經濟進入台灣、韓國，以一定的經濟勢力紮根這事，對東亞政治的將來，不止於經濟，我想實際已意味著參與其中。這樣的事態到底是要怎樣，我感到非常疑惑。

　　當然，變成這樣的事態，前提條件是日本的保守政黨與台灣之間締結和平條約，或給日圓信用貸款，有那樣政治的一定前提條件，因此日本的資本只順應眼前的利害而進入台灣。但是現在經濟的重要性變成非常大，為了保護其利害之故，我感到接著便不能不以政治出馬的不安。這個地方，戴先生如何想。這種事一直從來就不被當成問題……。

　　戴：我正在寫「日本於二戰後的台灣研究」的論文，而做事前查考時發現，《中日和約》在日本論壇幾乎沒有被當成問題。另一個是1億5,000萬美元的日圓貸款也沒有成為問題。保守勢力相當早就把台灣問題當作自己的問題在思考，而革新派的人多不當成自己的問題掌握。正統派中國研究者以為，美國的第七艦隊從台灣海峽撤退國府便完了，美國停止援助，蔣政權便會崩潰，這種感覺至少至今好像很一般。這種認識非常隨便而膚淺。沒有分析台灣內部的政治、經濟、社會，對日本與國府的關係也沒有好好研究就發言，令人不敢領教。從這樣的狀態而不覺之中如杉

岡先生所說，已相當地介入被造成既成的事實。我沒有斷定其當
與否的立場，但中國研究者把台灣丟放在視角之外，這事與杉岡
先生在前面所指出，把台灣研究視為禁忌的氛圍，真希望能夠改
正。

　　杉岡：這部分的反省，包含中國研究者在內，日本的確還非
常不夠。對台灣的工業化，某種程度利用日本的經濟力的台灣政
策之故也有，有些日本人以為投資台灣是在行善事，有此傾向。
但是台灣人對日本的投資沒有那麼單純的想法。日本人沒有注意
到這事，我在這地方感到不安，實際上已介入很嚴重的問題。不
僅限於台灣，日本的經濟進入是在《中日和約》，以及對台灣1
億5,000美元的日圓信用貸款等政治前提之下，但看之後的發展是
配合資本的追求短期利潤，處理資本眼前進入的事務而已。國家
對外經濟政策之事，根本未被思考。

　　但是具體地想，美國對台灣將來採取何種措施的可能性對
策，完全不在考慮之中。如果美國要從台灣撤退，或政治上從台
灣縮手的變化發生之時做何打算等。屆時，日本是否也要承擔美
國現在所做事情的覺悟，我想也沒有。這個地方極為曖昧、模
糊，一直保持非政治的方法拖拖拉拉，只不斷累積既成事實，我
感覺好像如此。

　　戴：如以稍微不負責任的說法，自民黨之中，如松村〔謙
三〕先生等除外，其他人是不想與台灣切斷關係。當然也希望與
北京以「政經分離」拓展貿易。如果北京肯閉眼睛，今後也想
強化日台貿易或經濟合作關係，但好像又怕北京大聲斥責……
（笑）。

　　杉岡：自私、一意孤行，淨想只顧自己方便的事。概括地說，日本實現了世界上無比的高度經濟成長，因此在國內引起種種混亂，一方在破壞文明才是現狀。而且，一切的問題都在增加國民所得的一語之下而被否定，恐怖的經濟中心主義正在橫行著，關於日本國內，是日本政治的責任，所以選擇了這種政治的國民之方也有責任，在某程度上是不得已。但是波及於國外，因經濟進入而產生左右他民族命運的要素，客觀上在產生的階段，也沒有站在反省日本過去歷史之立場而有一定的對外政策，對外政策只有以經濟堅持到底，真是令人遺憾且感到可恥。無法做到相稱於經濟力的世界貢獻此事，在對台的日本投資如實地做了證明。

本文原刊於《經濟評論》第18卷第9號，東京：日本評論社，1969年8月，頁110～132

亞洲近代化與日本的任務
──從亞洲看日本座談會

◎ 林彩美譯

時間：1969年4月2日

地點：東京赤坂王子飯店

與會：巴達加利亞（印度人，就讀九州大學研究作物學）

　　　高秉澤（韓國人，東大經濟學部研究所）

　　　默罕捷莫‧胡笙（巴基斯坦人，工學博士‧船舶學）

　　　小木曾友（日本人，亞洲學生文化協會）

　　　戴國煇（中國人，亞洲經濟研究所調查研究部研究員）

主持：杉浦正健（日本人，東洋大學亞非文化研究所）

　　杉浦正健（以下簡稱杉浦）：今天的題目是「亞洲近代化與日本的任務」，這是在《政治公論》連續登載的「世界之中的日本」大型企畫主題之一。今天邀請亞洲各國的各位來參加，討論在亞洲之中，日本今後應盡什麼樣的任務。與其放眼世界，不如著眼近處，而且要傾聽亞洲各國學者各自立場的意見。

　　今天出席的戴國煇先生、胡笙先生、高秉澤先生、巴達加利

亞先生皆長期留學日本，都是我與小木曾先生多年的知己。戴國煇先生取得東大的農學博士，現在於亞洲經濟研究所繼續做研究。默罕捷莫‧胡笙先生是東大出身的工學博士。聽說歸國後要任職於即將於達卡大學＊創設的造船工學科的主任教授。高秉澤先生就讀東大經濟學部研究所碩士課程。巴達加利亞先生是第二次來日，前回是取得東京大學作物學碩士後回國，這次來是要在九州大學同樣研究作物學。今天的題目是相當大的總括性的題目，或許不太好談，但請率直地不拘於專門領域，也不拘於所屬國家的立場，希望聽聽各位意見，今天我和小木曾先生是配角，主角是各位，請多多指教。

　　看看亞洲各國所處的現況，大致上不能說是充滿希望的狀態。反倒率直地說，在我看來不樂觀的要素還比較多。第二次大戰後從「殖民地」被「解放」，但真正的「解放」才剛開始，是前途多難的樣子。又從日本的立場來看時，戰後已過了20年，從國際、國內來看，日本的對外態度，特別是對亞洲的日本態度，好像走到很大的轉折點之感。或許是很誇大的講法，在世界之中「亞洲問題」的比重可預見愈來愈大，我感到在日本人之間，未真正當作自己生活方式的問題去質詢「亞洲之中的日本」吧。

　　短期和長期來看，從日本方看的時候，與亞洲諸國的關係往愈來愈深入的方向在走吧，某種意義下，日本人處於不得不去加深的政治、經濟體制下，但到底是照現在的作法就可以呢？或者要往哪裡去做什麼呢？我有著急擔心之感。在此意義下，從亞洲

＊　建立於1921年，係所在地達卡著名的大學。達卡現為孟加拉國首都。

諸國的立場來看，或從日本的立場來看，今天的題目我想相當具有今日意義。

　　首先讓互相的想法在某程度加以了解，對題目的前提先做討論，然後進入日本扮演的角色，不知各位意下如何？亞洲的近代化到底是什麼，關於此，戴國煇先生所想的或者與我所想的不一樣，或者也與巴達加利亞先生所想的亞洲近代化不一樣。如果維持不一致議論下去，議論一直保持平行線，沒有交集，就無法討論出亞洲的近代化到底是什麼。又，以「亞洲」為名之下，到底要理解什麼課題，就細部來說我想應該有吧。取得相互想法中大概的了解點來討論，重點是亞洲的近代化對亞洲的將來，日本到底能扮演什麼角色。過去日本在歷史上對亞洲近代化扮演什麼樣的角色，與現在扮演什麼樣的角色有密切關係，請把重點放在日本能扮演什麼樣的角色為前提來討論。

　　從「亞洲」這個語詞，能理解什麼？岡倉天心在其著作《東洋的理想》〔《東洋の理想》〕一書的開頭說「亞洲是一體」，留下這句對於日本人無人不知、非常膾炙人口的話。可說是大亞洲主義，我想是指亞洲是一體這個價值觀，但從思想面看，是連接到「大東亞戰爭」意識形態之一面的思想，而以普通日本人的基準來想，看見亞洲一詞之後，所聯想到的是亞洲是一體。模糊的想起亞洲一體感，我想是極為普通的心理過程吧。戴先生認為如何呢？

關於亞洲的近代化

戴國煇（以下簡稱戴）：我認為岡倉天心的「亞洲是一體」不能僅當作一個語詞來看，首先應考慮這句話出現的當時日本的歷史狀況。目前依我種種學習的經驗來說，亞洲並非一體。我以為與其說亞洲的同一性不如確認亞洲的多樣性更好。確認多樣性之後，我要思考亞洲的連帶在何種條件下才可能，又應有的連帶是怎樣的東西。對於近代化杉浦先生講了很多，但依我個人的想法，已不是近代化的階段，而是現代化的階段。所以首先請問杉浦先生所講的近代化是什麼。

杉浦：是modernization吧。

戴：但是modernization這單字所意味的倒不如說是現代化吧。在這個階段，至少我們已來到了門口，早已不是近代化的問題，而是現代化的問題吧。例如中山伊知郎先生等所寫，近代化亦即工業化的這種掌握法，或者近代化就是歐洲化的掌握法，我的看法那是已不合時代且落後了。實際上歐洲已停滯不前。單使工業化、生產力飛躍地發展，那種單線的作法，到底對人類的問題解決是否真的有貢獻呢？在此之前我以為日本的都市公害問題，美國的都市化、工業化所帶來的種種問題，若不加緊思索探討，恐怕就來不及了。工業化的結果，造成我們不能安心利用從市場買來的食品的情況（如目前可看到的反對食品公害活動等），又車輛增加、交通戰爭、交通堵塞、大氣污染等都是公害問題。這在某意義是剛才所說「近代化」的結果。所以在某次席上，對日本的中堅研究者的，亞洲工業化應有的型態是以日本、

美國為榜樣的發言，我說簡直是不合情理。工業化自身是手段，並非目標。以那做為模型來考慮是令人困惑的。就我的理解，日本所碰到的問題是歐洲文明已不能維持其生命力，或美國所碰到而無可奈何的諸問題，其中包含相當共通的東西。因此有汲取日本與美國的教訓，也不應以之為模型之感。反倒是將那些近代化所帶來的諸問題，率先編入自己問題裡頭的形式去思考亞洲問題。在此意義我認為不是近代化，而完全是modernization，即應該是現代化。

杉浦：戴先生所說的「現代化」問題等會兒在後面再深入討論。亞洲的多樣性、複雜性的認識是先決的，這事我也完全同意。首先特別要從日本方來看，非得以此為出發點不可，我也是其中一個。率直地說，這種意見在日本還不能說很被理解。好像被亞洲是一體的情緒所迷住，或被亞洲的同質性所浸溺，而有同一性的感覺。那不單止於情緒的感覺，我覺得是根深柢固存在日本人的精神結構中。就此層面而言，日本人的對亞洲的「態度」，回顧明治百年也大同小異，沒有多大改變。那種精神基礎在日本之中還很根深柢固，所以我提出前述的問題，胡笙先生您以為如何？

默罕捷莫・胡笙（以下簡稱胡笙）：我不像戴國煇先生，我不是專家，太難的我不懂，但我直覺地認為亞洲是一體。去年回國一次，那時我大致停留亞洲各國一兩天。在大陸中國也住了兩天，我們東洋人之中還是有親密的共通東西，到哪裡都可感到還是亞洲的感覺。心情也是亞洲的感受。

各國有其個別的歷史，把那歷史除外，我們的想法，所謂思

想中有非常東洋的想法，例如與中國人談談有「同是亞洲啊」的感受。然而與歐洲人交談時，則有著說不出的不同感受。以那種直覺而言，我認為亞洲是一體。

杉浦：同樣的問題，高先生的想法呢？

高秉澤（以下簡稱高）：思考亞洲的時候，亞洲是一體，亞洲是命運共同體，從前的人常這樣想，也連結到日本帝國主義的侵略政策，但亞洲是一體，這做為理想當然是非常好的事情。但是實際來看，如剛才戴先生也說過，亞洲現在相當多樣化，有愈來愈被擴大再衍生的感覺。談亞洲時一個很概略的想法，談亞洲的近代化時，或者說在亞洲的語詞連結近代化來思考時，好像有些吹毛求疵，不好意思，我認為亞洲諸國連近代化的課題都還沒有解決，在那樣的地方，以現代化的語詞來思考，我認為有點語詞上的跳躍。亞洲近代化與現代化兩者之意，如何嚴密地區分有相當可議論的餘地，還有近代化的課題也尚有相當的部分殘留著，我這樣認為。

杉浦：關於這一點戴先生如何看？

戴：對於杉浦先生剛才提出的一般日本人感覺亞洲是一體，這點我也承認，這時候我想把世代切割來考慮。戰後世代對此事逐漸淡薄了。日本年輕友人，很多已不把問題局限在一國、一民族或曖昧模糊的一個亞洲，毋寧以人類全體的問題的形式來接納考慮，以及採取相對的行動，這是我二、三年來的感覺。亞洲主義如何定義是很難的問題，如勉強將亞洲主義極度單純化為亞洲是一體這樣思考時，在此我要指出，這種形式的構思，我想是現在年過三十歲後半以上的人居多。這些人目前實際是在推動日本

的人，這個意義是很重要的。但如高先生所說，很遺憾的是，只有圖方便或只是心情上而說亞洲是一體，實際上很多時候是面向歐洲的——像諸位我想是不會。而為求方便時的亞洲是一體的形式問題提法，最近又開始抬頭，未經過對過去的嚴厲對決，我認為是有問題的。

　　對問題的討論法，倒不如不以亞洲是一體的形式進入，而是從多樣性去著手，把各民族（包含其文化）的獨自性與對等的確認做為基礎的平等立場合作持續擴大，這種形式是否比較有效，是我的構思。接著是高先生所說，還有近代化課題殘留著的說法，那並不是我邏輯的跳躍，而是在世界史的發展階段，我們正是以擺在眼前的課題去掌握。近代化的課題還殘留著也沒關係，我想要以現代化的課題包含近代化的課題來思考。所以比如說近代化的時候，歐洲化或從社會經濟體制來思考的話，也可以資本主義體制的創出形式來掌握。這樣的話，近代化總之就是資本主義化的意思。暫時避開近代化的定義，只考慮資本主義化，那麼在現階段的開發中國家考慮資本主義化也幾乎不可能。因此說解決世界史拋出的課題時，不能因為沒有可能性就一直停留著，因此我不認為我的理論是跳躍式的邏輯。還是不能不思考那裡的問題，所以解剖為更細些，的確近代化問題是提升國民所得、建設統一國家、建立國民普遍的統一意志等這些形式的普遍問題，這些也絕不會與我所說的現代化矛盾。

　　我要強調的是，日本資本主義目前由於日本民族驚人的能量而達成極高度發展的生產力。去看那高度成長的數字或光明的一面也很重要，但以學習者的立場來說，反倒數字和光明面背後的

更要加以注目東西，例如忽視人的主體性問題應在自己的問題之中編入那些黑暗的部分來考慮。具體來說例如東京都的問題。在我看來，衝刺的力量過於被放縱，目前克制方的力量非常薄弱，或者妥為控制，將那能量合理地引向更好的方向，因為不能這樣做，政治家們正很傷腦筋吧。事實上我的故鄉台灣台北，正步著東京都後塵，再者，中壢至台北間也追趕在東海道巨大城市之後。我強調的日本的教訓應汲取，但不能做為模範正是此意。日本的現狀雖然很繁榮，我感覺到好像有什麼很不安的東西存在。與此相關聯我目前正在考慮一些事情。戰前岩波書店出版哲學講座是在什麼時候啊？好像有危機狀況時，日本就會出版那種書籍，現在岩波書店又在出版哲學講座，好像有發生相同問題的感覺。就此意義來說，高先生覺得我的用詞似乎是跳躍的，我說不是，我想在此再度做一次辯明。

　　小木曾友（以下簡稱小木曾）：有關目前討論的問題，我基本上贊成戴國煇先生的意見。但是，亞洲的多樣化誠如其所說，與其說亞洲是否為一體，不如說將之稍擴大，相對歐洲亦即西洋來說有沒有東洋的存在。現在人類史所面臨的課題，正如戴國煇先生所說的。但是解決課題，承擔此角色的是東洋人，我說的東洋是指這個意思，也就是與西洋相對的東洋。在此意義亞洲是否可說是一體。具體地說，的確亞洲有種種國家，由於每個都不一樣，如說那是一體是不對的，這不是一體。那麼有沒有與西洋相對的東洋？不能回答沒有。我稍微感覺到此一存在。

　　杉浦：胡笙先生剛才所說主要是那種感覺啊！

　　胡笙：我所想的是，以手來比喻亞洲，每根手指形狀與長短

不一即亞洲各國；為了整隻手的發展，需要各國的發展，這之中
最大的手指就是今日的日本，擔負著重要角色。我認為「亞洲是
一體」意味著，對於亞洲的近代化日本負有重大任務。

　巴達加利亞：我與小木曾先生一樣，認為得要考慮東洋與西
洋。說是東洋也有種種國家獨立的個性，如果能與同樣的性格連
結的話，是在亞洲各國之中，在一同樣性格的文化之中培育出
來，所以那種連結非常容易創造出來。又民族性是宗教一般非常
柔性的想法。當然日本的家庭，歷史上日本的成長，在亞洲之中
呈現出不同的性格。所以西洋與東洋的不同，依我的看法，東洋
非常互助合作，西洋則非常競爭；東洋因地理條件較熱，於是食
物豐饒，產生比較沉著、鎮靜的想法，所以宗教很發達，文化在
歷史的初期就培植得很好，互相合作不大給對方麻煩，互相能安
定地生活。

　與此相比，西洋因地理條件之故冬天寒冷，種種條件不同，
被迫競爭激烈。所以發展了完全獨立的兩個想法。比如稍舉例來
想，氣候較熱的地方，火的用處僅是做飯；然而西洋酷寒的國
家，同樣的火也是暖房所必須的。又東洋造屋時，因太熱之故有
簡單的屋頂便可生活，也不怎麼需要衣服，所以自己的需求性很
少，欲望也少。西洋的情況是非常競爭的，房子為了防寒要蓋得
牢固，在裡面常使用火，又文化的發展也因其必要性，科學或技
術的發展在西洋國家非常進步。從歷史上看，印度、中國、埃
及，種種技術也在很早就發達了，如不鏽鋼在第8或9世紀便在印
度被發現；雖然發現了，印度產業卻沒有發展，因為該國沒有此
必要性。但在西洋因有必要便發展了。在兩種不同情況之中，印

度、非洲、亞洲諸國中，人們過著非常安定的生活，精神面也變弱，西洋與東洋之間差距加大。

在種種條件中，西洋的技術為人們生活水平提升的目的發展極大。例如為了生活的乾淨、利落，必須發展成非常便利，這個特色很顯著。現在的情況是除了日本與亞洲優秀的國家以外，其他亞洲國家尚未發展至此。所以那種東西很有魅力是當然的，為了人類的不幸與不便，改善生活是需要的。在此意義上，稍微學習技術，趕快發展是不是比較好？現在想想，種種國家有種種的不滿在發生。例如德國、英國、美國，對近代物質文明的飽和點之不滿已快速升高，為求心理上的支撐，或許會轉向東洋尋求解答也未可知。

東洋早就掌握到這股趨勢，一直靜靜地站著，不太活動，沉著地過活。這次的問題是，環視近代的世界，說是近代的或是現代的，的確有差別。走在西洋與東洋的街上，物質條件的不同，物質文明發展的差距一定很明顯。所以亞洲人一般對於未擁有的必然希望擁有，所以為了擁有，一定要走西洋諸國走過的路。就是得走上一遭。然而精神和物質要保持平衡，在這一點上的種種問題，亞洲的各國之中，好像可以感到同樣的性質，可以這樣說。在此中日本是一個極端的例子，地理也與其他國家稍有不同。亦即在歷史的成長中，日本養成了在亞洲是罕見的非常競爭性的性質。回顧日本的封建時代，光是要保住自己的項上人頭就很辛苦，因此便產生一個很強的力量，因為為了保護自己。在努力保護自己的力量中，極度促進了物質的發展。所以雖同是亞洲的國家，卻形成了與別國不同的性格。大家很嚮往此性格的物質

層面，在這方面大家對日本多有期待，比起西洋，東洋的國家易於親近、交往，想要交好就可達成。抱有「日本同樣是亞洲國家所以是容易交好的民族」的想法。所以就這一點來說，對日本而言產生了亞洲是一體，東洋也一體的想法，是否大家在安慰自己，我也不太懂。

戴：現在說的東洋與西洋的區分法，多出來的部分要怎麼辦？比如非洲、拉丁美洲。

小木曾：是有這種問題。關於此，非洲、拉丁美洲與亞洲是明確地不一樣。雖我未經仔細思考，但直覺是不同的。現在，亞洲與這些國家的共同點是長期做為殖民地，二次大戰後形成新獨立的國家，現在經濟開發未進展等有各種面向。在這方面，有把亞洲、非洲、拉丁美洲諸國做為一個集團來掌握的一面，只是依我的想法，亞洲與非洲、拉丁美洲很明確不同。以現在北方先進諸國對南方諸國的看法是有共同點，但完全以別的看法的話，亞洲與拉丁美洲、非洲是不一樣。其實我對非洲、拉丁美洲也不了解。

戴：我提出現代化的問題，與這部分有關聯。如以經濟學來說，非洲的情況是還有正過著部族生活的部分，與相鄰部族兇狠打架。所以如高先生所說的型態，在那裡的確有必須近代化的部分。其實還處在一般所謂近代化以前的階段，這樣說可能比較妥當。所以如果不跳躍思考是不行的。如單純地說，那部族再到民族，慢慢地演變，某意義是，不建立封建制度也就沒有近代化可能性的這種模式。我想不是這樣。

杉浦：這種事情恐怕不會發生，而應該是一腳跳過好幾個階

段吧。

　　戴：所以，因為這樣有把小木曾先生所說的東洋與西洋也包含在內的型態，或者我們有很多地方要向拉丁美洲、非洲學習也說不定。所以我的問題的提出法正是與這部分有關聯，籠統地以近代化的模式去掌握，我感覺是掌握不了的。

關於與「歐美對決」的問題

　　杉浦：剛才巴達加利亞先生、胡笙先生、小木曾先生所提出與西洋相對的東洋的想法，我以為也可以有這樣的看法。

　　有關歷史學者所分類的世界史的近代，一方面可視為亞洲諸國與西洋對決的時代，我想可以這樣看。歐洲各國入侵東洋，自16世紀前後到現代一直是在侵略，其實到現在也未終了。所以地理區分的亞洲或東洋都無所謂，但要考慮我們自己的問題時，歐洲以及其分身的美國也可包含進去，所謂歐美的諸事，物質文明之面或精神文明之面，過去未能避開，現在也不能避開走過。這是第二次大戰後，世界分成東西兩區塊，過去是殖民地的亞洲、非洲諸國幾乎都達成了政治的獨立，無論如何也不能只當作如哥白尼〔譯註：Nicolaus Copernicus, 1473～1543，波蘭的天文學家，發表地動說〕式的完全顛覆的局勢改變，這樣就完結了。剛才戴國煇先生所說，的確歐洲已經出現走到盡頭的狀況。我想應是如此，但別人家的事別管，做為自身的問題而言，應追究的先決問題好像有很多。就說共產主義，對於我們來說是「外來思想」，披著「反體制」的外衣，卻是西歐的「分身」沒錯，可這

樣說。要之，與歐美的對決不單是政治或經濟的對決而已，在所有方面，我們在所有意義上主體地思考事情為了將之落實在生活方式上，是不能避開而閃過的問題。或許是當然的事，但我想在這裡指出來。

在此意義上，剛才提出拉丁美洲與非洲的問題，若只看那些面，好像是有共通之處。

我想請教巴達加利亞先生，您說西洋文明所具有的競爭性質，依您的意見在亞洲近代化的過程中，應如何採納進來？

巴達加利亞：我想應稍微採納。

杉浦：有什麼意義？

巴達加利亞：非常邊遢、萎靡的地方能有所改善，或許會稍微變成個人主義的想法。例如去看日本的歷史會發現是非常個人主義的歷史，只想著自己的事情。為了守護自己生存的目的沿襲了那種生活方式。所以那是日本人發展的根源。就是現在也對他人非常不關心，只想著自己賺錢的事。比如到哪一國，就想對日本什麼最有利，只有那種想法。那是物質文明的一個大原因。做為國家是競爭的，具有個人主義的性格。為了物質文明發展的目的，那種性格是必要的。而宗教是使人溫順，在亞洲宗教占有相當的優勢，因此使人有溫柔的性質，除去人的欲望。對物質不怎麼關心。

高：如果是處於熱帶的亞洲，氣候風土使文化停滯，帶來決定性的作用，您是這樣想嗎？氣候使人喪失競爭意志。

巴達加利亞：寒冷會給人一種必要性的感覺吧。比如寒冷的地方人需要很多勞動。有雪的地方，以北海道的例子，每天即使

沒有工作，但下雪後要從家裡出來就需要鏟雪，把門前的雪掃乾淨。有此必要性所以自己的活力或活動的性質便會產生。人因而被訓練，所以有勞動的力量，有做事情的特別力量，馬力便會使出來。天氣熱的地方沒有那種訓練，就愈來愈不行。

高：我的想法是那也是一個條件，但……

巴達加利亞：當然不是全部。

高：印度與其說是熱、寒的氣候，不如說是被種姓〔譯註：印度的一種世襲階級制度〕緊緊綁住的社會制度才是帶來停滯的決定性要因。

巴達加利亞：種姓制度是從古時候一直就有的。但是印度的條件極端惡化，在歷史中是最近的事。

杉浦：種姓制度是從什麼時候開始變成現在這個型態的呢？

巴達加利亞：幾百年前就有，為了要把社會秩序守得井井有條。比如現在沒有種姓制度的社會出現很大的不滿，日本就是一個例子，誰也不願意從事辛苦的勞動。種姓制度就是為了防止這樣的事情發生而產生，維持社會秩序在當時有其極大的意義。

還有對人生的哲學，印度的印度教、佛教，因宗教存在而欲望就消失。宗教是為了忍耐、控制欲望而形成。這樣的話，人在生存的期間，會接受現存條件，而對生前與死後的世界抱有興趣，亦即產生今世是暫時居住的想法。

胡笙：我與巴達加利亞先生抱有相反的想法。我認為因有競爭心所以我們能進步。巴達加利亞先生的宗教想法，如欲望會消失，那種拒絕進步的宗教信仰，對我們的發展沒有幫助。例如自己是回教徒的時候，小孩生多少神都會賜給食糧。抱持那種想法

的話，不管等到什麼時候，我們也不會得到食糧。所以為了我們的生存所必要的東西，為了生存所必須做的，與自己周遭所住各國的人，至少要一起跟在其後走。為了得到所需的東西不能不做努力。然而如要拒絕宗教信仰，我想絕不是好的。

杉浦：剛才胡笙先生所說，宗教之中阻礙進步的不好的層面，應該不少吧，例如伊斯蘭教之中也有。亞洲諸民族之中，現在應被克服的，不限於宗教的不好面，在種種方面也應有很多吧。剛才高先生說有近代化以前的問題。與高先生的發言是否相同，我以為是相同，好像有相當多。有關宗教，舉緬甸的佛教為例。如各位所知，緬甸人不分上下都有非常虔誠的宗教信仰。緬甸人的信仰的象徵是「寶塔」各位也應有所知。去緬甸到處可看到寶塔。其中最雄大、受敬仰的是在仰光的瑞德貢大金塔（Shwedagon Pagoda，又名雪達根寶塔）。巨大的型態高聳於空中，金光閃耀。那「金色」是出自真金，寶塔之內有小賣店，賣著要貼在寶塔的純金的金箔。好像很貴，但篤信宗教的緬甸人買來貼在寶塔。緬甸的朋友說，貧苦的農民拚命工作賺來的錢全部拿去買金箔而奉獻的情形很多。所以瑞德貢大金塔的金箔很多，燦爛輝煌，被貼的金箔金量若換算為貨幣不知有幾億美元。如我這沒有宗教信仰的人，便說把那金箔全剝下來熔成金塊拿去投資等不敬的話，而被緬甸人罵。以我們沒有宗教信仰的人的眼光看，篤信宗教的緬甸人，反而因其宗教信仰之故，從社會角度來看，在非生產的事情上用盡儲蓄，感到一種受不了、難過的心情。緬甸的情況很明確地可說是佛教是極大的「近代化」阻礙要素。我這樣想也不僅是金箔的問題。我並沒有與緬甸人對其

社會佛教所盡的任務做了詳細的學習，但我要舉另一個現象性的例子，和尚很多，到哪裡都可看到，這是東南亞佛教國家共通的傾向，但緬甸特別多。披著土色袈裟的和尚在走路的風情，與緬甸的風土很調和，很好，像搖晃不定的氤氳。但是和尚的存在本身，對社會是非生產的，但我並非指他們的存在沒有意義，只是對有那麼多和尚的社會，不能不感到異常。

我對緬甸的友人半開玩笑地說：「一方面緬甸米的生產下降，輸出也愈來愈少，曾經是亞洲最大的米輸出國快變成輸入國的狀態，另一方面要給那麼多和尚吃令人不解。讓和尚也從事勞動生產稻米，就可增加輸出，怎麼樣？」結果是挨了罵。緬甸人或許會說有其相當的理由也說不定。

胡笙：與剛才的和尚的事情同樣，印度和巴基斯坦一帶有很多以乞丐為職業的人。為什麼那種職業可存在？因為伊斯蘭教和印度教對那種沒有錢的人，有著給錢是遵從教義之故，乞丐職業才能存在。

巴達加利亞：會想行善。

胡笙：有那很強的宗教信仰存在，我想那樣的事不會完全消失。

高：所以剛才我說近代化的課題都還沒有解決，宗教成為社會發展之癌這事也包含在內，如剛才杉浦先生所說，現在的亞洲還未能擺脫歐洲人與美國人的影響。所以近代化的課題是，在此直截了當地說至少不受白色人種——歐洲人與美國人都行——影響而能自立的課題，這在亞洲、非洲、拉丁美洲也同樣，此課題完全未被解決。戰後已過二十數年，以舊態依然的型態殘存著。

所以說近代化時，這樣的課題都還未達成，公害等種種現代意味的多種問題待解決的空間，還在遙不可及的地方。

　　小木曾：剛才戴國輝先生斷定，亞洲沒有資本主義發達的可能性，這個問題如何？

　　高：所以像從前，依古典的理論、純粹的資本主義社會只有存在於英國。而德國、法國、美國發展的，比如德國的資本主義以及各自的特殊資本主義，純粹形式的資本主義是英國以外不存在的。但是在亞洲所謂市民革命，這話有些跳躍，但是未解決資產階級革命的課題，而將那課題馬馬虎虎處理、敷衍搪塞，能更加發展嗎？我想不會吧。

　　戴：關於這一點我有不同的看法。我以為市民革命已經沒有其可能性。反倒我想請教高先生，關於白人講法依我的想法是有些問題。與其以白人區分，不如以一般所說的已開發國家，也就是採資本主義體制的已開發國家，以這種區分觀點較為適妥吧。

　　杉浦：您是指工業的已開發國家嗎？

　　戴：此種說法也行。相對而言，即使不受那種影響，也就是您所說的不培育自立精神是不行的吧。

　　高：我在此所要說的是，不是所謂的古典的市民革命，而是能遂行革命課題的，從剛才就在議論的現代化的先決條件一事。

　　戴：我所要問的是，自立精神以何種形式方有確立可能此事。

　　杉浦：我也很想聽聽。也想請問胡笙先生與巴達加利亞先生，例如印度的種姓問題，這是很大的問題。依巴達加利亞先生所說之意，這是印度謀求近代化時，不能不碰到的問題。與剛才

的緬甸的佛教有某種程度的相似。要從那種姓制度被「解放」，有什麼必要的條件？有關這點想聽巴達加利亞先生的意見。

巴達加利亞：我的想法是，國家要實現什麼時，需要有很強的性格，會使國民服從的。開始的時候要有強勢的法律或強勢的如鞭的東西來驅使人，不然人是不會動的。依人的一般性格，世上的人都是懶惰的，可以坐的話誰也不肯站著。所以日本具有對於強權要服從或守護的心，我想是一個發展的很大原因。這是在社會上絕對的一種力量。

杉浦：要把種姓制度在印度社會中解除或打破的力量到底是什麼？您怎麼想。

巴達加利亞：其實現在憲法上已沒有種姓。承認種姓制度的人會被處罰。但是在實際社會上與憲法不同，互相遵守著種姓的約束，在結婚或某些時候是稍微存留著，但逐漸崩解中。最大的原因之一是教育。沒有受任何教育的地方，哪國的社會都一樣，人會盲從社會的舊禮教吧。不管是近代的社會或舊時候的社會，任何人都天生地會遵守。所以印度的民族也受種姓社會所吞沒，以為那是正當的而在遵守。受了教育，可與各國人相較，就會發覺矛盾，產生判斷的眼光。所以要有教育和絕對的權力，以此來訓練人，使之改變是必要的。

戴：我想請教巴達加利亞先生，我對印度的事情不很了解，包含您在內的最高知識分子階層，以最近流行的詞句來說是內在種姓，亦即自己內在意識形態的種姓制，是否已到達各自能加以否定的階段？

巴達加利亞：已到達了啊。例如我是屬於和尚的種姓階級，

所以應該遵守宗教的種種規定，因此我不能碰牛肉。但在日本我都很喜歡吃，而對種種該遵守的我也不遵守，所以可以非常近代化地與印度保持距離觀察印度。如能夠把此矛盾與其他相比較的人，也能夠以客觀的眼光看自己的社會吧。所以被灌輸自己社會培育的想法，而相信那是正確的。為什麼正確卻不得而知。如能做比較就可正確判斷，能以客觀的眼光看自己的國家。所以有那種眼光去看人的話，對於沒意義的東西就逐漸可用自己的自覺去判斷吧。

戴：在此我想問的是，不只是您，而是像您這樣的人，屬於最高種姓與否另當別論，現在印度所存在的知識分子的階層，有像您這樣的想法，願意以意識形態地去打破內部種姓的，是否已經以一定的力量或成為主流出現了呢？

巴達加利亞：這是非常孤立化的事例。在印度家庭的想法非常重要。然而，經濟發展工業化了，因工作的關係需要出外，於是大家庭制度就慢慢解體。現在大家庭制度還堅固地留存著。即便你努力保持個人的成長方式與個人的想法，但在家庭複雜的環境中，怎麼也敵不過。所以沒有非常強韌的精神去反抗，則難以守住自己的意志。

戴：像您這樣想法的人還未成為主流，即做為一個運動的力量還未形成，是這樣吧？

巴達加利亞：做為運動的力量的確未形成，但如同我這麼想並守護著的人不少。

胡笙：以百分比說恐怕不到一。

戴：我不重視百分比。明確地說，比如我的國家中國的例子

是否能成為您們的例子我不知道，例如五四運動的時候。總之要打破內在的儒家意識形態，而成為運動表現出來的我想就是五四運動。那麼批判儒家，批判家族制度，那個情況的家族制度並非巴達加利亞先生所說的數代同堂之大家族形式問題，更重要的毋寧是他們的想法，做為意識形態所殘留的殘渣，與此對決或克服它。那種力量大到能支撐一個運動，而且使之爆發。因此我在想中國的例子。那時與其說是百分之一或百分之幾，不如說是領導者層的能力如何，只有百分之一，總之有集結的力量存在，也可搖撼社會的一個好例子。

杉浦：恐怕百分之一都不到。

戴：因此那些人把學生捲進去，策動他們。其實巴達加利亞先生所說的話，恕我用失禮的說法，在工業化的過程或許數代同堂的大家族或許會解體，但我們不能等工業化。我們的課題反倒是要先對決將之衝破，之後工業化才是問題。等待著工業化，什麼都不能推動，才是我們現在的課題。所以五四運動的階段，也同樣不是因為有工業化才批評家族主義，而是在那之前中國要徹底的以何種形式抵抗帝國主義或與自己國家內部陳舊、腐敗的封建執政者對決的問題被擺在眼前，將之接納衝破。我認為那是中國革命在該階段的課題。

我喜歡「後進國」這個語詞，真不懂為什麼現在的人要勉強說是新興諸國或開發中國家。後進國有什麼不好。為了凝視自己，後進國很不錯啊。以往不也是用後進國，所以並非不可以使用「後進國」一詞。

關於自立精神確立的問題，我們應對決的價值體系在傳統之

中是一個，另一個是高先生所說的歐洲系白人，或說工業先進國給我們或強加於我們的價值體系。對這些能挑戰的精神或思想，印度是泰戈爾（Thakur）、中國是魯迅為首的文學者或思想家們，不斷地撼動民眾的靈魂因此而形成，我願意這樣想。這個奏了效而以思想落實，在某階段化成物理性力量的時間點，社會便動起來，我這樣理解。所以高先生說的自立精神我非常贊成。只是到底在什麼條件下才有確立的可能？又我們知識分子對此應做什麼，或者能不能做的問題吧！

巴達加利亞：所以那精神是，民族受多少社會條件的欺負，積累多少不滿，是依此而出來。積累過多不滿的話，少數人將會以爆發的形式出來吧。

例如現在印度的情況是，技師、醫生、技術者等很多大學畢業生沒有工作，幾十萬人。生產那些人的速度與工業化的速度不一致。沒有工作的場所，不滿蓄積在那些人之中，會有發起革命來改善，或採取別的方式來反擊的想法產生。不滿積累到一定程度會以行動表現。但實際上是具有很古老的文化傳統，這種不滿、這種被欺壓的精神補償，以那種想法就獲得安慰。哎，有什麼辦法就此姑息了。就是那種精神！

戴：巴達加利亞先生所說宗教的達觀原理就是「看破」。

巴達加利亞：斷念、頓悟、再等一下看看，絕對自己會獲勝，這樣堅強的性格非常不夠。

戴：打破這達觀的原理是什麼？

巴達加利亞：應當是潛在力量吧。而宗教信仰就在此時阻擾了這種懷疑的思想。

戴：巴達加利亞先生對這種症狀所要寫的診斷書是什麼？

巴達加利亞：讓更下層的人受教育。這樣的話，對自己想吃的東西，想穿什麼，想玩的欲望便會出現，有欲望，工業便會發展。現在則是工業化了也沒有人買。沒有經濟力，所以隨著工業的發達，人的所有力量或實力會被利用。

日本則是人的力量被充分利用，人的欲望與希望也跟著在走，想要消費的欲望也增強。看鄰家買車很羨慕，自己也很想買。印度為欲望被宗教壓制。加上缺乏教育，所以整個社會變成有氣無力。

杉浦：即戴國煇先生剛才所說，自己內在的後進性一事吧。

戴：特別是精神的構思或傳統等！

杉浦：真正意思的自立精神，做為自己內面的問題，今後考慮亞洲課題時是非常重要的問題，我想是如此。這個時候，做為西歐近代文明的成立，近代資本主義社會發達前提的人的解放，以此來進行相關思考我覺得是有助益的。

如眾所知，做為「人的解放」具體的內容有文藝復興運動、宗教改革。

戴：馬丁路德的。

杉浦：宗教革命。結果是政教分離而移行到絕對王政。透過這個文藝復興，宗教改革的過程，人被「解放」一事被說是歐洲的近代資本主義社會成立的基本前提。資本主義制度是生產方式的問題，所以一面是生產力從中世、封建社會解放的道理。但是，西歐近代社會的成立，那種物質的或是制度性的從中世的「解放」的同時，是人的解放與人內面的變革連結在一起，此事

是非常異常的。圍繞我們世界史的狀況是，與在歐洲資本主義成立的時候完全不同，我們在考慮亞洲的近代化或說現代化，在世界之中我們應有的狀態時，特別是在亞洲的情況，關於西歐文化所走的近代化出發點，我們是不是應該更加以重新思考。做為我們自己的問題，所謂做為亞洲近代化的「原點」，我覺得應重新考慮。在此意義，在亞洲宗教問題，是否是極為重大的問題，所以我林林總總講了很多。那麼回教徒也有伊斯蘭國家運動〔譯註：Darul Islam，指應回歸伊斯蘭〕。要之，現在的伊斯蘭教國家是墮落的。沒有依照伊斯蘭的教誨在政治上實踐是其墮落的根源。總之應回歸「伊斯蘭」，是站在這個基本想法的政治運動。在巴基斯坦、印尼、埃及也很盛行。好像各國政府沒有例外徹底地在加以鎮壓。總而言之，應回歸伊斯蘭精神施政，要是這樣伊斯蘭國家就會發展的想法，全面有反動的感覺，但現在的伊斯蘭教國家的政治狀態都已相當過度地受宗教影響。反倒應從現在伊斯蘭教國家的政治狀態或社會結構更把伊斯蘭教分離的感覺。另一方面也有這種動向。所以在伊斯蘭教社會之中，我不是伊斯蘭教徒，對伊斯蘭教的事幾乎不懂，恐怕有錯誤，但宗教改革，或說做為自己內在的問題，做為伊斯蘭教徒自己的問題，伊斯蘭教的近代化或說伊斯蘭教的改革，是否可以考慮。換句話說，從伊斯蘭教的「人的解放」一事，應更加被當作話題吧。

　　或許是不甚重要的例子，伊斯蘭教徒不吃豬肉。為什麼變成不吃豬肉？這有些令人感興趣，我私下調查過。這是《可蘭經》明文寫不可吃豬肉才是其根源，但問了伊斯蘭教國家朋友，有趣的是，很多人不知道《可蘭經》上有記載。為什麼不能吃豬肉的

回答中我能接受的幾乎沒有。同樣是禁止食肉慣習的，印度教的
「聖牛觀」是，明確地在現代也以社會的必要為背景之點，我想
是與伊斯蘭教不同。在印度大陸牛的有用性，第一，是牛油、牛
乳的供給源，亦即當作主要食糧之源；第二，是在農村牛糞當作
燃料，第三，是當作農耕，運輸的能源，在現在也可說站立於堅
定的社會需要之上。有感謝牛，以及珍惜、保護的理由。但是伊
斯蘭教的豬肉食禁止，在歷史上似乎有理由，現在幾乎沒有合理
的理由，可說僅做為習慣延續下來。

　　讀14世紀一位叫伊本・巴圖塔（Ibn Battuta）的伊斯蘭旅行
家所寫的三大陸周遊記，各處可看到有關惡疫猛威的記載。以前
去的時候的確有個村莊，第二次去的時候已消失。打聽的結果似
乎是因疫病而全村都死光。不只村莊消失，更慘的地方也有連都
市也消失而變成廢墟的記述。恐怕是穆罕默德（Muhammad, 570
～632）開始伊斯蘭教布教時前後，對疫病對策或把人類從疫病
如何保護上，費了一番心思吧。所以在《可蘭經》上被禁止的不
僅是豬肉而已。《可蘭經》上，指死肉、流出來的血，豬肉是
「穢物」，並說要念阿拉之名清淨之後再屠殺獸類。不只是說不
能吃豬肉而已，這大概是有社會政策的「考慮」，而以禁止呈
現，但現代的意義，與《可蘭經》產生的時候相比，意義已少很
多了吧。

　　然而那種習慣還被墨守著，自7世紀以來一千數百年一直沿
續不斷的社會習慣，一朝一夕無法改變，要改變也是很困難的。
但假如一方面有饑荒餓死很多人，卻又沒有合理的根據禁止吃豬
肉就此任由餓死的人相繼增加，是無法想像的。若實際發生這種

事時，豬肉便開始不斷被吃吧。同理，到底不吃豬肉的習慣在伊斯蘭教社會現在還有多少影響力，我抱持疑問，實際情形不大知道。總之吃不吃豬肉是小事，但想想伊斯蘭教與基督教同是向心力非常強的排他性宗教，做為近代化的基礎、前提，人從伊斯蘭教被「解放」，我認為是相當困難的事。

要之是追求適合於現代的宗教應有的狀態。

小木曾：這問題，其實是與剛才出現，忽視人的主體性問題有關聯、關鍵性問題。看西洋文明的發達，使資本主義發達變成可能的是產業革命。產業革命是由技術革新而引起。令技術革新實現的是科學的發達，也就是由於文藝復興從中世基督教神學教義的支配把人的心解放，而可以自由思考。最典型的例子就是哥白尼的地動說，以此為契機而科學達成巨大的進步。我自己早些年也學了些自然科學，基本上有西洋科學對事物的想法，排除人性的東西，要之人性的東西在某種意思是非常不合理的東西，不能簡單下結論。所以盡量把那種東西排除，把人和自然明確分離，把人性的東西完全排除的自然，客觀化的自然，對此揮下科學的手術刀。西洋科學方法論的基礎是分析方法。因為此科學才發達，以那科學為基礎，西洋的物質文明於是發達以致現在美國社會所代表的物質文明在開花，因此在某種意義上當然有忽略人的主體性現象發生之感。我認為有其必然性。本來科學就是這樣的東西，所以科學自身沒有善與惡。然而科學是人所造出的沒錯，而且是人在使用也沒錯。那麼這就是人的問題。如此又回到原點。人的問題，再進一步說，人的生命問題科學不能解決，那麼以什麼來解決？一個可能性是較近於宗教性。因此在這層意義

上，我剛才說解決忽視人主體性的人類課題，承擔此任務的是否應是東洋人。

　　剛才成為問題的印度種姓制度等，真正意思與其是宗教的弊害，不如說像是宗教的排泄物。宗教制度的確有阻礙亞洲各國進步的一面，但完全否定宗教信仰我則不能贊成。

　　比如種姓制度是出自印度教，但現在已經以種姓制度而獨立地存在，或許現在與印度教幾乎無關。我心態上承認宗教，但對於可說是宗教排泄物的不合理的制度必須排除。

　　巴達加利亞：宗教信仰的確是那樣，會帶給人生存的力量。

　　小木曾：明確地對現在社會有疑問之物，予以丟棄，果斷去做這種事情，最後還是有剩下來的東西。這是我的想法。

　　杉浦：戴國煇先生如何呢？

　　戴：這方面我就不知道，只是我以為基本的問題是人的問題。所以剛才我說的現代化問題，正是人的回復。另外一個特別是後進國的情形是要與人的內部舊殘渣徹底對決。那殘渣若以我們的情況，尤其是具有被統治體驗的知識階層往往只想到殖民地主義所給與的東西，很多時候就在那裡停止。我常說只是那樣是不行的。不是這樣的，而是我們為什麼被殖民地化的條件，那時我們所具有的傳統，與那殘渣同時對決，不然我們的問題不能解決。包含兩方面的形式確立我們的自立精神。在此意思中有小木曾先生所任職的亞洲文化會館問題。這是具體的與日本技術研修接納的問題重疊，我認為巴達加利亞先生所說，關於援助問題或是機械問題，其實還不如教育人。同時我不是反對接納自然科學者，但還要與接納社會科學者應整套做考慮。

　　首先我感到很奇怪，我們的前輩，曾經留學日本的多數中國留學生，包含魯迅、郭沫若，當初大家都以為輸給歐洲的不是精神，而是物質文明，想由此接近問題。他們以為去已開發諸國學技術便會有辦法而去了，一旦去了才知道問題不是那樣。所以便轉變成文學家或投身政治。從自然科學到政治，完全轉變到不同領域的例子不勝枚舉。我也曾有一個時期認為能救國的只有自然科學。當時感到很悲哀的是，國家不能接受非常優秀的自然科學家而覺得很無奈。然而慢慢地知道似乎並非如此。我們的課題其實正是人的問題。增加很多充滿自立精神的人的話，之後要多少就產生多少自然科學者。例如傳統日本人說中國人是沒有自然科學才能的，現在任誰也會承認那是謬論吧。製造氫彈、合成胰島素，創造出非常高難度的東西。以往引起誤解的其實是欠缺條件所致而非民族素質。所以我們首先應做為問題的是，如何啟動人，而不是急著增加無法接納的自然科學家的人數。依此，我以為日本快速地接納大批留學生，但究其真正目的，好像可看出只是做為眼前強行推銷機械的踏板而熱心於接納自然科學相關人員的樣子。這樣的話，問題是不能解決的。如巴達加利亞先生所說的回國也沒用，根本沒有工作。製造了也因缺乏購買力而沒人買的狀況可說非常浪費。當然世界史的進程很快的現在，像巴達加利亞先生、胡笙先生那麼優秀的人回國，我想也不會如中國曾經的留學生那樣去搞革命或轉變成文學家的那種悲劇重演。可是日本方也要接納多數研究社會科學的人，使之確實地研究日本明治維新以來的諸般經過，以便考慮自己的問題，這樣才是自然科學與社會科學成套，始能對問題至少是有接近的條件形成，我有這

樣的感覺。這是我相當久以來的一貫主張。

　　小木曾：戴先生在一開始就提到。

　　杉浦：進入具體的日本的角色的問題了，不只是一般論，而是包含日本應盡的任務，請各位來談談。

日本應扮演的角色是什麼

　　高：我常進出亞洲文化會館，常常感到的是接納研究自然科學的人也好，至少在那裡工作的人，真正對社會的發展應盡什麼樣的任務。對此問題，若說能給更深入的教育可能有些失禮，或說希望被灌進那種靈魂，我這樣想。

　　杉浦：與剛才戴國煇先生與高先生所談的問題，或許稍微偏離，西歐列強進入亞洲之後，英國創立東印度公司是在1600年而與先到的葡萄牙與法國展開激烈的爭鬥。終於完全印度合併是在1877年伊利沙白女王就任印度女皇。其間經過277年，將近三世紀。

　　再舉一個例子，英國接近清朝是大概在1700年的中期，而貿易是更早就在進行。大概18世紀末英國產業革命的影響出現，向清朝要求開港很想銷售毛織品等之故。但蘭開夏（Lancashire）的毛織品在暖和的東南亞賣不好，因此瞄準中國，而東印度會社被強加定額銷售量。當時中國是銀本位，做強行推銷之前，西班牙等從新由大陸帶回的白銀就拿去中國買絲綢與茶等。

　　戴：墨西哥銀。

　　杉浦：是。然後白銀逐漸不夠。一方面因產業革命，生產品

不斷增加，因此命令東印度會社多少要自立，推銷英國的產品，以所賺的白銀去做採購。因此與清朝在18世紀末開始交涉往來。

　　然而在開始，清朝是事大主義、中華思想，只與來朝貢的國家貿易，所以以朝貢國待遇，英國也不例外。印度在東印度會社剛進入時的蒙兀兒（Mughal）帝國似乎也是同樣的高姿態。英國都無以應付的強勢，因此開始時只能低聲下氣通商。而且阿拉伯商人跋扈，非常蠻橫，也會掠奪。話題稍岔開，最初東印度會社的武裝是為了防備阿拉伯商人的掠奪，似乎才是最原始的動機。同樣的事情是葡萄牙，西班牙進入之際也多多少少有的樣子。再回到清朝的話題，1816年有位阿美士德（W. L. Amherst）的英國大使被派遣到北京去交涉，與天子會見之際被要求行三跪九叩頭之禮。阿美士德生氣不肯行禮，結果立刻從北京被趕出來。那時的要求不只廣東，而是要開其他三或四個港。推銷毛織品是英國的要求，因為南方不穿毛織品，中國北方寒冷，對毛織有需要的道理。自18世紀末至19世紀初，這種交涉在清朝與英國之間重複了數次。

　　而且與此並行，東印度會社也開始了惡名昭彰的鴉片祕密貿易。然後，1840年發生鴉片戰爭，清朝一敗塗地，淪落為半殖民地。此事衝擊日本明治維新的志士是眾所周知的。

　　英國從卑屈的交易階段開始要求對等交易到鴉片戰爭，大致經過一世紀的時間。我想要說的是，西歐列強出現亞洲的時期，亞洲的政治、經濟、文化階段，遠遠凌駕歐洲，且是諸國都敵不過的階段，而且可說是非常安定。我要提出一個質疑，此般的東洋諸國，為何輸給「落後」的西歐諸國？

　　英國轉化為帝國主義有人說是自1870年代左右，我在此要說的是，要之殖民地化並非今天來了一下被征服而變成殖民地。印度的情況是約費時3世紀，真是漫長久遠，以人生50年的話約有六個世代的時間長流，以中國來看也有一世紀的時間。這過程導致殖民地化或半殖民地化。為什麼會如此？這是我最近非常沉重地想著的事，中國人、印度人或東南亞全部都是在議論殖民地主義的罪惡，說其危害之前，是否有把前後的歷史徹底地掘開來看的必要。為什麼演變成如此？自剛才被提出種種具體的阻礙近代化，或對現代化的落後的因素、要因，與亞洲被殖民地化、被蹂躪，在此中的因素是否無關係？我的感覺是似乎有著一定程度共通的要因。

　　日本的情況，就此來說是非常幸運的，說這樣的歷史學者很多。要之西歐列強來得最晚。

　　戴：太遠，而在那階段日本沒有什麼可掠奪的。

　　另一個是，中國只淪為半殖民地就沒有再繼續下去了，應感謝印度。同時，日本未被殖民地化，是印度被殖民地化，中國被半殖民地化，在那裡的各種抵抗運動，有一定的阻止白人侵略日本的原因，此事應關聯起來思考吧。但是在此成為問題的是，因日本帝國主義的出現而讓人受到困擾一事（笑）。

　　杉浦：此事在後面請大家做完整的檢討。

　　的確，英國的印度經營已經人手不足，而清朝雖已衰微但還是強大，非常有抵抗力。人民層次的教會放火事件無以計數。全部從上至民眾都是中華思想。法國以傳教士為中心進行法國式的殖民地經營，中南半島也是。法國首先派遣傳教士到中國。教會

受到激烈的火攻。皆是與太平天國同時期，係清朝的抵抗。

　　戴：太平天國有一些不同。

　　高：義和團事件吧。

　　巴達加利亞：我所想的是印度和中國為什麼被那樣對待？那是溫和的性質，柔和的性格吧。現在看歷史，發現其中有宗教的因素存在。一位很關心佛教、熱心的國王阿育王（Ashoka）。出生於耶穌基督之前。此王是非常好的英雄，戰爭也很有技巧。打了幾次勝仗，之後因宗教的精神，認為戰爭不好。奪去人的生命實際得到的是什麼？奪去如此多的生命，到底有需要戰爭的意義嗎？思考之後中途改變想法，不能對人抱有憎與恨的感情。所以開始從事很多宗教行為。歷史家評價其為過去的世界諸王中，最為了不起的人。有義大利的馬卡斯・奧里歐斯〔譯註：Marcus Aurelius, 121～180，羅馬皇帝哲學家〕、威爾斯〔譯註：H. G. Wells, 1866～1946，英國小說家、歷史家及社會學家〕等歷史家記述過。實際上這種宗教的想法，其實對下個時代減弱保護自己國家的力量。因被灌輸此宗教精神，這民族有段時間處於和平生活狀態。後來蒙兀兒或種種的人進來——當然因政治的勝利，而融入印度的社會。他們接受了印度的文化，把自己的文化也貢獻出來，一起居住，共同努力、合作。

　　但是英國的情形不同，最後把物質的東西全部奪走。所以印度被殖民地化的過程是因為非常溫柔的民族性格之故。日本的情形是奮戰到最後，自己鎖國。當然培理來的時候，由於洋人力量大，日本人怕了，認為怎麼抵抗也不能贏而開國。但是曾為徹底為了保護自己的存在而奮力戰鬥。以其民族性守護，維持獨立。

印度則沒有此種性格，而因宗教的精神，國民性變得柔軟。

　　高：與此事有關聯，印度的情況是宗教把反擊殖民地主義者們政策的力量閹割了，但中國與韓國的問題我想並不是那樣。韓國開始與日本的勢力起衝突時，社會發展階段與日本沒有差距。是否沒有抵抗心呢？自古以來韓國人有傳統，相當地勝於日本人的抵抗心。為什麼被日本吃掉？從文化、社會的生產發展階段來看，與日本沒有多少差距。當然以國的大小、人口的多寡，這種地方或許有相對國力之不同，但實際在其他方面是沒有差距，為什麼被日本吃掉？我想是很大的問題。我的看法是，領導者欠缺完全代表國民，對外來帝國主義加以反擊的統率力之故吧。我以為那是決定性原因。

　　戴：我不認同統率力缺乏這種說法。可說是當時統治者階層的腐敗，我毋寧以這種形式來看待。

　　高：因為那種腐敗之故，結果國民不能跟從。國內有種種農民反抗、叛亂、激烈型態的叛亂發生，終究是不能跟隨那封建的統治層之故。

「自己內部解放」的問題

　　杉浦：現代的韓國情況如何？與日本的關係呢？

　　戴：說到此事，其中層次又稍微不一樣。我對朝鮮的事情不太懂，但和台灣的情況一起考慮則是：兩者同樣被日本殖民地化，台灣的情況可說是割掉中國的一部分，出讓成殖民地；朝鮮的情況是整個國家變成殖民地。這兩種不同的殖民狀態，導致不

同的生產力發展階段與經濟力。中國在那階段，局部地區存在相當高水平是事實。但是不能集結為一個統一的國民意志條件，因為另外有一個非常腐敗的清朝末期政權問題。

在此請各位回憶洋務運動。此運動可以明確地說是一種歐洲化運動。

杉浦：那是發生在鴉片戰爭打敗之後吧。

戴：總之是資本主義化的動向。但是清朝慈禧太后非常腐敗而李鴻章一派靠攏那腐敗。然而有反李鴻章與反清朝的部分。康有為、梁啟超等人的力量不能打破此腐敗集團。反體制勢力沒有強大到打破舊體制，也缺乏集結力。結果就是不能對抗外力的情形。我以為朝鮮的情況是要考慮地主制度，土地的所有。依我所知，北朝鮮的歷史家或南朝鮮的歷史家之中，有打破以往的一般想法，主張已有地主制，亦即私人土地所有的成立。主張至少有其萌芽，但在此意思，還是有相當大的問題吧。就是有地主制的確立，也應該把地主制的性格做為問題。

高：對，沒錯。

戴：所以這至少能確認一個事情。我非常反對的是，誠然帝國主義是惡，將他國殖民地化是很壞，在其中的過程幹了很多壞事，這是事實。但是從我們被殖民方來說，被殖民地化階段的政治制度與社會經濟問題，做為我們被統治者方的知識分子，當然應將之視為問題，做為研究的課題，或者將之好好定位，不然無法闡明問題。

杉浦：我完全贊成。與這點有關聯，據我的寡聞，我有一個提議。

　　具體來說與日本的角色相關。五年前我赴東南亞諸國一趟，看看從日本研修留學回國的人歸國後如何活動。從整體來說，幾乎眾口一致地說感到書店少。這是我天生的癖好吧，到一個新的地方，第一件事就是要買地圖。但為了買地圖而找書店卻很難找到，教我很為難。報紙也少。偶爾有書店進去看但書也不多。而且是英語、法語書居多，例如有關自己國家的歷史也是外國人寫的，此現象令人注目。

　　我的觀察是短時日的或有誤會，而即使是正確，只由這麼一點事去理解各國的全體不可能沒有誤解，但如戴先生所說的問題，如何親手在歷史中去定位，如何去理解，今後如何去活用的問題的研究或調查，我想是更為必要。比如有關印度就由印度人去研究，或緬甸由緬甸人去研究，這是「自己的內部解放」的基本前提。反觀之，日本則有很多書店，有關日本近代史的書就有幾百種。與此相比，當然我也不覺得日本的現狀即可說全部都好，但真是令人感到寂寞、空虛。例如以經濟發展理論來說，開發中國家的開發理論，現在有幾十冊的出版，但顯眼、出色的幾乎是歐美學者寫的，大概都是所謂被認為是定論的主張。當然日本人、中國人、印度人也不是沒有學者，質的不說，以量來說也壓倒性的少。要之歐洲或美國的亞洲研究比我們亞洲人更為興盛，做為實際問題有很強的印象。

　　這一點做為對於亞洲日本的任務或合作的一個課題，應被更為重視。同時，日本人自己不要只把眼光朝向歐美，對鄰邦諸國、諸民族，亞洲的人們，做為築構真正鄰人、友人姿態的前提是不可欠缺的事。對亞洲的同一性、多樣性首先要互相正確地認

識，不做此確認就談合作等，我想並不會順利。

　　亞洲諸國自力研究自己的努力有什麼程度的進展，我不很知道，也許有錯誤，從我們被給與的課題來說，感覺還是微乎其微，實際上也沒差多少吧。

　　在這一方面，如剛才戴先生所說，不只技術的研修，技術者的教育，在教育合作面，包含社會科學的人才培育，也可以是日本的任務之一這點，我完全贊成。關於地域研究，推進各自獨自研究的同時，國際性的共同研究，乃至相互合作，比以往是否要更認真被思考的問題，我深切地感受到，不知各位覺得如何呢？

　　胡笙：首先，杉浦先生所說沒有書這事，我想有兩個理由。一個是殖民地的影響，另一個是經濟狀態。殖民地的影響是，所謂比自己優秀，所以被統治，因此自然地感到自卑感，認為西歐人所寫的書是好的、銷路好。第二點是，書出版了就要銷售，然而比如在印度，印度人寫的書賣不好，因為上大學或上學的人數少，一般人不看書。而西歐人寫的書，就不只印度，世界其他的國家都可以賣。所以是教育率低——長達200年以上的殖民地背景的影響，應是如此吧。

　　再者，稍微談一下日本的角色。我以為一個國家的發展需要有兩樣東西，一是物質資源，另一個是人的資質與決心。然而我們大部分亞洲國家是兩種都沒有。日本則當然是沒有資源，但具備很優秀的人的資質與堅決的決心之故，遠赴他國開發資源以迄今日。然而我們的國家則是當然缺乏資源，而人力資源上，也沒有那資質與決心。為什麼？背後又有兩個理由。一個是長達200年以上的殖民地經驗。自動的去創造出什麼而生活下去的心情，

我認為全部被奪去了。

　　另一個理由是宗教。特別在印度，人人沒有意志力、積極性，而消極地想，照現在就好了，不必比現在好。看到鄰國進步，也不羨慕，只想到忍耐。我的國家是伊斯蘭教國家，這使社會各階段的進步受到阻礙。今後要讓我們的國家發展，首先印度與巴基斯坦的情況不進行宗教改革的話，經過再久的時間也絕對不會改變。人的資質與決心徹底地要由我們自身來改善，必得要自己去想，以自身意志、決心去做。

　　有關資源，只要有決心，逐漸去開發自己國內的資源，某程度是可以。但是從現在就要出發，只有那些是不夠的。如剛才我所說，亞洲是一體，其中特別是先進的日本，希望能盡量伸出援手幫助我們落後的諸國。有各種作法，但剛才戴先生說的技術教育，為了要推銷機械類，只大力接納技術關係的學生，我以為那也沒有什麼不好。首先要讓我們的國家從現在開始起步，工業是很重要的。在日本學習先進技術，回國利用一事，必須早日趕上。與此同時希望基本上不要以推銷機械為目的，給我們真正有益的援助。以具體例子來說，為了發展當地教育目的之根本援助是當然，其他文化交流也很重要。為了友好目的，國與國之間的文化交流很重要，從交流中而產生真正的援助。還有，資源關係，特別是技術關係，最近日本也對我國做了很多經濟援助，但是對於亞洲之中的日本力量來說，援助還是非常少。援助不是要立刻產生利益，真正要考慮的是未來的事，希望給予更多的援助。

　　高：胡笙先生所說很有道理。只是我們談日本對亞洲合作關

係的時候，有個不能忽略的問題。即個人善意當然是另當別論，總體來看，日本政府的作法和日本政府的對外政策，希望至少不要妨礙亞洲國民的進步與發展。怎麼說呢？自明治維新以來，日本歷代政府的亞洲政策，的確以支援反革命政策貫徹到底。例如在中國發生辛亥革命時，站在反革命方給予援助，歸根結柢日本是採取忽視人民的政策。我熟識的某老師說，歷代的日本政府以亞洲人民敵人之姿出現，帶來很大的災難，他做下如此極端的論斷，今日日本對此種作法已到了應反省的階段。

戴：您指的是政府方面吧。

高：也有個人對辛亥革命感到共鳴而給予相當的援助，但是基於政府立場則是完全反對。相同例子一直到最近都持續不斷發生。所以這種事情對該國社會的發展沒有幫助，真的是非常負面。這種政策希望就此打住，我有這種想法。

杉浦：討論至此出現很嚴厲的意見，有關日本對亞洲經濟進入如何呢？從現在日本的狀況來說，已到非得以亞洲諸國為顧客，採取合營事業、技術合作、技術輸出或整廠輸出等種種方式的狀況。不管願不願意，都不能不愈來愈積極化。與這些互為表裡，經濟合作也會比現在更強化，這樣看是不會錯的。剩下的是以政府為基礎，與民間為基礎的兩個方式可考慮。這種「經濟進入」乃至「合作」，與自主自立路線的兼顧會變成怎樣？各位對此有沒有特別要發言？

高：可以有種種想法，但沒有帶正確的數字來，不能具體說明。我最近去了大阪，可以舉一個例子。我朋友的友人是日本人，對我朋友說，大概帶1,000萬日圓的東西去韓國，每次都可賺

到200萬日圓。這種事情被重複操作的話，逐漸侵蝕韓國經濟，結果對韓國經濟的發展沒有幫助。現在我國的經濟一定程度地被日本資本所控制，為了應一時之急姑且不說，宏觀去看的話，對國家的發展是百害而無一利，這是洞若觀火的。

　　戴：我個人是這樣想的。基本上我認為鎖國不好，我說的是自立更生論。可能會引起誤會，但恕我做極端的發言，即援助是毫無意義的。怎麼說呢，歸根結柢，援助一事，現在不管蘇聯、美國或日本，很多協議都有政治的附帶條件，或說自己國家的政治目的大概會以某種型態隨著潛行而來。這是其一。

　　第二正如杉浦先生所說，是投資或市場的進入，或為了獲得原料為目的的性質很強。援助就是這種性質的東西。所以高先生所指出，援助是一種經商。這種性質很濃厚，而且給與後進國的時候，會引起誤會被當作施捨、妨礙剛才所說自立精神的確立。奴隸或者乞丐劣根性，援助說不定成為這不正常思考方式的再生產。講得太絕也不好，我是說如對日本有所期待的話，就是如高先生所說，首先請多留心不要妨礙亞洲諸國的進步，另一個是，如果是要援助的話，日本人自己要正確掌握日本的高度經濟成長再出去，不然就容易變成強加於人。日本人應該認真仔細研究美國提供那麼多錢還討人厭的諸情事吧。花費那麼多錢還被討厭，本來就是問題，因帶有剛才所說的性質很濃厚之故，所以他們假裝不知道或真的不知道吧。提供大錢還令人討厭的援助，不能說是真正的援助吧。因此我強調援助的重點要聚焦在人的培育、扶植，亦即多接納留學生。或者以不干涉對方內政為前提，援助該國的基礎經濟計畫為目的的統計製成與調查形式，或組織基金，

一起做農業有關試驗的共同研究。依我看日本有很多這種人才，要提出我們亞洲問題的話，日本農學有可適用的部分與不能適用的部分。能適用的部分給予踏實的指導，但是不能像現在派遣三流人才、敷衍了事地送去塞責，我以為這種事應該在未引起誤會之前就該停止。援助的另一個方法是剛才胡笙先生所說，寫了書也賣不好，不合算，那麼日本就無償援助印刷費。或者無償大量供給教育活動所需的機器、顯微鏡等。如果真要援助的話，這是第一個應被選擇的。

　　第三是如胡笙先生所說，不考慮速效。不要一下子就要賣機械，而是對基礎建設之類的社會資本投資與充實，如援助興建水壩等。但這是個別的資本家不能做的──恐怕資本運動法則所貫徹的是沒法做到。因為有那些矛盾，所以首先要出去的應是個人的善意，要確實抱有做為日本人的自我認識然後才出去，就是這個道理。杉浦先生說書少，我想那是事實。我來東京很久了，這三、四年在日本有出版真正好的書嗎？逐漸地美國的文摘文化蔓延，復刻好書還好，但不是，找來各種有名的人寫些與教養有關的書；或者技巧地節錄自某書作重編出版，如泅第二泡茶般平淡無味。此種形式的出版，或許意味著日本即將衰老，讓人覺得其逐漸失去創造自己文化的活力。這種地方也要認識然後出去，不然的話會變成強加很奇怪的東西給人。如果是我，我會拒絕美國把平裝本或文摘帶來，那是美國資本主義侵蝕的一個表現。所以那援助常被說希望是無附加條件的援助，說起來容易，但實際上蘇聯、美國或日本的情形，多少有細微的不同，很難做。接納方很苦惱，所以如我剛才所說人的問題，經濟學範疇所說的基礎建

設，這兩個實際問題不完備，或廣泛地說，接受方的體制未建立好的話，也是枉然。會與越南一樣，美國投入多少都沒用、沒意思。如果是那樣不如早停止對彼此都好。從世界觀點來說是一個大浪費，而且還引起衝突。供給方的美國反而被當成凱子般被看不起。這種事我想至少日本人不應做。為了避免做此沒意義的事，還不如徹底研究美國投下那麼多錢還被討厭的原因。日本的最近動向與其經濟所到達的階段來說，不能不做經濟進入而舉出冠冕堂皇的理由，但是後進諸國的人以更嚴苛的眼光在看，不知有沒有被注意到？注意到的恐怕只是諸位而已。

小木曾：在某種意義上，剛才所說19世紀殖民地化的問題，又以別的型態在出現。

戴：對小木曾先生所說的問題，高先生已有非常尖銳抨擊的一面。希望不要演變成那樣，至少不要妨礙進步，讓我們自己來發言，那是基本問題。此外我想談談孫文的事。孫文在《三民主義》曾述及引入外資云云。然而實際上孫文需要外資時外資卻不來，這是現實，最後孫文將之拒絕。1924年左右，過世之前他改變了這個想法。現在當然情況不同了，但那種不信已開發諸國之感，在後進國家一般大眾心中很強烈吧。原本援助是在與他們無關的層次進行的事。所以剛才所說援助無用論是極端的說法，而且知道會引起誤會卻故作發言，是因為我已思慮到此一地步。

巴達加利亞：我想請問戴先生，美國人那種無謂的作法，那樣浪費金錢或許經濟非常發達、國家也興旺，而日本被灌輸文摘而變得受人注目。所以要以自己昔日的文化方法去做就需約百年進步的速度。所以美國的文摘在某種意義引起其他國家的興趣。

知識依靠傳遞，因此現在若要從頭開始，直到徹底完成的話，非常耗時。

戴：我講的並非此意。文摘文化不是指這樣。

巴達加利亞：是，我知道真正的意思。

戴：我所要講的不是枝節的問題，而是指我們所要的是真正能解決所提問題的方法論，是從速食文化和文摘絕對產生不出來的東西。所以徹底的、自己的現代化，用我的話來說，即確立現代化的方法論為目的給我們援助是好的，但往往援助方是瞄準速效而要強加於人。為什麼要強加於人？是因為沒能對自己做好定位，亦即未能做好自我認識就要援助，沒有把自己的問題定位好，所以以恩人自居而強加於對方，那是令人為難的。當然明治維新以降，例如明治30年代的翻譯文化，或者翻譯學問，或者在日本的某部分到現在，沒太大意義還引用很多橫書文字的歐美諸國文獻，以提高論文價值的氛圍殘留著。日本的確隨伴著那必要的惡以推行近代化，這我承認。但是我們將此根源地深入思考時，那些是否為我們真正該應學習的事物，我想大有疑問。

巴達加利亞：但是根源這東西，不論要評價或做決定，都非常具有相對性，依種種不同的歷史階段而有不同的意義。

戴：因此，從現在我們要處理問題時，要學日本的歷史經驗。文化遺產，本來有正面與負面，而人往往誤解只關注在正面上。日本的近代化如果有可以做為我們範本的部分，反倒是在負面的部分。我們要確認研究負面的部分，才不會重蹈覆轍，避開失敗，利用其可利用之處。我以專攻社會科學者立場來認識此事。

巴達加利亞：但是，成為問題的是，某程度不走那條路，是因為得不到手的問題，例如技術與精神的問題。技術是簡單可以獲取，但是精神、文化的東西很難學得。所以在20年之間，美國的技術簡單地進入日本，但是美國文化沒有進來。看日本社會，這是很久以前的社會，日本文化在這裡面延續著。美國文化不能徹底鑽進那文化之中。所以在某意義也必須走那條路，也要採納那文化，彼生活方式也某程度會進來。徹底逃避這路而引入技術非常不可能。不過我不是專家。

戴：您的講法我贊成。確認日本歷史經驗的負面部分，把必要之惡控制到最小，有效地將其歷史經驗活用於我們將要推行的現代化之中。我沒有想能完全否定那必要之惡，大概也不可能吧，正如您所說的。但更重要的，毋寧是日本近代化所持有的問題即負面部分，與留學生接觸的人士不願意談，沒有感覺到的留學生也很多，因為很少被提及，所以我特別要在此強調。正面部分經常被提出所以問題少；負面部分做為後進國出身者的我們有仔細查清楚的必要吧。將之確認然後要把必要之惡控制到最小限度的形式去做；另一個是，如果日本諸位對我們的現代化願意伸出援手的話，希望各位加深自我認識，然後才援助，這樣對話才能投機，這蘊含著我小小的期待。所以一部分的日本人認為只有歐洲才有可學習的，只有白人才有可學習的，我要指出這與曾經的中華思想是相同的。或者這講法不恰當，我以為有特異的日本式的中華思想模樣之物，在不知不覺之中很容易被捲進歐洲的思考方式而迷失自己。日本人自己必須確認那種問題然後站出來援助才可能對話。亦即我們所看到的美國援助盲點，確認援助所帶

來的諸問題，日本正好現在就要出發。在此意義希望能做考慮。總之單純以美國的投資效果，簡單以電腦算出出入量關係這種性急的作法，我當然不會說完全沒意思，然而我也不會認為有積極的意義。

　　杉浦：就是「知己知彼，然後去找出相互發展與協調之路」這個忠告。

　　戴：還有如杉浦先生所說的，文化交流的問題、相互認識的問題，這方面可以說幾乎完全不做。是否想這個不值得花錢呢？

　　小木曾：沒有贊助者啊（笑）！

　　杉浦：或許是日本人的島國根性吧。

開發中國家援助與日本的反省

　　戴：我還有一件想對日本人講的事。此多見於常去海外的日本友人。在巴達加利亞先生面前很不好意思講，「印度人是很夠你受的」這樣講的人很多。曾經您們是這樣講中國人的。但最近您們說「中國做得好」之類的，我想那是錯的。各位性急地以歐洲的價值體系，或只以自己的立場來想他人所致，馬上想要教人家，要稍微謙虛，其實從後進國的很多問題，可能找出使日本文化再生的強心劑與菁華。並不是因我是後進國出身所以這樣講。做為方法是在後進諸國的問題之中，其實可以再一次找出自己的問題，我這樣想。所以立即說指導你或教你，總之並不是師弟關係形式層次的問題。日本相關人士常說，去馬來西亞一帶，教華僑勞動者馬上懂，馬來人則不行。立刻把那種問題還原為民族問

題。如漢民族優秀，什麼民族不行。問題不是那樣，人本來是等質的，文明也是等質。總之所給予的條件，他們所擁有的歷史諸條件，將其能力以一定的框架在特定的時點框住，這是過去的歷史，現在也在限制的一面還很強。巴達加利亞先生所說的擁有潛在力非常豐富。這在什麼時點出現，或我們後進國出身知識分子在什麼時候將之爆發出。在此處請更給予注目。

巴達加利亞：我也正好有同樣的想法。日本人發展的一個根源正是如此。在日本這國家，四海之內皆兄弟的想法不通用而是徹底歷史性的上下關係。所以在歷史中日本人不知道有橫向關係，因此對英國人、對美國人也以那種方式接近。自己輸了，起初是鎖國，然後被強迫開國，從那時候就有一個不學技術便不能贏的想法產生。無視西洋的道德、文化，而只學技術，不學戰爭的技術就不能贏西洋，所以產生軍國主義。以這種作法走下來，又輸了第二次大戰，但又重新以那種作法在策動。哎，輸了，不能不想辦法再努力，不這樣想日本就沒有發展，所以不能看到橫向部分。看亞洲諸國，不把他看輕，自己的自信就不會出來。所以充其量只是一直線的看法。與日本人交往時，我們是被吸引，我不是被招待，所以最初我用自己的錢來了，感到對日本技術發展的憧憬所以才來這裡。那道路我覺得很艱苦，想向老師學習。日本人只知道自己領域的或自己的線，橫向就什麼也不知道的人很多。只遵守那個部分，徹底進入就被認可，不徹底進入那就不行。所以對事情的此種決定法之中，精神的東西自己能不能接受，需要意識到上述的部分。對於，文化人是不肯簡單學的，不肯採納。日本人的看法是徹底不充裕、性急的，現在的日本人的

心沒有餘裕。從早到晚充分使用自己的能力，沒有時間考慮多餘的事情。所以評價事情，理解事物的力量非常受限制。應該要多少帶些從容，真正去理解事物才可以。哪裡有問題，那路就要稍微鬆開，使其順暢，不然交際會變得很艱難。

杉浦：巴達加利亞先生的意思是日本人要輕鬆隨和……。

巴達加利亞：在某種意思是的。所以稍微以那種作法考慮事情更好吧。不以獨斷的想法，清楚、客觀地看事物。日本人有一番很了不起發展的作法。輕易地快速學會各種事物後便急著衝刺，之後才來考慮這樣做好不好。到這時候想，自己已經某程度做好了，某種程度給了國民一個滿足，之後再稍微慢慢的，猜測會有好的想法出現。但假如從起步就開始想，慢慢地走就好了，沒有做通盤的計畫，代表沒有進步。

戴：我剛才提出現代化的問題也有這種狀況。比如日本最近人口過少的問題出現了。以往既存的近代化的問題是，如果人口不從農村出去，農村就不能近代化。到最近日本開始慌張起來，因不知不覺地以很快的速度在東海道線形成了巨大都市，此是現狀。如我們要步其後塵是無意義、愚蠢的事。我認為考慮台灣問題時，日本的例子很值得參考，台灣很危險，已在步其後塵。這是惱人之事，但台灣人好像還沒有警覺到。絕對不能變成如此。其中還是要有做為現代的都市樣貌應是如何的問題。這與農村的關係、人口問題、文化問題都相互關聯。

杉浦：就此意義，從正面想，日本可做為反面教材。

戴：依您所提，只有剛才講的必要之惡的想法，而且不能只是單純的近代化或資本主義化或工業化。負面的部分我們就近可

從日本學，在事前能檢查。日本人沒有意識到，或者應說察覺得太慢，發覺人口過少問題，也是問題進行到相當嚴重的時候。如此一來就讓人困擾。所以正在思考援助亞洲的人，或認真地在思考今後要如何實踐的各位，希望能含括這些問題一起予以考量，否則是沒意義的。

戰後，日本人拚命地趕上美國，趕上歐洲，精力充沛地回復生產與其他部分。然而現在突然發現變成這樣的狀態，才說「唉呀，這可不得了啦」。

杉浦：諸位談論風生，似乎意猶未盡的樣子。

胡笙：最後讓我講一句，從亞洲為一體的想法，歸根結柢，日本的經濟去除亞洲是不能維持下去的；同樣的，亞洲經濟去除日本經濟也不能繼續發展，因此日本今後真正想要更加發展的話，請對亞洲諸國真正借予一臂之力。

杉浦：各位似乎還有未盡的意見，但今天的座談會只能就此打住，能獲得各位率真的意見，非常感謝！

本文原刊於《政治公論》，東京：政治公論社，1969年9月

照見亞洲研究眞貌
——中國研究者的造反與自我批判討論會

◎ 林彩美譯

與會：馬克・塞爾丹（Mark Selden，華盛頓大學副教授）
　　　幼方直吉（愛知大學教授）
　　　小島麗逸（亞洲經濟研究所）
　　　加藤祐三（東京大學東洋文化研究所）
　　　戴國煇（亞洲經濟研究所）
主持：波多野宏一（《朝日新聞》中國亞洲調查會主查）

報告：我們要憂慮什麼（馬克・塞爾丹）

　　CCAS（關心亞洲問題學者委員會，The Committee of Concerned Asian Scholars）是1968年末至1969年初春，以哈佛研究所學生為中心的亞洲研究者之間發起的運動團體。

　　有50萬美國士兵被送往越南，不問敵我而流了很多的血，但研究亞洲問題，向學生講課的學者們卻完全不想觸及此事。對此狀況的揭發，造成學生之間對亞洲問題關注氛圍快速升高，是這

個團體組成的契機。

　　1969年4月，舉辦亞洲研究會議，聚集了約三千位亞洲研究者，在此以研究所學生為中心的學生團隊，向專家們報告如何掌握越南戰爭的輿論調查，結果有三點應注目的事情。

對於自己的無知

　　第一，這樣的學會，讓人感到是個對學生來說有如找職業的博覽會，對教師們像是找喝酒朋友方便的場所，但根據我們的調查，居然有高達620位來參加討論。何況越戰是討論的重大關注事件之一。

　　第二，收集出席者意見的結果，多數人對美國的越南政策是持批判的。亦即支持美軍的即時撤退，對學生的迴避兵役表明支持立場的人占了大部分。

　　第三，舉辦這樣的集會，出現這樣的意見，美國報紙卻完全不予登載。

　　將此三點再追究下去，即為何以往做亞洲研究的人，對越戰保持沉默，支持政府者的意見才被報紙採納，而以代表亞洲研究者的形式被發表，可歸結到此兩個問題。

　　而再繼續討論的結果，發現歷來已對中國與日本複雜的政治組織與社會狀況多所研究，卻對美國自身什麼也不了解，我們應當好好反省。然後不得不提出「在美國研究亞洲的價值是什麼？在美國研究亞洲到底是為什麼」的根本疑問。

　　如此一來，最初是以如何思考越戰的問題為開始的討論，卻

既深又廣地發展，碰觸到學術、研究的根本問題。

　　聚集參加會議的反戰派學者們，與那時組成的CCAS的結論是，利用或亞洲研究者的研究結果應負責任，對於此點有了共識。

誆騙的「近代化」

　　到底以往的亞洲研究是沿著什麼樣的歷史走下來的？

　　1950年代初的麥卡錫旋風狂飆的時代，進行了亞洲研究者的肅清。因此肅清之故，「亞洲研究」事實上被迫沉默。在此歇斯底里波濤持續之中，中國革命獲得勝利，但麥卡錫一派不容分說地指摘「失去中國，是因為美國的亞洲研究者們，把中國賣給共產主義之故」，並透過議會的公聽會等，破壞太平洋研究學會（Institute of Pacific Studies），很多學究們不得不沉默。從麥卡錫方來說，從此美國的中國‧亞洲研究告終。但是，我們CCAS的看法是不是肅清完了，而是以麥卡錫的勝利一直持續到越戰的高峰。越戰變為劇烈時，亞洲研究者還保持沉默，是因為在麥卡錫時代受了非常大的打擊而抱有批評政府絕沒有好處的苦澀經驗之故。

　　另一項，我們所注目的是，如1950年代初期的福特財團，對亞洲研究出資的財團與政府之間產生的「共存共榮」關係。政府不斷地把錢投入的同時，也把體制方的利害和價值觀灌入亞洲研究者之中。為了繼續打越戰，為了以帝國主義覆蓋全亞洲，用數百萬美元的龐大金錢收買學者，幾乎全部的學者樂於接受冷戰模式。

　　如此狀況到1950年代初期，美國的「亞洲研究」成形之後的20年間都沒變。

　　亞洲研究者們，完全無視亞洲諸國當地的社會制度，開始高聲大喊其「近代化」。例如提出「建立民主制度的問題」等。令人驚訝的是，那是與美國的資本主義有著對立形式的「近代化」。

　　「帝國主義」這個語詞，也從美國的亞洲研究者的語彙中消失。以往猛烈責難歐洲的帝國主義，卻因接受冷戰模式的亞洲研究者們，改為專心致意批判馬克思主義，迴避帝國主義這語詞，而開始使用「文化的接觸」這欺騙人的語詞。

　　亞洲研究者的這種態度，持續到以越戰為契機，對於美國力量的根本性疑問被拋出之時。

　　多數的亞洲研究者們，從軍事的觀點在過去15年以上論述了中國。那是基本上從敵視中國的態度而產生的。

　　CCAS拒絕一切軍事、情報蒐集的研究。CCAS對帝國主義或革命的問題，與以往的學者採取完全不同的態度。這不只是我們的問題。在美國所有學術領域，現在以這種面向在進行著。進行著對既存的「原則」的挑戰。美國自身在約三世紀前，犯了正好與現在在越南所做對印地安人的大量殺戮的錯，也在菲律賓進行了60年的殖民地統治。那到底是什麼？CCAS要從這個正確的認識出發。

　　從人道主義的立場，對人的壓榨，亦即對帝國主義本身要加以批判。僅限於此，或許有與共產主義共通之處。

　　又，我們不認為革命之於美國是敵，或有不利。美國自身是

經過某種革命過程而誕生的國家。我們寧願將革命從征服帝國主義力量的方向來觀看。

討論：受批判而動搖的「亞洲研究」

波多野宏一（以下簡稱波多野）：小島先生剛去參加在倫敦舉行的「世界基督教學生聯盟有關中國的集會」，也與歐洲的亞洲研究學者們有接觸，首先想聽聽您的感想。

小島麗逸（以下簡稱小島）：一月初在倫敦郊外的小鎮，世界基督徒學生聯盟（World Student Christian Federation，WSCF）以「中國的政治・社會思想與其對現代社會的意義」為題，三、四十位中國研究者聚在一起進行議論。

參加會議者以國別分，有英國、法國、德國、印度、新加坡，還有美國、加拿大、澳洲、日本。參加者中，知名的中國研究學者只有法國索爾本大學的謝諾（Jean Chesneaux）教授，和倫敦東亞・非洲研究所附設現代中國研究所所長的施拉姆（S. R. Schram）教授兩位，其他主要的參加者是35歲以下的年輕人。

這會議結束後，又去訪問歐洲的三國，即英國、法國和德國的幾個機關，和多方研究者做了議論，印象是可分為三個大的潮流。一個是把中國研究還原到自己的社會或自己的問題之中做研究。為了解決自己的社會所擁有的種種問題而做中國研究，並堅持這種態度的學派。

第二個學派是，對1950年代在歐洲有支配性的現代中國研究開始抱疑問的學派。中國現在所實行的，與自己一直受的教育所

學習學問的方法論，已不能十分契合而開始抱強烈的質疑。其中很多是去過中國旅行的人，包含來自英國、法國、加拿大的出席者。

第三個學派是，不抱那種疑問，而依然以過去的「純粹客觀」方法在做研究。從而第一個學派對第三個學派亦即沿襲被想作是「純粹客觀」舊有作法的人的報告，經常提出「你們的研究是為了什麼，以什麼目的在做，為誰所用」。

第三個學派是現在塞爾丹先生想要挑戰，很多美國學者所抱的態度。印象中，參加者裡面，以數目來講第三種學派最多。想以「純粹客觀」或是既存的西歐的學問或方法論來處理中國。

第一學派或第二學派，可說是對過去的現代中國研究方法論抱強烈質疑的學派。如果是這樣在方法論上做反省的話，那麼會出現新型問題的建立法是否成功的問題。例如其一是對由集團主義的經濟發展，或集團主義的政治性民主型態等有強烈主張的人。以經濟來說，不把公社（commune）當作個人追求利潤的型態，而是以集團追求利益的型態看待。在政治上是做為集團的解放才能聯繫到民主化的想法。以往以公社是壓抑個人生產欲望的制度掌握的想法為多，但個人的解放僅限於伴隨集團的解放，不然是不可能的。這種想法出現了，從而把中國解放後的動向，以民主化過程描繪的學說開始出現了。

體制派研究者群的蠢動

波多野：可看到共通點是亞洲的問題，特別是越南、中國的

問題各自應將之做為內部問題研究的反省。這是美國與歐洲的亞洲研究從1960年代末開始的大變化，或可說對以往亞洲研究的造反。

加藤祐三（以下簡稱加藤）：我想請問塞爾丹先生。曾經去過中國的傳教士與學者，現在或許已處於主力階層，或在這以上的地位，對政府的政策決定有什麼程度的影響力呢？

馬克・塞爾丹（以下簡稱塞爾丹）：戰前美國的中國研究，或亞洲研究主要以傳教士集團為主體是沒錯。從而，與在美國的日本研究相同，到現在其人數也非常多，也擁有影響力是事實。只是除了傳教士之外還有擁有影響力的集團。曾經是美國軍事情報組織的OCS（候補軍官學校，Officer Candidate School），現在CIA（美國中央情報局）的組織之中做過中國研究的人也相當多，著名的有哥倫比亞大學的鮑大可（A. Doak Barnett）教授（目前在布魯金斯研究所）或，MIT（麻省理工學院，Massachusetts Institute of Technology）的白魯恂（Lucian W. Pye）教授，麥卡錫時代攻擊中國研究家的耶魯大學饒大衛（David N. Rowe）教授等全是屬於那集團的人。這些人是完全接納冷戰體制的價值觀，而且已習慣於以自己傳教士時代的經驗去看中國，結果是變成反共主義熱烈的支持者。

戴國煇（以下簡稱戴）：我是中國人，而在日本研究中國，處於特殊的立場，我想提一個問題請教：以圖書館館員的形式，參加美國的中國研究的中國系者，或從台灣戰後留學美國，有研究中國大陸或台灣的人們，CCAS如何定位這些人？有沒有定位在您們批判的對象中？

塞爾丹：做為CCAS，並沒有特別對土生的中國人在做中國研究的人採取什麼立場。只是如果他們接納美國的冷戰體制，而在那體制之中工作的話，與其說是中國人，毋寧是因在那體制中研究中國、亞洲的理由。而做為批判的對象，對於我們來說，不管是中國系或日本系並不是問題。我們的關心是與美國所採取的立場如何關聯之點。

戴：塞爾丹先生的說明是以麥卡錫以降的研究為主要問題，但我要確認，在麥卡錫時代以前，美國的亞洲研究或中國研究，CCAS今後要不要做為批判、對決的對象？

從反戰運動發生

塞爾丹：CCAS不只是現代的問題，當然初期的階段也想做為研究對象。但是歸根究柢，現在發生反對忍受接納方式的運動，剖析這種反對運動，從而挑戰過去研究的作法或政策這事，我們認為是非常重要。但是，在做這個的過程，那種研究態度從何而出的追究，以及探尋那過程的意義，當然也有跳回初期階段的狀況。不過我們的團隊才剛成立，對於初期的工作幾乎未做調查。我們的工作也幾乎在麥卡錫以後的東西。只是有一個可說的是，麥卡錫主義以前的亞洲研究者們與所謂的美國的冷戰政策沒什麼密切接觸之故。我想對中國共產主義，比1949年以後的中國研究抱有稍微客觀的看法。

幼方直吉（以下簡稱幼方）：CCAS的產生與美國的大學紛爭有什麼關係嗎？

　　塞爾丹：當然有關係。CCAS的發生是越戰與對越戰的反戰運動而產生的，創立CCAS的人們，本來是對這種和平運動非常熱心的活動家的人們。亦即燒毀徵兵卡的人、反對徵兵制度在做抵抗的人們啊。但是不只是這樣而突然出現這些人的。以越戰為起點而興起反戰運動，這又與對從來的美國社會根本的狀態挑戰而出現。回頭看以前，例如麥卡錫以後也有，捱過肅清時代的人，不是有名的人，而是沉默保身的人。

　　然而，如果我們處於那種狀態，與那以沉默捱過麥卡錫主義而生存下來的人一樣結果是從社會孤立，或者如CCAS這種運動也會被消滅。

　　也就是說沒有社會的支持，這樣的運動與研究是做不下去，我們對此有認識。因此，比如現在體制中做中國研究的人，有想脫身的人，我們支持那樣的人。加州的Pacific Study Center*（史丹佛大學的反戰集團，研究在亞洲的美帝國主義）與法蘭茲‧夏曼〔音譯，フランツ‧シャーマン〕老師的活動我們也給以支持，盡量要與社會的動向一起發展下去的想法。也就是說要在體制的內外兩面做下去的道理。

　　波多野：美國的亞洲研究之中也有相當新的潮流出現，反過來日本的情況如何呢？

　　加藤：甲午戰爭的賠償金是當時國家預算額的三到四倍。再者之後所發生的義和團事件鎮壓的賠償金，是甲午戰爭賠償金約兩倍。當然義和團與其他國也有關係。歐美諸國拿了義和團事件

＊　應指Asia / Pacific Research Center，亞太研究中心。

的賠償金，以所謂文化事業的形式在中國建造教育機關或醫療機關，或援助既設的機關。日本模仿此形式，於大正末，考慮建設中國研究機關於日本和中國。首先預定在中國設立北京人文科學研究所與上海自然科學研究所，正在準備的時候。蔣介石國民政府成立（1928年），反日的趨勢高漲，而改設在日本國內，亦即設立在東京與京都的東方文化學院。東京的在戰後變成東大的東洋文化研究所，是我工作的地方。現在最大的問題是，為何、為誰而做中國研究的問題。因此我自己最低限度，要在近期整理出我的研究所根據的基礎。

　　另一個問題是，現在的中國研究是什麼樣的狀況。據我的印象，曾經是相對於國學的漢學是正統的學問，正統的學問也就是維持體制的學問，從而經常觸及政治，亦即叫作政談的一個基本主題。一直到現在我的印象是對中國研究在不知不覺中給予很大的影響。就是說因為我們的政治判斷，在中國的政治乃至其他林林總總的事情便可理解的前提從未改變過。對此，掀起大浪的正是文化大革命吧。文革到底是什麼，在這點議論分歧，不只因黨派間的問題，而是我們之中未覺醒的，以剛才的話來說是自己的問題，或是對自己的方法論的反省是膚淺的，從而是否被它扳倒？這些是我個人對現在中國研究大致上的批判。

滿鐵調查部的遺訓

　　波多野：我想要設立亞洲經濟研究所的時候，政府與財界的想法，「再建那留下輝煌成果的滿鐵」的圖像大大地橫現在那

裡。就此意義上，現在置身其中的小島先生，對塞爾丹先生的美國動向，或您這次在歐洲所感到的印象相較，對日本的中國研究實際狀態如何看呢？

小島：坦白說，我自己還未整理好。只能這樣說。

只是，現在我的關心是，例如把滿鐵調查部的中國研究的歷史還是很想再做一次回顧，而可以從中抽繹出很多教訓，我深刻地在做這樣的思考。

還有一個是，學術性的工作，在那種機構中的研究今後我想會繼續做下去。但是中國的農民與勞動者雖幾十年受封建主義和外國帝國主義的壓迫，並終於將之推翻。如何推翻了壓迫，我要自己掌握。進入1970年代，今年元旦各報社的社論說，日本變成經濟大國了，我覺得真是大放煙火〔譯註：有祝賀之意〕。在公眾媒體的領域出現那種報導，是對東南亞、韓國、台灣，日本的資本進入比我們的認識更快速在進展吧。滿鐵調查部的研究，就是要探索此意義。

同時另一問題是，1945年，日本敗戰後，很多的中國研究者一時好像有反省的感覺，或者是方法論的確立或新的問題的構築等常常被議論，但有多少效力，我也想要去探究。不這樣做會感到很不安。

對「敗戰」認識的欠缺

波多野：中日戰爭到太平洋戰爭敗戰的原因，一般認為是敗給美國的龐大物力。中國的民族主義、中國所志向的，日本未能

正確地汲取，我以為是否在此存在造成敗戰的很大原因。但以這種觀點的研究，從全體的大局勢來看還是很少，毋寧依然是從強權政治觀點的中國研究為多的感覺。

塞爾丹先生指出，美國的亞洲研究無視亞洲的社會制度，而以可與美國利益兩立的形式，要求當地的近代化的姿態在以前曾有過。同樣的動向，是否依然存在日本的中國研究之中，我有這個擔憂……。

小島：那或許是被叫作「純粹客觀」研究的東西，在不知不覺中被那東西所捲入。我也不能不有所警惕。因此，比如經濟建設的研究，農民與勞動者一點一滴積累的身影，不會成為研究的主題，「既存的學問」方法的適用的傾向對於1950年代後半到1960年代前半，我感覺那潮流變強。

加藤：敗戰不久，中國研究所或我所屬的東洋文化研究所之中，有一定的內部改革，聽說那是針對配合戰爭者的批判。聽到美國現在的情況，最切實感到的是，學生運動、越南反戰運動是與現實的徵兵，會被送去戰爭的事實連結在一起。然而日本的戰後是從戰爭終結開始的。在此意義上，我想日本的行動是否採取完全不同的方向。

對於研究者，過去的研究成果對現在會給以什麼樣的影響是問題，過去的成果是，與其說是研究內容，不如說是研究體制之點有問題，研究內容大體來說我持樂觀論。就是說一定日日有新世代、新感覺，採取新行動的人產生。那些人大概會以自己的方式批判以往的研究和研究體制，或許不去發表，並或許那絕不會成為運動，但他還是會持續做。我對這類人的期待非常大。圍繞

研究者的體制是，自1945年到正如朝鮮戰爭之間的美國狀況相似的東西或許也會出現在日本。

無力的歷史家們

　　戴：我聽著各位的話而這麼想。首先，歷史家是無力的，再是感到學問這東西的無力感。CCAS是以越戰為契機對其內部進行告發。然而，如果學問是世界性的話，其實越戰可以不發生。例如舉日本一連串、離現在最近的滿洲事變，再是由此以降、漸漸陷入泥濘的過程，傳統的東洋史學者們不以研究對象去對待。然而，戰後的研究者們之中，也有如遠山茂樹先生的昭和史研究團隊等，取得傑出的成果。只是，昭和史研究沒有成為世界性的，因此本來應成為世界性教訓而活用的東西沒被活用。越戰可以說正是在這種無力的狀況而發生的。

　　另一個是，這是很遺憾也存在中國知識分子之中，就是如何定位中日戰爭的勝利此事。到底誰贏了誰？我想恐怕在日本，包含學者在內極為廣泛的人，並未懷有輸給中國的真實感。而中國人在國共內戰的初期，那種意識特別在國民黨系學者之中存在。與其說輸給中國民眾，不如說是輸給美國的最新武器與美國的物資量的感覺。日本的科學、生產力、GNP（國民生產總值，gross national product）也輸美國，所以日本輸了，絕對以為不是輸給中國人。也就是說輸給物資、GNP、最新兵器，而不是輸給民眾，如此近乎迷信的想法瀰漫世界，這點其實才是問題。

　　幼方：戰後的研究，我不認為馬克思主義變成中心。毋寧是

民主主義性的科學從法西斯主義脫出而正在萌芽階段。只是那種新學問，到底是否是紮根在民眾之中的學問，在最近的大學鬥爭之中，終於第一次從根本地受到質詢。

中國・亞洲研究的情況是1960年安保發生時，美國福特財團援助東洋文庫的問題，這問題扮演很大的角色。因福特財團對東洋文庫的援助之故，這個學術機構中的年輕人，對自己的中國・亞洲研究是由何開始問起，而領悟這不單是當前的美元資金的問題，而對日本亞洲研究的傳統開始了批判。對亞洲福特財團的資金援助的反對運動，不必然是從馬克思主義的立場而反對。而且當時學生對大學問題的膚淺認識與今日不能做比較之故，於是運動遭挫折了，但所發生對學問的反省一直到現在，不只學生，對年長的研究者也給了很大的影響直至今日。

波多野：戴先生出身台灣，戰後一直在日本做中國研究，我們有被告發的感覺。日本的台灣研究問題也很多吧。

戴：我沒有要告發各位的意思，只是擔心包含中日戰爭前世紀以來的中日關係的教訓不能正確定位，不能汲取教訓，我們被時代潮流沖著走。在此我所想的是，日本的各位，如果對中國認識錯誤的話，首先是從錯誤地認識殖民地統治的台灣開始。日本的中國研究是跳過台灣，現在也在跳過，對中國的認識也不回溯到甲午戰爭。在某種意義與中國人一方也共通的。例如中國人有抗日八年的看法。實際上抗日戰爭自滿洲事變以降有15年。像我這樣的台灣出身者來說，我還認為應該從甲午戰爭開始。許多人缺少這個方面的問題意識。

第二，各位從剛才以來在告發自己，我也在自己內部有一部

分應該被告發的。我的祖先也在鴉片戰爭前後，流亡去台灣。把已經住在那裡的高砂族人趕上山封堵住，成為後世的我得以活下來的原罪意識。我家是地主，地主受日本總督府權力、殖民地統治權力的保護，受高率佃租保障，從而我們兄弟可遊學東京，我也因此在戰後能來東京留學。所以我也是做為加害者的一部分，體內抱有應被告發的部分。

另一個是，做為被害者方的問題，開發中國家的左翼人士把所有的責任全歸諸於帝國主義這一點我有異議。讓帝國主義專橫跋扈，是自己內部有腐敗之故。特別是知識分子要負很大責任。使各位的認知錯誤，開發中國家的知識分子也有相當的責任吧。那證據是開發中國家到底曾經有沒有像樣的日本研究或美國研究。我在亞洲經濟研究所任職，但不是做日本研究，也不做美國研究。用稍微難聽的話來說，我是在零售我的故鄉台灣，今後如做華僑研究的話，便是像零售自家人在維持生活似地。

從等質性出發

然而，這姑且不說，在此我們自己不單是幫手，在現在的世界史的階段，做為一個知識分子在學問的世界做貢獻的話，能夠做什麼。我們必須把自己正確定位後才可進行。其實這也是對我自己的自我批判，開發中國家的知識分子要更好好地研究日本與美國，由此可對等，或即使不對等也可做恰當的發言，我想某程度可糾正各位認識的錯誤部分。然而開發中國家的體制大多的情形是不看重社會科學。

　　容我再講一些。我自己的研究前提是，因為台灣出身者之故，絕不能停止在單純的受害者，首先有必要認識這個；第二是必須要確認所有文化以及民族是等質，並經常反覆審問自己。並不是美國人、中國人、日本人特別優秀。在觀念上理解這個大前提的人，很多人卻在實際的行動面搞不清楚。似乎是以洋文寫的論文，或白人寫的東西是好論文，中國人或開發中國家的人們寫的研究論文是不行的，這樣的迷信至今還根深柢固地存在「我們」心中，是很遺憾的。不以實質內容去評價的習慣還很強。

　　我討厭「地域研究」的用語。這本來是從英語翻譯的。我想反問，「地域」到底是指哪國的地域啊？為什麼不明確地以「外國研究」定位而去從事呢，做為中國人對漢字的語感或許與諸位稍微不同，我願意對用語更謹慎重視。因為有此用語的類似慣性之故，本來要研究外國，應以民族、文化的等質做為前提出發才對，但實際是不行。大概「地域研究」的構思與「中華思想」的構思成為惡之痕跡的一部分吧。

　　我不以「地域研究」而要徹底以「外國研究」為定位去著手研究，所以當然以異民族研究、異文化研究，學習外國研究。從而不以剛才所說的等質為前提出發的話，就沒有可學習的。在某種意義上，我今天聽了塞爾丹先生的話感到非常高興。我感到因越戰美國人或許可抓到恢復的契機。然而一般的情況是很不容易。被近代合理主義為原理的物質文明沖昏頭的人們，特別是知識分子深信完全沒有可從開發中國家學習的東西。不只是這樣，我們幫助他們開發，因此要做研究，明顯看得出那驕傲自大的態度。我想不把民族、文化等質的前提放在眼裡，所以才會有那種

構思。

　　向對方學習的事情很多，為了學習而做研究，為了確認自己的定位而做研究，亦即要解開自己的問題而做研究。塞爾丹先生和小島先生所說的都全部到達那裡。內部問題變成原動力，非做外國研究不可的視角開始出現。如何讓此認識紮根？在此問題是美國的研究論文（paper）主義到底什麼？中國研究中的GNP多少，到底帶來什麼意義的反省，並沒有同時出現，我認為這可不行。提出很多研究報告於是方便於就業，沒有價值的報告只要在研討會常提出，被認可，即可得到較好的位子，這種型態不知不覺已形成，大家也認為是當然。實際上這是一種腐敗。在現今高度發展的資本主義下的分工，身為專職的研究者所抱持的矛盾，要如何定位？同時也為了要生活。很多有心的研究者在這一點同樣在苦惱著。

　　塞爾丹：美國的技術生產出破壞力最大的武器。對此文化與技術，美國人的忠誠心實在大得嚇人，並採取遠比他文化優秀的立場，漸次把那作法擴展到他國。CCAS當然否定這種立場，一貫地採取盡量客觀、認識個別文化發展過程的態度。我想所有的文化本質上是同等的，從而，我們不會把它單單以物質文化的水準來衡量，我們要注視不同文化的人的內容，亦即榨取或自我認識的程度等。這些東西如果是理想的話，當然只能在該文化之中去理解，如果只從外面以物質的尺度去衡量，是不能知道的。

　　波多野：戴先生與塞爾丹先生都以非常謙虛之詞敘述了各自的想法，但從過去的中日關係來想，戴先生的話雖很客氣，但對我們來說，有如插進胸膛的短刀。又塞爾丹先生的發言是CCAS

的立場，但對於日本的中國研究或亞洲研究而言，是提出了尖銳的問題，我自己認為含有挑戰之意。

　　編者〔社會思想社〕按：戴之發言中意猶未盡之部分，參照雜誌出刊後的校正稿經本人加筆補正，順此聲明。

　　　　本文原刊於《朝日ジャーナル》第12卷第10號，東京：朝日新聞社，
　　　　1970年3月8日，頁17～24

眞實的亞洲和日本
──田中宏vs.戴國煇

◎ 喬軍譯

對談：田中宏（亞洲學生文化協會）

　　　戴國煇（亞洲經濟研究所調查研究部主任調查研究員）

對大國日本的兩樣臉

　　田中宏（以下簡稱田中）：我想我能講的，僅限於從一些知情者處聽來的東西。那些生活在日本社會中來自亞洲各地的學子們對日本的印象，那些留學生們是怎樣和日本人交往中，有何緊張等。

　　目前雖然存在許多問題，但其中最深刻的還是日本人聽不到留學生們對日本的感想和批評。留學生對日本人的不信任由來已久又深──在這裡暫且將這一陰影的形成歸結於歷史上的種種瓜葛──具體說體現在哪裡呢？其實最近我發現留學生和我搭話或發言時有兩個明顯的特點。

　　一種是對日本的讚美之辭。比如：聽說日本曾受到兩顆原子

田中宏（田中宏提供）

彈轟炸，幾乎被夷為廢墟，可卻能在短時間內重建家園，創造了世界奇蹟，其祕訣在哪裡呢？或者提到非常佩服日本人的勤勉、頑強的精神等。大凡此時還會冒出新幹線、36層高樓大廈的話題來。還有諸如此類的發言──留學生自身也飽受著殖民統治遺留下來的負面遺產之苦，所以想通過留學來探究日本的力量源自何處，對母國的問題進行思考。日本人聽了這些話當然沾沾自喜了。

　　另一種意見則是從完全不同的角度，對日本做出嚴厲的批評。雖然形式各異，但它們有一個最大的共同點，即對於我們這些亞洲人來說，最關心的還是明治維新以後的日本。在日本人看來1945年可說是一個轉捩點，可是我們亞洲人卻幾乎沒感受到這一變化。

　　在眾多的批評中，有一個老生常談的話題，就是崇尚歐美、蔑視亞洲。這是一種滲入骨髓的東西，是一種感覺。關於這一問題的批評非常頑強，以後可能會一直繼續下去吧！也就是說，是否有認真地思考日本的百年史到底給亞洲帶來了什麼，有無好好地想想日本國家的未來以及每個人的生活方式的批評。

　　再具體一點，即1945年的變化對日本人影響很大，所以他們

就會產生一種新生日本已形成的感覺。可是在我們亞洲人民看來，他們靠壓榨亞洲民眾的血汗來養肥自己的惡性循環本質並沒有改變。

從二戰之前的甲午戰爭、日俄戰爭到後來他們又插手的韓戰、越戰，特別是在最近的對外經濟擴張中，這一本質愈發明顯。日本就是這樣遵循著同一模式發達起來的。而日本人所感到的變化或者只是源於他們極力想改善和歐美的關係而已。「英美鬼畜」變成日美新時代，這對日本人而言可說是個天大的變化呀！總之，敵人變友朋，是大變化吧。對於我們極端地說則是完全未改變。這個地方日本人到底在想什麼？這是問題的核心。我們也可以看到關於這方面的評論。

留學生的思想和生活背景決定了他們擁有不同的世界觀。對此我並沒感到意外。可有時同一個留學生比方說A，卻有兩副面孔。他們看到什麼樣的日本人就會擺出什麼樣的面孔，我覺得這恐怕是一種本能吧！

其實在和留學生的交往中，常會發現當開始只談一些日常瑣事時，他會用前一種態度，聊聊天，繼續彼此的交往。不過一旦遇到什麼事情，留學生的態度就會轉變為後者。造成這一轉變的是在我們的交往中所產生的某些特殊的關係──而往往是一些小事決定了這些轉變。留學生找房子不容易，不管到哪家不動產仲介公司，都會因為是亞洲人而遭到白眼。這時我就會向對方保證：「我是在亞洲學生文化協會工作的，以後出事都由我負責。」盡量幫他們順利地找到房子。他們就會覺得這個日本人和別的日本人不一樣，好像彼此之間的距離縮短了。此時他們的態

度就會轉變，露出第二張面孔。

　　接觸到的日本人態度，以及對對方的直覺，會非常微妙地左右他們在這兩種面孔中做出選擇。越南的留學生曾對我說過，他們生活在殖民統治下，從某種意義上來說就是為了活下去，說得極端一點，如果感覺遲鈍了的話就無法生存。也許這在日本人看來是無法想像的，但是走在西貢街頭，如果不依靠已經超過知識範疇的直覺，馬上判斷出和自己擦身而過的越南人到底是屬於南方民族解放戰線還是政府軍的話，早就性命不保了。在這樣的緊張情勢下艱難地生存，就是目前的狀況。

　　所以留學生說不管接觸到的日本人會不會外語、是否念過書、言及戰爭的責任也好或是沒說也罷，在考慮這些過去的問題之前，他們會憑直覺本能地區分對方是敵還是友。他們就是這樣篩選要和誰交往的吧！

　　從同桌的學友、平時在大學裡遇到的教官、借宿處的阿姨，到在電車裡偶爾和自己視線相交的普通市民……，他們從大多數日本人身上，應該已大致明白日本人的態度吧！遺憾的是他們感到許多日本人不適於對之敞開自己的心扉，能率直地對之闡述己見的日本人真是太少了。這樣說可能有點刺耳：好像感到友誼存在，不過他們怕在說出真心話的那一瞬間，影響了友情，給彼此的關係潑上冷水。於是選擇乾脆保持沉默。

　　反過來看，日本人不明白為什麼會有那麼多來自亞洲各地的批判。心想不是也進行了援助嗎？日本貨又賣得不錯，日本也做了不少事啊，他們應該會看在眼裡吧？這樣一來，在和亞洲關係的問題上，反而沒有什麼短兵相接之處了。所以我覺得亞洲與日

本的問題，日本國內雖有亞洲留學生的存在，但也未必變鮮明，應該和日本自身體質有關吧！

　　以上是我的想法，做為當事人的戴先生您怎麼看呢？

背離亞洲的亞洲理解

　　戴國煇（以下簡稱戴）：開誠布公地說，雖然我不清楚二十多歲的年輕人是怎麼想的，但日本人大概都認為自己是亞洲的一員吧。所以他們會覺得已經對亞洲很了解了。這裡的虛像和實像之間不是也存在著很大的差異嗎？

　　我在亞洲經濟研究所工作，在那裡接觸的外國學者，還有日本的亞洲研究者身上，我感到自以為理解和實際的理解之間的乖離度彷彿並不清晰。田中先生您能看懂、聽懂中文，還能用中文交流。但在實際工作中，比如田中先生任職的亞洲文化會館，大概只用英語就行了吧！和印度、巴基斯坦一樣，在一些曾受到過英國殖民統治的東南亞國家，英語普及程度以及知識分子們對英語的運用水平相當高。但在別的地方，目前的英語水平應該還很低吧！所以現在只用日語和英語交流，就會出現不易進展的局面。這也是個問題。

　　我們研究所已經成立十年了，以學習當地的語言、去進行實地考察、熟悉當地的環境進行研究為前提。但實際上對亞洲進行研究的日本學者的情況又如何呢？普遍看來，通過和亞洲人的直接對話來研究的比率可並不高呀！恕我直言，恐怕為了圖方便，必要時把歐美人的東西照搬過來，把橫的變成直的，改寫成日文

的還是大有人在吧！

　　由此而聯想到的是，我們對亞洲的理解還遠遠不夠。說要和亞洲友好，可卻沒好好研究過亞洲的社會結構、文化、宗教，只把重點集中在經濟問題上，卻沒有多少關於經濟結構或社會結構的研究。比如宗教研究吧，不過就是研究一下自古以來的宗教精神，此外就只剩下些人類學範疇的研究了，即所謂的「土俗」為對象。錢沒用在刀口上啊！我有時覺得東南亞只有「土俗」，沒有「文化」的想法好像總存在於日本知識分子的腦海裡，但願是我的誤解。由此看來，現在是不是還不具備理解亞洲的前提條件呢？

　　說一個比較極端的體驗吧！我是昭和30年來到東京，31年進入東大研究所的。有次一位比我大兩三歲，今年應該已經四十二、三歲的人問了我一個很有趣的問題。他非常認真地對我說：「戴先生，您筷子用得真好啊！」另一個問法就是「戴先生是中國人嗎？」問我是不是中國人，主要是因為我來自台灣，在他看來台灣有高山族，以此類推，台灣人都是蠻人了。所以他就會驚訝像你這樣的蠻人怎麼也能來留學呢。

　　雖然他沒有說出「蠻人」這個詞，只問我「您是戰後從大陸去台灣的吧？」其實在他心裡多多少少覺得我也是個蠻人。現在這個日本人也該有四十二、三歲了，當年他還不到30。他當然上過大學，所知甚多。這件事證明儘管日本對台灣至少進行了50年的殖民統治，但對台灣的了解還遠遠不夠。有這種狀況。

　　所以在亞洲人眼裡，口口聲聲喊著「亞洲、亞洲」的日本人的邏輯和原理都是歐式的。他們熟悉歐洲文學，癡迷於法國文

學，在東京還有熱鬧非凡的法國節。他們以為了解亞洲，可實際上卻對亞洲一無所知。在日本的大學裡幾乎沒有和亞洲有關的講座，這也從一定程度上反映了這個問題。

在這種狀態下，他們不會了解到剛才田中先生所說的留學生問題。日本人常把「要做為亞洲的一員和亞洲人民和平共處」、「進行經濟合作」、「援助」等話題掛在嘴邊。開發中國家的政客們也向日本人要錢，說什麼請發達國家之一的日本老大哥多加關照。他們搞些口惠交換，在和民眾毫無關係的地方製造互相理解的假相。只憑這些是無法了解亞洲的。

從去年〔1969〕11月起，我用約五十天行走東南亞。在日本的報紙上除了殺人、選舉以外，幾乎找不到關於亞洲的報導，都是些關於歐美的。對中國大陸的報導是個例外，倒是時常見諸報端。不把實情公諸於眾可是個大問題啊！如果研究活動也像剛才所說的一樣停滯不前的話，將會給今後帶來大隱患。難道我們現在不應該重新思考、反省一下對亞洲的認識嗎？現在妝點「門面」如此濃厚的氛圍中，如果不遵循歷史從根本上思考「經濟動物」、「黃皮膚的美國佬」論，只從表面上敷衍的話，勢必將引起許多問題。

另外補充一句，我覺得田中先生等人的工作非常有意義，或者是替日本國民肩負著日本歷史欠債的部分。即使是這樣，由於預算少，或者繁忙得人手不夠，沒有充裕的時間，所以連工作上所需進修的時間都沒有。即便像亞洲文化會館這樣的地方都是如此，不能紮實地學習當地的語言。對不起，話裡批評的成分占了不少，不過日本從明治維新以來，就彷彿一直強迫那些善良脆弱

的人們頭纏象徵著武士道精神的布條，一個勁兒地埋頭苦幹。既然GNP高居世界第二，就應該多把錢用在該用的地方。據我了解，在接受外國留學生和研修生的機構中，亞洲文化會館是最盡力、做得最好的。田中先生是那裡的職員，不好意思，在您面前這麼說好像有點奉承了（笑）。但我覺得連亞洲文化會館都如果維持現狀的話，問題仍會根深柢固地存在。

做為壓制者的反省才是出發點

田中：再多談一些吧！

亞洲人民一直在關注日本，這在思考日本歷史時是至關重要的，如何對待這一問題很關鍵。我認為現在應該在立足明治以來歷史的同時，必須做為在這時間點展望未來最重要的主軸。我的立場是，不但應該思考對亞洲該怎樣是重要的，而且也需要同時思索以往日本的歷史。因為真正可以拍著胸脯說「我們為亞洲做了貢獻」的人畢竟不多。

話雖這麼說，但到了該重新審視這個問題，思考什麼最重要的時候，卻抓不到頭緒了。不過在亞洲的學生們看來，最重要的出發點是日本以前應該如何處理和亞洲的關係，今後又該怎麼做。這正是戰後日本應有的課題。

但事情卻總被束諸高閣，一旦涉及到國際關係問題時，始終只是調整一下和歐美社會的關係罷了。

在亞洲人民看來，戰前的日本也是如此。由於最後和美國的關係惡化，日本在「大東亞共榮圈」和「東亞解放」的口號下，

結果在亞洲做了和歐美從前的所作所為一樣的事。戰後也沒有對此進行過反省。日本又在重走老路了，對此事的批判未能在日本社會中建立，導致沒有進行反省的此一缺陷，一直存在日本的體質中，這也成為日本被斥責軍國主義復活的依據。目前，抱著「亞洲很落後，必須要親自為他們做點什麼」這樣充滿優越者的寬容，而想解決亞洲問題的人還是主流。

最近在各種和亞洲相關會議上，提高援助金額的大施捨，可以說達到了頂點，這在一般的日本國民層次也以為施捨些善款也得幫助亞洲。這只不過是出於一種向乞丐施捨的想法，他們完全不去評價對方所擁有最重要的部分。從戰前就形成的這印象，今後也不會消失。

我覺得不可思議的是，以所謂進步人士為首的人們高度評價在越南戰場上作戰的越南人，卻沒想到通過以前日本在和美國打仗時的以少對多，來分析越南為何要如此誓死抵抗，引以比對自己。

如前所述，從落後這一角度來看，亞洲沒有什麼可值得評價。那裡有對美國侵略者的反撲，或者是對這種反撲的正當性深信不疑的正義感而已。我以為可把它視為推動今後的歷史進程中的重要價值觀而重新去掌握，對此可發現相當的普遍性。

從當中我們必須去體會、感受，只有這樣探究下去才會強烈地意識到總把亞洲視為弱者，認為施捨就能解決的作法是不對的。相反的，現在到了應該樹立起一種向亞洲學習態度的時候了。通過和亞洲學生們的接觸，我深深地體會到這點。

應該向亞洲學習什麼

　　稍微說點題外話，前兩天有機會和一些年輕人聊了聊。他們都是趁著日本總理府舉辦的「青年之船」、「和平部隊」等活動去過亞洲各地的。有位參加過「青年之船」活動的女性感歎道：「亞洲老百姓的眼睛都那麼清澈！」還對我說：「從在港口遇見的當地人臉上，我感到儘管他們的穿著和生活很簡樸，但做為人是生氣勃勃。他們是在生活中體味人生，不像我們成天擠著擁擠的電車，忙忙碌碌地工作。這給我帶來了很大衝擊。」

　　可能她以前曾覺得只要給亞洲一些援助就能讓他們過得更好，但現在卻在亞洲人民的身上發現了在自己周圍看不到的豐富人性，感到自己在日本的生活反倒顯得貧乏了吧。

　　這些戰後出生、幾乎對戰爭一無所知的青年們藉此機會應該感悟到，雖然日本的經濟成長率和國民生產總值的排名在世界上數一數二，但在那裡生活的人們卻顯得那麼渺小。如果反省一下這個社會究竟為何而存在，看看我們的生活，每人活得有沒有人性，就會發現這個社會的價值觀是錯位的。在亞洲，還有另一個普遍的價值觀存在，但我們卻沒有察覺到它正在從我們生活的社會裡消失，這個傲慢正受亞洲的質疑。日本人很難意識到這個構圖。

　　其實去過亞洲的人幾乎很少體會到亞洲美好的一面，反而是僅僅滿足了自己的優越感而已。仗著自國的實力，就以經濟大國而自負，大搖大擺地來到亞洲。他們不會去改變最初我所提到的那種位置關係的接觸，所以永遠意識不到問題所在。

剛才戴先生說過日本人不了解真正的亞洲，那也是個例子。不過更有甚者，比如常常進行研究、討論的菁英和知識分子吧，把他們剖開看也不過是把歐洲的知識照搬來，或者把它當作衡量問題的尺度和道具而已。

包括在看越戰問題上也是如此，頂多也就是套用美國鴿派的主張，他們不會自主地去尋找探討問題的契機。就像剛才所說的，就算接觸過亞洲人民，但因為並不是可令他們敞開心扉的對象，所以總是把握不住契機，從而造成惡性循環。

我想在這裡具體介紹一下正在攻讀政治學博士課程的一位韓國留學生的證言。在他看來，從他們所學的東西和日常生活中的體認，發現把反殖民地主義刪掉是不可想像的。因為他們必須在這種環境中探究學問，多半注定要承受這樣的宿命。

他認為他們和日本學者最大的不同，就在於即使沒有得到最終結論，但根據前人留下的分析方法、資料，或者著作來研究歸納問題時，是否從反殖民地主義的視角出發。日本人根本沒有必要考慮這個問題，只要研究結束就算完成了一項任務，把它往學會一交，就可以獲得受認可的市民權了。

但對於像他這樣的留學生來說，定稿後必須要再重新審視一遍自己的研究有沒有遵從反殖民地主義的至高原則。如果最後發現關於此問題的焦點模糊不清，或者有微小的分析錯誤，那麼就必須捨棄，從頭再來。

他發現這些差異正是最大的問題所在，從某種意義上來說，他開始從根本上質疑自己留學日本的價值何在。

很少看到日本的學者、學生和亞洲學生一起閱覽、研究、辯

論，或者在上專提討論課時積極地去聽取亞洲學生的問題意識和看法。也許有些日本大學認為那學生沒有好好學習卻只知道講大話，只有這種程度的對應。他們領悟不到在脈動的，更根源的探究學問的方法與鍥而不捨的追究法，對此沒有恍然大悟的感覺。

目前傳授知識的方法仍是在講台上教授僅僅把亞洲視為客體的歐美體質的知識而已。學生們只要聽了著名教授的課程，就覺得學到了高深的學問，感到心滿意足。在這些年輕人中，還沒有萌發出用新的問題意識來攻破舊體系的萌芽。

在亞洲留學生看來，它們彷彿也根深柢固地存在於具體的研究過程中和知識領域裡，並頑固地支撐、構築了當今的日本社會體質。雖然不受亞洲歡迎，但百年來它卻從未消失。

即使打出了亞洲革命、粉碎亞洲安保等口號，也遲遲不見對問題進行反思的跡象。總表現出一種用自設的標準去應付來自亞洲的批評的傲慢勁頭。這種傲慢也同樣深深地滲入那些希望和亞洲建立連帶關係，或者想進行超越國界連帶運動人們的思想中。具體地將此思想切斷而深入研究的工作還做得遠遠不夠。

我一直感到很奇怪，為什麼我在工作中遇到的這些來自留學生的批評，沒有被一般的日本學生所察覺呢？當然也許留學生們應該更坦率一些，不過對他們來說，在日本這個社會中生活會受到許多束縛，入國管理行政之類的問題就不用說了，他們不得不在這個束縛很嚴格的社會中生存。

因此他們的批評可以說是最後的警告，證明亞洲和日本的關係又到了只剩下敵對關係的關頭。

就此意義上來看，亞洲留學生們的這些發言對日本社會來說

應該非常重要，相當有分量的。我在工作中常會感到這一點。讓我覺得焦急不安的是，在大學這個社會圈子裡生活的留學生們的所見所感，為什麼沒能在大學裡傳播開，沒能成為一個刺激而擴散出去呢？

不過也有例外。今年〔1970〕4月，一位越南留學生取得了日本的在留資格。聲援他的一些日本人認為只取得在留資格並不能解決所有問題，他們正和留學生站在一起繼續努力著。以後日本人在面對《入國管理法》時，可能還會遇到同樣的問題。其中首當其衝的就是日本人如何看待針對亞洲人的《入國管理法》。現在到了應該思考映射在亞洲人視線中的日本人、日本的存在，並將其做為重要判斷基準的時候了。

這並不等於以論天下國家的形式來看待日本軍國主義復活等問題。如果不能意識到身邊的問題就找不到解決問題的線頭。所以與其對軍國主義的復活進行分析、批判，倒不如關注身邊發生的事情。比如朝鮮人高中生遭到暴行等事，有必要追究其緣由，到底因何而表面化，由此去挖掘更深層的東西。比如剛才戴先生說的曼谷日本職員被殺事件，是不是也應該冷靜地思考一下到底為什麼會發生這種事呢？

隨著日本公司大規模地進入東南亞，許多日本人目前在當地生活。他們和亞洲人民交往的情況，與那些在日本軍隊入侵前後進去的商社，還有以占盡投資的先機為榮的人有何不同？給人的感覺可是非常相似啊！

對這些問題不詳細加以掌握了。我率直的感想是，不管他們如何叫囂亞洲革命的口號，倘若仍然存有暫且相信日本說法的想

法，那就幾乎掌握不到他們其實很怕上當。

日本民族的黑暗面與虛榮

　　戴：您剛才所說的那位去過亞洲，覺得當地人的眼睛很清澈的女性有多大啊？

　　田中：二十歲左右吧！

　　戴：和她一樣的人最近多不多？

　　田中：我覺得還很少。

　　戴：我來說些相關的事！令我感到非常遺憾的是，有些先進學者在研究亞洲時會批評「台灣很髒」，還說印度人簡直無藥可救。另外，說得更具體些，當企業進入馬來西亞時，僱傭的既有被稱為華僑的中國系員工，也有當地的馬來人。在泰國也一樣，泰國人和中國系人在一起工作。結果中國系人往往被認為工作效率高，漢族也就被視為優秀的民族，頻頻在學術會議上被拿來當例子。

　　我很反對這種作法。各位，漢族非常優秀的這種認識究竟是最近才有的，還是以前就存在呢？據我所知，起碼在甲午戰爭後中國人被叫作「清國奴」，一直到二戰結束時，除了一部分比較客觀地進行研究的人以外，「清國奴砭石無效」的說法還很普遍。從什麼時候開始覺得漢族優秀了？

　　所以我認為民族沒有優劣之分，由於受到所處的社會、歷史條件的限制，在某個時期會顯現出某些特點，只要有一個能發揮能力的環境，那麼他們也會像大家所說的優秀的漢族一樣出色的

工作。不過就連有些思想先進學者也不理解這一點，只會在口頭上表示理解而已（非常失敬）。轉頭就說「台灣很髒」。並不是因為我是台灣人就想為台灣辯解。但是，請說這些話的人先想想算不上乾淨的日本淺草以後，再說「很髒」這個詞吧！日本人常說中國人愛面子，其實我覺得日本也是個重面子的民族。從某種意義上來說，比中國人有過之而無不及！

　　學生時代，我們組團一起去北海道旅行，有個以色列留學生說想看看愛奴族。直到現在我也不清楚為什麼他想看愛奴族。當時同行的日本人曾回答他：「不行。」這個日本人是我的學姊，思想很進步。她說愛奴族不能做為觀光的物件給遊客看。這次旅行是日本學生組織的，那時我曾問她：「妳到底有沒有問過以色列留學生為什麼要去看愛奴族呢？」「也許他做為猶太人生活在以色列這個新的國度裡，所以比較重視少數民族問題。你馬上就以一句愛奴族不是觀光的物件來拒絕他，未免太過分了吧！」但是她卻沒有回答我的問題。

　　在那之後，我們去了北海道大學的愛奴研究室，那兒的教授是位白髮蒼蒼的老者，非常熱愛愛奴族，但後來聽說去世了。我記不住他的名字了，不過他給我看了許多他的收藏品，還非常自豪地對我說，自己把一生都獻給了愛奴族，為了研究愛奴族盡心盡力。

　　接著我們又參加了座談會，這位教授在談話的時候很明顯地沒有把愛奴族列到日本人裡面。所以我就問他：「老師，您在講話時沒有同時使用愛奴和蝦摩＊這兩個詞，那不就等於關於愛奴族非日本人的發言是錯誤嗎？如果為了把愛奴從日本人中區別出

　　來，應該使用和人或和蝦摩，這樣的話我還能認同。如果日本民族裡不包括愛奴族的話，我對您這麼努力地研究您所熱愛的愛奴族，還真有點擔心了。」結果他很傷腦筋似地不知如何回答。

　　回到正題上來吧！我認為應該讓留學生們看到一個真實的日本。去看看銀座、霞關大樓、新幹線，同時也要去看看鹿兒島、岩手縣的山間農村。

　　日本接受留學生的政策總偏重自然科學，這是我的看法。研究社會科學的人，比如朝鮮半島的韓國、中國的香港，以及一些華僑，還有就是我們這些從台灣來的人，大概會學社會科學。這是自費留學生、東南亞留學生難以通過語言這一關等有種種問題。另外日本的獎學金，比如日本扶輪社（Rotary Japan）獎學金就不包括社會科學。人文科學也是如此。由此而聯想到的是，日本經濟團體聯合會和商工會議所從兩三個月前開始對「經濟動物」、「黃皮膚美國佬」論有所反應，不過在留學生眼裡這只是個表象罷了。日本的領導層讓外國的技術人員過來，只教給他們一些自然科學，然後好像就急著要向那個國家出口整廠設備和技術。

　　在東南亞，有人直截了當地說，他們並不是為了指導我們，而僅僅把我們當作搬運機械的一個工具而已，用日本的技術把我們束縛住，好推銷他們的機械設備。我對此不能完全苟同，卻沒法回答他，因為這種情況也不是沒有。這也是我在這次旅行中所碰到的事情。

＊　蝦摩（シャモ，shamo）為愛奴語「シサム」之訛音，意指愛奴人以外的和（日本）人。

　　說說我的拙見吧（笑），我認為在向日本學習的時候，必須要全面地學習。田中先生，雖然我覺得您應該不會這樣，但還想說一句，就是只讓人們看到表面的日本這種胸襟狹小的作法是不行的。只有把背面也秀出來才能表現出讓人們去了解一個全方位的日本態度，或者用歷史的尺度來綜合地衡量日本在明治維新以後的動向，嘗試從日本人的視角來定位日本和亞洲的關係，我想在這個過程中會出現對話的契機。衷心希望通過這些能讓人們真正地理解日本。

　　但現在他們急著培訓出那麼多「機械搬運工」，然後就以此為由打著援助的旗號，好乘機搞延期付款。在當地也聽到過這樣的不滿的聲音：「說什麼援助，卻賣得很貴！」

　　日本的領導層最擔心的是招來的留學生反而在回國後反對日本，或者將來會成為反日派。我卻深深地感到其實正是他們自己播下了不安的種子。比如留學生在大學學習自然科學，據說老師們總是進行快速教學。這樣可以按時結束教程，留學生們能順利地完成學業回國，老師們也就鬆了口氣。但我認為這不是大學教育本應有的面貌，他們的理念能否達成也令人懷疑。從某種意義上來說，應該也讓留學生認識公害問題。要告訴他們事實——「這項技術是這樣的，但它也有局限性，在日本就曾發生過這樣的問題，所以請大家在了解這些情況的基礎上，再把我們的技術帶回去……」我覺得教留學生需要這樣的教學態度。連自己周圍的公害問題都搞不清的老師，最後只會成為反面教師，但是他們又一個勁兒地充當「正面教師」進行教學，所以才會產生落差。現在看來，日本文部省還沒有制定長期展望的接納留學生政策的

打算。而且我認為，如果不回到日本和亞洲關係的原點上來分析問題的話，那就永遠都像臨時貼塊膏藥似的治標不治本。這可是個大問題。當然留學生輸出方的體制也有問題，比如台灣吧，因為擔心日本的大學抗爭，不願送留學生到文科院校學習，所以現在還處於停滯狀態。在被人問及此事時，我的回答是這種作法是不對的，如果真要向日本學習的話，只有同時學習社會科學，才會有用。日本的技術和日本的社會經濟發展不無關聯，不將它們有機地結合起來，到頭來就殘缺不全，不是很吃虧嗎？

對經濟進入應有所質疑

我想具體講講此行中的一些事情。我訪問新加坡某大學時，首當其衝被問到的問題就是：「戴先生，您這次回去後應該不會馬上著手寫稿吧？日本的教授們可厲害了，來這兒看兩三天，回去後不出半個月就把附著照片的文章登在某某報紙上，還堂而皇之地寫道去了新加坡各處，而且立刻做結論。您是不會這麼做的吧！您雖然在日本做研究，但應是和日本人不一樣吧。」我告訴他，我動筆較慢，也沒有什麼知名度，所以應該沒人來找我。我在日本生活了十四、五年了，但因為對日本的新聞界有些看法，所以沒有什麼稿約，請放心。有的學者太過熱中於賺稿費了吧！那些和他們約稿的編輯和雜誌社是不是也有問題呢？僅憑兩三天的旅行不可能得出結論，但他們竟然堂而皇之地寫出來了。這樣一來，那些東西就被大眾認同，寫稿的人也會被人們稱為專家，漸漸地連他本人也這樣想了。說來說去，還是因為沒有一個可以

讓人深入地研究、學習的社會氛圍。大家都隨波逐流，爭先獻上
稿費，所以研究者們浸在這個大染缸裡都變質了……。說的有點
過分了吧（笑）！

　　再比如，現在不是誰都能去中國大陸的。只有一部分比較特
殊的人才能去，所以他們就擁有一定的優越條件。但他們不好好
想，去那裡應該帶回些什麼。其實從那裡帶回一些新發現或者資
料，才正是別人不具備的有利條件。可以去別人無法去的地方就
是一種優越性，我覺得這是一個問題，但這彷彿正成為一條不變
的老套。反過來，批判國府的人不會去台灣，也入不了境。這樣
一來左翼對國府進行的批判，進行的逆言反倒顯得有道理了。以
其當地人民的生活狀況，人們傾聽假知識分子和「迷惘的一代」
的懷舊情趣言論，和農民、一般民眾毫無關係的發言，由此被製
造出一個台灣的虛像。好像沒人覺得這有什麼不可思議的，但我
對此很介意。

　　出中先生剛才談到軍國主義復活的問題。此行到新加坡時，
正好《日美共同聲明》出爐。這次旅行的課題是「華僑社會的調
查研究」，說是華僑社會，其實不外乎是和富裕的同鄉會會長、
理事長等人吃吃飯，還有和記者、中文報紙的評論員、總編，以
及和中國系的年輕研究者、大學生見見面，結果被他們連連追問
這次的《共同聲明》是不是證明軍國主義又復活了？哪裡是我去
調查，簡直就是被人家調查了！我一說日本人並不這麼想，反倒
惹他們生氣。他們一再強調沒有復活、不認為復活、還有因為不
希望復活所以沒有復活之間是有區別的，回顧一下九一八事變等
歷史事件，不都是在當局一再否認後發生的嗎？他們說我被日本

弄得昏聵，把問題看得太簡單了哩！我還被人家揶揄：「日本的稿費和薪水很高吧！」（笑）真是為難啊！

在那前後，比如香港的《星島日報》這家偏向右傾主義和國民黨的報紙，在《共同聲明》發表後大篇幅地刊載了南京大屠殺回憶錄。我對此感到很驚訝。另外，在旅途中我習慣地看了看一般的書店和舊書店，恰好發現了這本《八年抗戰大畫史》（香港，海風出版社，1969年9月）。從編輯內容來看應該是和孫科（孫文之子）相關的香港出版社，比較右翼。這本書不管是在新加坡，還是在馬來半島和香港，好像都賣得不錯呢！那是因為在「僑胞報國」一欄裡，有頗具代表性的著名人士陳嘉庚和胡文虎，以及從吉隆坡回國的軍人照片。從我在旅途中讀到的中文報紙中挑出一些關於日本的社論看看，其標題也都是〈不容忽視的日本軍事潛力〉（刊登在去年12月19日的新加坡《南洋商報》）、〈加強日本問題的研究〉（《南洋商報》，12月23日）、〈佐藤首相的欺民政策〉（《南洋商報》，12月24日），令人驚訝的是，這些報紙竟都不屬於左翼。另一個較有影響力的中文報紙《星洲日報》也於12月21日刊登了署名為林剛的論文〈尼克森‧佐藤美日首腦會談結果面面觀〉，同家報紙在第二天又刊登了題為「美日會談後的日本動向」的文章。姑且不論這些議論左傾還是右傾和正確與否，但都可以看出東南亞的中國人（也包括華僑）非常關注日本今後的動向。而且值得我們注意的是，這些言論都是在周恩來講話之前就發表的。遺憾的是這些論調幾乎都沒被介紹到日本來。

有一位明治時代出生的日本老人K，看過鄙人的剪報簿，聽

了鄙人的話，可以說是個保守派吧，他曾提醒我，該注意的不是「經濟動物」等問題那麼單純。順便打個岔，在比較了解亞洲的日本人裡，彷彿還是明治時代出生的人比較多吧！大正和昭和10年以前出生的最差！我覺得戰後出生的一代正在非常努力地去了解。……啊！我的話說得有點過頭了吧！

剛才說過只有一部分專家才會關注這些論調。不過這些專家們到底有沒有讀過那些文章呢？有關的報導並沒有出現在日本的報紙上，就是有也僅限於前面提到過的在曼谷、新加坡等地發生的商社職員和妻子被殺的事件等。曼谷的事件是在我出發之前發生的，所以啟程前，日本的友人曾拜託我如果去曼谷的話，一定要借助華僑的各種關係做一下調查，盡可能地蒐集一些資料，聽聽他們對日本人的看法。他應該算是一位可褒揚的愛國者、民族主義者吧！我卻由此想了很多。其實在東南亞，像那樣的殺人事件不是什麼新鮮事。就像近代國家形成以前，社會問題的矛盾結節就體現在賣春現象上。在這個感覺已經麻痺了的社會裡，死一個平民算不了什麼。也許在印度，就是一兩個人橫屍街頭，路人不會有什麼反應吧！過去的中國大陸也是如此。

在日本，如果在遊行的時候死了個人，可是轟動一時的大事了。不過吵來吵去，到頭來也就沒動靜了。每天都有人自殺，結果都成了報紙的補白材料，也沒聽說研究出什麼對策。在亞洲死個人已經變得很平常。但在日本，如果聽到誰因那樣的原委被殺了，就會覺得噗的一下，彷彿自己的良心被什麼東西刺了一下似的。說句不好聽的，這也是日本人膚淺的地方，所以和亞洲人之間還是有偏差的。

　　為什麼要講這些呢？比如在新加坡發生的那件事吧，單身赴任成了焦點，但問題還遠遠不止這些。賣春婦的存在本身就是社會矛盾的結節，只是這次偶然碰上日本人的妻子成了受害者。當然另一方面，這和當地的社會結構、社會經濟等問題也有關係。還有一個我們必須要考慮的問題，即從已開發國家日本前來的商社職員在當地大肆揮霍。鈔票是沒有感情的。每天面對著各種社會矛盾生存的人們對日本人有一種憧憬，抱著一種近似於幻想的期待，希望自己能被當作人來對待。日本人和中國人擁有一種用白人間的純金錢交易解決不了的東西，所以才會動之以情吧！但事實上一旦涉及到各種問題，這些期待就常常會化為泡影。就像剛才的事，用冷靜的邏輯來看的話，不就是個風塵女子嗎？所以根本就沒什麼人權可言。遺憾的是現在蔑視亞洲人的風潮在日本人中存在，一旦有點什麼事，馬上就會像蛇般揚起脖子。這不只是那個商社職員一個人的事，而是關係到全體日本人的問題。我認為這是存在於日本和亞洲之間諸多問題中的一個。不追究到這種程度，人們是不會明白的。為什麼會走到這一步呢？本來如果只是單純的賣春婦問題的話，應該用錢就能解決了，可這其中卻有金錢解決不了的問題。也許有些東西被隱瞞了，最後弄得不明不白的。難道整個事件裡沒有隱藏一些更複雜的問題嗎？我很懷疑讓妻子陪著一起去外地工作，是否就能解決問題。

　　有個日本人被殺害了。有的研究者對此感到非常痛心，我很尊敬他們。可我認為，如果在評論裡寫為了讓日本人不再對亞洲人做壞事，不再被人叫作「經濟動物」，日本人應該加強修養，好好學習，然後再到亞洲去的話就不會出問題了，還有把那些事

件看作偶然發生的個人事件，偷樑換柱成此種邏輯是危險的。這樣的話，1970年之後，日本和亞洲的關係會出現更深刻的問題。經濟投資活動將會衍生出許多問題，而非一個單身赴任問題。

25年後的民族告發

　　田中：剛才戴先生說，在最近的香港報紙上又出現了關於南京大屠殺的文章，可日本人卻想盡快化解過去的怨恨，而且他們很快就聯想到對方舊事重提是不是為了索取賠償。所以他們總覺得用金錢就能解決問題，採取更婉轉的方式就是加強援助，這樣就可以把過去的問題一筆勾消了。因此大部分日本人會覺得，這些人怎麼總是對過去的問題刨根究柢呢？

　　說到這兒，我想起了一次令我難忘的經歷。五年前，有一位馬來西亞留學生蔡君在日本搞政治活動。馬來西亞政府要求日本政府取消他的簽證並將他遣返回國。結果日本取消了他的獎學金並打算送他回國。不僅如此，他所在的千葉大學也開除了他的學籍，情況非常嚴峻。有些留學生和我聯繫尋求幫助。我那時到處奔走，再加上千葉大學的日本學生的努力，總算讓他復學了。這件事以後，我發現了適才我和您講過的留學生的另一個面孔。蔡君的一位馬來西亞留學生朋友說我為了蔡君的事受累了，特地在寄宿處裡做了家鄉的飯菜款待我。飯後他正了正神色，告訴我其實今天他想誠心誠意地向我討教討教，然後從壁櫥裡一股腦兒地翻出了在新加坡發生的大肆殺戮抗日華僑的紀錄和報導。

　　剛開始，他對我說：「自己在日本學生中也有比較親密的朋

友，而且也是思想很進步的人，其實有時很想敞開心扉，但又怕被對方誤解自己說這些話是為了報仇雪恥，所以直到現在也沒有向日本人說過深藏在心底的話。不過，這次您和我們站在一起為了蔡君的事奔走，也可能和您有什麼緣分吧，我覺得您不會誤會我，應該能理解我，所以今天才特意請您一敘。」他一下子從壁櫥裡拿出了許多資料，裡邊有關於昭和18年2月發生的大肆殺戮抗日華僑事件的紀錄，還有民間人士自發組織的慰靈執行委員會製作的犧牲者名單，以及收錄了當時倖存者手記的新聞報導等。

在強調了千萬不要對他的話產生任何誤解以後，他說希望我能意識到，目前他們對問題的思考方式和日本人的思考方式有很大不同。那時留學生們最關注的就是正好在一年前，天皇出席了由日本政府舉辦的戰後首次國家級別的戰爭犧牲者慰靈祭奠，這給留學生們帶來很大衝擊。當朝鮮總督伊藤博文出現在日本的千元紙幣上時，也在留學生之間激起層層波瀾。他們敏感地覺察到了五年前在日本社會的深層出現的這些變化。曾有位留學生給我看過一則報導，上面附有一張在日本敢死隊戰死的十六歲左右的英俊少年照片，旁邊的文章中還寫著他的父母說，兒子是為了國家獻出了年輕的生命，將之視為美談。看得出來，這使留學生深受震撼。他還曾頗具諷刺意味地對我說，日本彷彿也要流行復古懷舊之風了吧！對馬來西亞的學生來說，首次公布的新加坡殺戮事件的犧牲者名單，和剛巧在同一時間占據了日本報紙大幅版面的受勳戰死者名簿重疊起來，在他們的東京生活裡留下了投影。留學生們認為戰爭中的某些事件，使折射在做為當事人的日本人和馬來人之間的形勢發生了很大的偏差，並希望人們能夠理解這

一點。這位留學生一再強調不要誤會他的話，他的意思不是要痛斥日本人：「你們做了那麼多傷天害理的事」，而是希望人們反思一下為了不讓歷史重演，現在的自己應該保持一種怎樣的心態。日軍的進駐對新加坡人來說，恐怕就像鬼來了一樣吧！人們很容易就聯想到揮著日本刀亂殺無辜的日軍形象。因此戰後出生的留學生們會從那些飽嘗了戰禍倖存下來的長輩們那裡，聽到一些一旦去了日本就說不準能否活著回來之類的忠告。

　　也許留學生們認為戰後日本制定了和平憲法，和以前不一樣了，所以來到日本。但是現實卻讓他們回國後不能痛痛快快地告訴長輩們，日本已經變成了一個很好的國家。很少有日本人能洞察到留學生們就是以這種感覺生活在日本社會中的。蔡君事件是戰後留學生史上的一個重要事件。正因為我參與了這個大事件，所以留學生們才終於肯向我敞開心扉吧！看來一些意識上的偏差還是存在啊！

　　即使如此，簡單補償就了事，還有認為到現在還囉嗦地算什麼老帳的想法還是很多。我覺得仍然有許多人把留學生們說的話當成是在給迅速成長的日本經濟潑冷水，覺得他們是以此為藉口敲詐錢財的卑鄙小人。我認為在這種思想層面上反映出的，是低於意識形態之前的東西，又領悟到了那些感覺層面的偏差被人們遺忘的深刻性。

　　實際上說到這個問題，還有後話。我把從留學生那裡拿來的一部分資料交給了《中國》雜誌的編輯部，請他們在該雜誌的今年三月號裡撰文介紹。後來我給那位回到新加坡的留學生寄去了一本。最近我收到了那邊寄來的書籍，像是評論性雜誌。雜誌的

封面是萬國博覽會新加坡展館的女服務員照片，但上邊打出的標題卻是審問日軍戰犯的紀錄。翻到內頁，就會看到上面印著幾張照片，其中有一張是七個被新加坡的戰爭法庭判了刑的舊日軍坐在簡易的木席上接受審訊，另外還有圍觀群眾和在法庭上出示物證的倖存者照片。它們竟然和萬國博覽會新加坡展館前的女服務員的照片放在一起。在日本這種編輯方式簡直不可想像。可能我寄的雜誌是報導過新加坡血債問題的《中國》，所以他認為我仍在意這個問題，就給我寄了這本雜誌吧！我也覺得有些意外。在雜誌上還特地註明這些是在新加坡都沒發表過的珍貴照片。那還是1970年的3月的階段，在當地發行了這樣的刊物。不過，其焦點不是放在痛斥日本過去做過何等壞事，而是要借助回憶來思考到底應該把當今的日本放在什麼位置的現實問題。我認為這才是最關鍵的。

懷疑的根源

我記得好像是去年春天吧，留學生們表示非常希望能和一位研究經濟合作問題的著名經濟評論家進行一次座談，於是我就把他們的想法告訴了這位評論家，請他到我這兒來舉行了一個簡單的座談會。那天他的講話是圍繞著日本和平憲法展開的，他說雖然擁有自衛隊，但戰後的日本發生了徹底的改變，所以過去的軍事侵略和殖民地統治不可能捲土重來。但目前日本政府採取的經濟合作方式卻十分不盡人意，儘管到處貸款，卻沒還原到國民經濟上來，就像新加坡總理李光耀說的那樣，他們是在把錢扔進陰

溝裡。這位評論家表示必須盡量把經濟合作的重心放到技術合作上，他極力主張應該改變當前的政策，好像這才是問題的癥結所在。

在場的留學生聽了這些後，說：「我提的問題可能比較失禮，但希望您能回答。」他的問題是現在許多日本企業到我們國家來做生意、辦工廠、建合資公司，如果有一天這些日本企業的活動被認為對當地的國民經濟構成威脅，將被強行接管的話，日本可以堅決保證不派自衛隊嗎？那位評論家無言以對。我想人家在百忙之中抽空過來挺不容易，就在座談會後請他到別的房間，和他寒暄了一下：「可能有些問題讓您感到意外吧！不過我倒也想請您聽聽這些意見。」他激動地對我說：「我常在東南亞調查經濟合作方面的問題，不過在今天聽到他的發言之前，我還真沒意識到對日本的經濟合作以及企業投資有這樣的看法。難道他們對日本的懷疑就這麼深嗎？」我回答他：「希望您能理解今天這位學生的話絕不是一部分人的特殊看法，從思想意識的層面看它是帶有普遍性的。我在工作的現場感到對日本的不信任非常強烈。」他不無驚訝地說：「我在那邊看到不少一心想為當地做些事的人，可我絕沒料到他們的看法是這樣的。」

大概又過了半年吧，去年秋天，自衛艦隊在東南亞沿海巡弋。令留學生感到困惑的是，在日本社會裡常有許多議論，卻沒有聽到把自衛艦隊在那邊巡弋的事提升到一定高度的評論。生活在東京的留學生根本聽不到日本人對這件事有什麼反應。日益升溫的麻六甲海峽生命線論無忌憚被談論、以加強海軍軍力為主的四次防〔譯註：第四次防衛整備計畫〕可謂人人皆知，卻幾乎沒

有日本人談及在這種形勢下，自衛艦隊所採取的此次行動的沉重意義，這是非常危險的。如果有人說軍國主義復活的話，可謂鐵證如山。我想比起境外活動本身來，日本人對境外活動表現出的反應麻木才更是導致留學生和當地人不相信日本的根源。

　　戴：和田中先生的話有點關聯，我剛才講了在新加坡曾被問到許多問題，而且聽說針對自衛隊訪問這件事，新加坡各界也做出了反應。這一系列的活動都是等我到了當地才知道的。我沒讀東南亞的報紙，而我也才開始做華僑研究。在當地發生了圍繞麻六甲海峽和沖繩回歸等問題的活動後，《日美共同聲明》出爐了。當地人會在這一系列的變化中感到許多困惑。所以像我這樣完全不了解背景就一頭栽進去，就會被緊緊追問，不知所措了。

　　由此可見，就像您所說的，日本的反應相當遲鈍啊！不管怎樣，當地人關注的問題和在日本被談論的問題好像還不太一樣。有一次在談到《日美共同聲明》時，有人頗具諷刺意味地對我說：「戴先生，對不起，我的話聽起來像是衝著您說的，日本人把大和魂都丟了吧！」「他們要來東南亞就來吧，為什麼偏和美國湊在一起來呢？難道在他們的大和魂裡連堂堂正正地說出為什麼來亞洲、來亞洲做什麼的勇氣都沒有嗎？」我還真不好回答他的問題，就要了個滑頭對他說：「在日本還真沒有研究過日本，這次回去後要好好學習學習。」蒙混過去了。這成了我這次旅行中的一個苦澀的回憶。

民族問題和知識分子

　　新加坡的血債等一系列問題讓我感觸頗多啊！在人類最近的歷史中，僅僅這50年就發生了許多事——奧斯威辛、南京、新加坡等。當時美國的輿論也對這一系列問題進行過強烈的譴責吧！我對事實不太了解。後來就發生了美軍在越南美萊村屠殺平民的美萊事件。由此我想起了一位叫高見順的作家，以前我很欣賞他。大家還記得嗎？在東京丸之內有一個於1930年代（昭和）初新建成的松竹電影院，那裡曾上映過一部反映法西斯戰爭的紀錄片《通往十三級台階之路》。這部電影造成的回響很大，高見順在《世界》上發表了他為該片寫的影評。他寫到：「簡直太殘忍了，日本人是絕對不會這麼做的。」從那以後，我再也沒有讀過他的作品，對自己不利就拿民族問題頂替。我還記得關於他的一件事。曾替他切除喉頭癌的中山博士是位很有名的醫生，受到給台灣病人出具死亡證明事件的牽連，辭去了大學的工作。那時高見先生還在世，他在病牀上接受某周刊的採訪時說：「第三國人！幹的無恥之事……。」他的這一論調以對話的形式刊登在該雜誌上。也許在年輕人看來高見順只是一個普通人，可就是這樣一個有見識、還曾經偏向左翼的作家卻不能把這些事件做為自身問題的一部分來剖析，還故意用民族的不同問題頂替。

　　在一部分左翼人士的言論裡，所有日本人都被說得很壞，說是生來就帶有侵略性。我認為這完全是謬論。但我只想說明一下，在某些情勢下，獸性會出現在任何民族身上。美萊事件就能證明這一點，九三〇事件、五一三事件以及這次發生在柬埔寨的

屠殺越南人的事件都是如此。文明人、順從的民族等都是荒謬的說法，在怎樣的情勢下人們會作惡，在怎樣的民族行動中，獸性會爆發才是問題的焦點吧！

　　新加坡人沒有忘記血債，只是不願再想起，因他們已經厭倦了惡夢，為了不讓同樣的事件重演他們會繼續努力。除了個別的奸商，有良心的人們都在強調問題不在於到底該賠償多少錢。

　　民族、膚色，也就是人種問題太複雜了！在日本沒有什麼有力的少數民族，所以日本人好像不太了解民族問題。旅美的日裔第二代為了表現自己的忠誠，曾在二戰的最前線衝殺，日本人幾乎在感情上沒有什麼牴觸就接受了這個事實。正因為日本人有這種傾向，所以在華僑問題上，他們也只是簡單地重複同化、文化的融合、本地化等理念。如果問他們對在日朝鮮人和中國人加入日本國籍怎麼看的話，他們就回答不上來了。

　　田中：剛才戴先生提到了高見順先生，我也想談一個人。那就是家永三郎先生。我在工作中很快就對一些問題產生了疑問，大概是六、七年前吧，家永先生負責編寫由筑摩書房出版的《現代日本思想體系》〔《現代日本思想体系》〕中的《福澤諭吉》一卷。我對福澤諭吉的興趣主要是來自〈脫亞論〉。另一方面，戰後當民主主義嶄露頭角時，人們就說日本也有民主主義，福澤諭吉是個很了不起的人。這些都留在了我孩童時代的記憶中，所以多多少少覺得他是不可侵犯的日本民主主義的化身。以後的日本在很大程度上都受到了〈脫亞論〉之風的影響。這是我在做亞洲留學生工作中感到的。所以我對家永先生從福澤諭吉的大量著作中，挑選出一部分編輯成書的事很感興趣，該書才面世，就買

探尋東亞安定化 ◆ 真實的亞洲和日本 133

來一睹為快。

但是書裡卻沒有〈脫亞論〉。在有關福澤的文章中，像「應馬上向中國、朝鮮兩國宣戰」這樣的標題倒不少，讓我感到些許困惑。在日本贏了甲午戰爭時，福澤曾和慶應大學的學生們一起在東京三田舉行提燈慶祝遊行，這件事不能不引起我的極大關注。

我當時覺得像家永先生這樣的專家，在編寫福澤的著作時竟然沒有把〈脫亞論〉放進去是個大問題。

實際上《現代日本思想體系》中還有一卷叫「亞洲主義」，是由竹內好先生編寫的，〈脫亞論〉被收錄在其中。也許家永先生是因為〈脫亞論〉已被編進該叢書的《亞洲主義》，所以才割愛的吧！

不過我認為出現在福澤思想體系中的〈脫亞論〉給當今社會造成的影響很大。而且它的篇幅應不滿兩頁！

從那以後我非常在意家永先生，也仔細地閱讀了岩波書店出版的日本史叢書《太平洋戰爭》〔《太平洋戦争》〕，書中關於南京大屠殺、在新加坡發生的虐殺華僑事件等資料都細心蒐集了。但這本書裡還寫到當時的日本帝國主義者的對手是擁有強大物力、以民主主義國家自居的美國，他們迫於無奈被捲入了這場根本不可能打贏的戰爭。我看到這段文字突然閃過一個念頭，要是現在對越南人說相同的話，他們會怎麼想？由此我感到在這一點上，日本的知識分子是不是有問題呢？也許話說重了，但在我看來這是個非常嚴重的問題。

與亞洲相關的哲學是什麼

　　講幾句枯燥的話題，我最近開始質疑為什麼把二戰中，日本參加過的戰事統稱為太平洋戰爭。我覺得只要說起太平洋戰爭就會讓人聯想到珍珠港，應該是兩國隔著太平洋的交戰吧！戰敗後就把那邊的文化、意識形態等移植進來，所以才能將戰後構築起來。至少家永先生記述的是十五年戰爭，沒有把襲擊珍珠港做為起點。所以我感到隱含在這裡面的思想意識──戰爭史觀的姿態有些問題。亞洲人的犧牲被做為史實記錄下來，但從歷史觀的角度上來看卻沒有亞洲存在的空間。難道不應該在這上面多下下功夫追蹤嗎？總覺得現在批評「大東亞戰爭」時用「太平洋戰爭」這種表現方式彷彿是打拳出錯了招數似的。

　　剛才講了不少和亞洲相牽扯的事情，其實我認為還有一個問題。那就是人們好像有種過敏症，只要和亞洲牽涉過深就擔心會將其與侵略亞洲聯繫起來，戰後這一過敏症更是頻頻出現在人們的意識中。比如聽說現在精通朝鮮語的人幾乎都在自衛隊工作或者當警察，是不是受此影響才出現了一些武斷的想法，認為學習亞洲語言就等於要成為去亞洲投資時的先鋒部隊呢？在有些人的意識裡深入亞洲就像掉進大染缸似的。對日本的未來進行思考的人們好像有一旦和亞洲有什麼瓜葛就會沾來滿身泥的意識，所以直到現在那部分還是一片空白。

　　現實中的日本社會的經濟結構就像麻六甲海峽生命線論所象徵的那樣，脫離了亞洲就無法生存的實際狀態。但是應該建立怎樣的哲學去接觸亞洲呢？這個問題一直被人們忽視，事實上那些

知識分子好像生活在另一個空間，這不正預示著將來和亞洲之間的關係會愈來愈糟嗎？他們迴避對亞洲加以評論，只是一味地打著國際主義之類的旗號夸夸其談。

把關心亞洲、去亞洲的都當成是新殖民主義者而一竿子打死。而追求本來的亞洲相關的哲學等這些具體的實踐已經被他們放棄了。

我們和亞洲以往的交流被打上了負面印記，為了樹立正面的哲學，也許將面臨一些問題，必須要思考該從過去和亞洲的交流史中繼承什麼，摒棄什麼。但是現在給人的感覺卻是在不該迴避的課題全被迴避了。

這些傾向讓日本安於現狀，到頭來就長期讓「黃皮膚的美國佬」的體質溫存，想成為亞洲的壓制者。而且他們已不能揮下當頭一棒砸了討論問題，而從腳下崩解的方式掌握問題。現在的亞洲根本不可能蜂擁而起鬧革命，他們在被微妙的民族問題所困擾的同時，正努力地擺脫來自歐美的壓制和束縛。日本正在這個時候走進去。我認為解決日本和亞洲之間的問題，必須要反思歷史，並樹立起將這一問題植入到整個日本體質中去的大方向。這樣驅動世界史的亞洲就會成為日本人意識中的主軸了吧。

由此看來，日本所謂的亞洲主義，不正需要做好投身於泥濘中跋涉的準備，在剖析正面因素的同時，亦探索日本自內部拒絕歷史上的糾葛方式而與亞洲之間的交流哲學的姿態才必要嗎？如果無視這些的話，即使對亞洲問題進行討論，也不會產生日本的立足點。

這裡面最難的是日本右翼的問題。還有摻雜著諸多繁雜問題

的亞洲主義，因為其中有些好像和亞洲非常相通的東西，所以必須要充分地探討它的兩面性。另一方面，也存在像過去的大亞洲主義那樣將整體的意識形態統一起來的危險。而且隱藏在其根柢的是生命線論這一迷魂湯。以自己只是擁有一億人口的小島為令色巧言，來煽動眾人不走出去做點什麼，萬一麻六甲海峽的油船被打翻了的話大家就活不下去的論調。如果對此煽動應聲附和的話，不就等於重蹈覆轍嗎？所以我覺得這是最難的問題。

戴先生對此有何感想？這實在令人頭疼。弄來弄去好像又要搞與過去一樣的事了嗎？

成為眾矢之的的可能性

戴：這個問題先放一邊，田中先生，剛才從新加坡寄過來的是什麼雜誌啊？

田中：《國際時報》。

戴：我想起來了，剛才不是說起一本畫集嗎？現在我彷彿明白了為什麼馬來半島的中國系人都會訂閱它理由之另一個因素。所以對於日本是不是有什麼複雜的東西令我們無法踏入？

因為商人有兩面性，他們可能常常在口頭上說日本的好話。有人因此就說他們親日，特別對台灣以此形式掌握的日本人很多，這裡面是不是也有問題呢？

田中：我到羽田機場為留學生送行時，曾聽他們說過好幾次這樣的話：「在日本留學期間深受各位關照，但只要日本接近亞洲的方法沒有改變，我回國後無法都站在日本這邊。說不定什麼

時候會把弓箭對向日本。到那時，不管對在日本關照過我的人們如何感恩戴德，我也會毫不猶豫地張弓射箭。請您理解這一點。」

正好在戰前，清朝派來許多留學生，結果他們回國後卻不得不在抗日戰爭的最前線戰鬥。這就是最為典型，頗有象徵性的例子。對我們這些負責留學生事務的人來說，這是個沉痛的教訓。我覺得現在幾乎以同樣的形式進行著。

留學生們回去後找工作也不容易，但因為在留學時學會了日語，所以很受日本企業的歡迎，只要一說是從日本回去的就會被錄用。他們為了就業也就答應去上班了。

具留學生經驗者做為中堅幹部，處於在當地的勞動者和從日本來的幹部中間。因此他們夾在同胞和日本上司之間，遇到衝突時常常為該站在哪一邊而感到迷惘。他們之中有人偶爾來東京出差，有時間的話就會到我這裡來。有的對我說：「日本人以什麼用意到我們那裡去呢？儘管因為自己在日本受到過關照所以工作時會盡力，但那也是有限度的啊！一點都不顧及人家的自尊，不考慮我們和當地人是同一民族，只把我們當作幹活的工具，多半像對走狗一樣。」

「只要這種狀況一直持續下去，遲早有一天會拔槍相向的。我們在漫長的殖民地統治下懂得了民族的尊嚴，深知背叛自己民族的分量，幾乎每個人都刻骨銘心地感到這一點，所以絕對不會和日本站在一起。為什麼總是這樣呢？請您在工作時一定要向相關人士說。這已經太過分了！」

當我聽到新加坡和曼谷的事件時，就感到導火線要被點燃

了。就像戴先生說的，到頭來這件事的討論中心，卻是應該花點錢讓單身赴任的人帶妻子同行，這中間的偏差太大了！

我沒去過亞洲，但是在亞洲應該有許多日本的報導機構，他們為什麼沒有報導這些事實呢？我在日本都從留學生那裡強烈地感覺到了，但為什麼日本人沒有從來自亞洲的新聞裡或者從那麼多去過亞洲的人那裡了解到這些問題呢？

戴：我在吉隆坡和報社的評論員一起吃飯時，他問我日本應該是在進入1970年代後會大批地過來的吧！他們到了馬來半島後會與中國大陸的動向相碰撞，那時他們究竟從美國在越南所經歷的失敗教訓中，曾學到了什麼沒有？

我告訴他，日本老一代的自由主義者，比如松本重治先生（在座的報社總編是知道松本先生的）就極力主張美國要吸取日本在中國的教訓，不反省是不行的，後來被扣上共產主義者的帽子。因此在我看來「恐怕日本人已經學到了不少了吧！」此話一出，在座的年輕記者就笑了，說我想得太天真了。結果弄得我很窘。其實我是想相信各位日本人的良知，覺得事情應該還不至於到太壞的地步。在座的年輕人對我說，戴先生您是否擔心另當別論，我們正想把他們拖進來打一頓呢！這真是給我當頭一棒，有幾分鐘都不知道該說些什麼。之後我請那個年輕人多給日本年輕人一點信任，但他又提起了最近來這邊進行技術合作的日本年輕人相當自負。這令我愈加擔心了。比如在吉隆坡和檳城，日本人被叫作「味之素」。在吉隆坡有味之素的合資公司，味之素的廣告也頻繁地出現在電視裡。我在日本住了十四、五年，所以背著肩包掛著相機就會聽到他們叫我「味之素、味之素」。開始時我

不明白，後來一想原來他們把我當成日本人了。因為我會說北京話、閩南話和客家話，所以他們就問我：「你是日本人怎麼還會這麼多語言呀！」我就和他們解釋：「我不是日本人，是住在東京的中國人，在那裡做研究。」然後又問他們：「味之素是什麼意思啊？」我沒有時間看電視，所以不太清楚這些事。聽當地人說，味之素進入當地後取代了原來的仁丹。另外，日本外務省幫助各國的大學設置日本研究講座，可卻僅限於日本文學等科目，淨做些和現狀無關的事。當地學生感興趣的是日本戰後復興的具體過程、經濟的發展情況、明治維新等和現代史相關的東西，當然也包括那些不光彩的內容。

對於日本人「民族」是什麼

我又反問剛才說要把日本人拽進來打一頓的年輕人：「你怎麼把問題想得這麼複雜呢？」「那你說說，我回到東京後應該向日本的年輕人講些什麼？」他的回答是我們承認日本是個優秀的、有強大能量的民族。但是這種能量是相當危險的，至少只要回顧一下他們和我們交往的歷史，就會發現這種能量沒給我們帶來任何好處，而且也沒有造福於日本人民。使遭到那麼慘重的戰災的日本馬上得到復興的能量是巨大的。現在日本的學生運動也搞得轟轟烈烈。佐藤首相從羽田機場出發去美國時發生的事被當地報紙大篇幅報導。日本的能量的確很厲害啊！但是日本是個實行嚴格統治的國家，如果政府加強統治而再次把日本導向危險的方向不是就糟糕了嗎？這個年輕人說他們擔心的正是這個。他的

表現方式很微妙，所以調解方法也相當複雜吧。

　　其實我總是把國家、人類、民族這三個詞彙放到一起來思考的。我感到現在有一種氛圍，即包括社會主義者和馬克思主義者都嫌這些屬於政治學範疇的國家論，和社會科學裡的民族問題（戰後民族問題被扔到了一邊）好像是低層次的問題，所以在盡量迴避它們。

　　我不擅長討論很難的問題，剛才提到的夏威夷日系美國人的問題就是一個例子。沒有人去揭露它對20世紀文明來說是件多麼野蠻的事，這個問題延續至今。這種野蠻性就反映在越戰中的黑人問題上，以及日系人和中國系人為了取得美國的公民權被迫衝殺在最前線的問題上。你可以說戰爭的性質不同，但是只靠這個來解釋是行不通的，也應該考慮到人類的偏見等問題。還有一例就是去年在馬來西亞吉隆坡發生的五一三事件。此外還有華僑與馬來人的問題，以及九三〇事件等華僑問題。雖然它們和柬埔寨的越南人問題不太一樣，但其中都有一個偏見問題。就算我找了個藉口吧，不好意思。我覺得不可以避開人類的原罪問題。一旦社會矛盾爆發，就會把責任轉嫁給最方便轉嫁的對方身上。

　　這才是典型的野蠻吧！同化也是一樣，比如常聽說日系人就應該被美國白人同化之類的話，我倒想反過來問美國人會不會被同化成印地安人呢？再比如去非洲的法國人是絕不會提起要與非洲人同化的。這真是奇妙啊，所謂的「文明人」正在大肆宣揚由他們虛構出來的同化論呢！

　　我懷疑現階段也就是1970年代以後，不同的民族強行地對他們的文化進行同化是否有意義。所以我認為應該不要畏懼去討論

如何處理展望未來所遇到的民族問題，大家要勇於揭開醜陋事物的面紗。

我只想問問那些主張華僑應該和當地人同化的學者們，難道去巴西的日本人就要和當地人同化，去非洲的話就要和黑人同化了嗎？你們怎麼不這麼說啊？我想說的是，不將這些提出問題時隱藏的虛偽性合併來討論是不行的。

但現狀卻並非如此啊！當然華僑裡也有在當地進行榨取的階層。但是人們在那裡創造新的世界史，正是將各個民族的文化中的好傳統和能量全部發揮出來，從而和世界史接軌。在這裡既沒有超過它的問題，也沒有低於它的問題。

我總覺得各位社會科學家們好像避開民族問題，根本不敢碰它。

田中：在日本，幾乎沒人關心民族為何物。它已經被過去的天皇制等抹殺掉了吧！

戴：恕我再進一言，提出華僑要和當地人同化的先生們，到底有沒有做好在現在的日本法律制度下，無條件地接受中國人、朝鮮人的同化的心理準備呢？這樣看來所說的同化恐怕不是無條件的吧！他還沒有在腦子裡搞清楚這些矛盾吧！將自己高高掛起來議論人家，簡直虛偽至極！

因此在我看來，日系美國人在歐洲戰場上浴血奮戰，換來的卻是日本的一部分知識分子，比如現在有一個叫井上的上院議員吧，為這件事拍手。簡直太野蠻了。本來應該先想想所宣誓效忠的美國是怎麼回事，但他們卻不管這些，只會一味地獻上溢美之辭。

　　那麼，我倒要問問這些人，你們認為當在日本社會裡生活的朝鮮人或中國人希望成為一個真正的日本人，和其他日本人一樣平等地在日本憲法的保護下生活時，他們的願望真能實現嗎？比如最近發生了公寓詐騙案。兩件大案子都和朝鮮人有關，他們的名字被登在報紙上，其中有一個人已經加入日本國籍。在報導中寫著他叫武藤某某，出生在朝鮮某地，最近一個月加入日本國籍。說句實在話，如果歸化論或者同化論被認同的話，那麼寫出這種文章的報社記者簡直太卑劣了。本來已經沒有關係了，還故意拿原國籍做文章。我覺得其中有問題。

　　當然也許在歸化的人中，比起真正想成為日本人，或者想做為日本民族的一員融入日本社會的人來，純粹為了工作和生活上的方便而歸化的人更多。我不了解實際情況，是憑感覺而論。從這件事中可以看出對亞洲的蔑視還很難被消除。

　　田中：這個問題牽涉到該如何對待在日外國人，特別是以朝鮮人為中心的亞洲人問題。完全的區別造成了明確的歧視，這也就成了日本社會中的民族主義保護傘。建設起來的不是互相尊重的關係而是相互排斥的體系，結果在接觸外界時就會出現同樣的動機。

　　這樣看來，對日本而言，民族到底意味著什麼的問題被忽視太久了。人們從排斥中找到了正當性，由於對峙而失去了重新審視自我的機會。

　　我能從留學生們的表情中感覺到這些。比如我曾看到從伊斯蘭教圈來的學生早上在房間內鋪上小地毯，面向著祖國的方向誦讀《可蘭經》。我就想，當我們到了外國會以什麼認識到自己是

日本人呢？這裡涉及到宗教問題，如果要議論話就長了。剛才的留學生可能透過這些重新認識了自我。我們日本人到國外時，會透過什麼形式才能意識到自己民族的認同將是我們今後的課題。

本文原刊於《構造》第9卷第9號，東京：經濟構造社，1970年9月1日，頁142～169

預見兩岸和平的可能性
——第三次國共合作提案分析座談會

◎ 龐惠潔譯

時間：1981年11月18日
與會：田畑光永（TBS北京支局長）
　　　橫堀克己（《朝日新聞》曼谷特派員）
主持：戴國煇（立教大學教授）

戴國煇（以下簡稱戴）：今年9月30日，全人代常務委員長葉劍英以與台灣進行和平統一為題，提出了九項方針政策〔譯註：即「葉九條」〕；10月9日，黨主席胡耀邦又邀請14位台灣國民黨重要人士訪問大陸。這些動作可以說是大陸和平攻勢日趨積極、也更富具體性的開始，同時，就某種意義上，這也是一種「表演」。被大陸搶先一步，失去了主導權的台灣當局，這下恐怕得大傷腦筋了。

　　我們究竟應該如何看待中國大陸與台灣間的統一問題？接下來我想邀請兩位曾經派駐大陸或曾前往大陸採訪，同時也曾經在台灣進行採訪，希望針對這個問題進行分析。田畑先生，上回是

您第一次前往台灣嗎？

田畑光永（以下簡稱田畑）：不是，我在1968年時曾經與佐藤首相一起去過台灣。

戴：橫堀先生是第一次前往台灣嗎？

橫堀克己（以下簡稱橫堀）：對，我是第一次去台灣。

戴：那麼，我們就從認識台灣的現狀開始談起吧。

親眼所見的台灣實情

田畑：我在1968年時第一次造訪台灣，當時的印象已經非常模糊，不過1980年自北京返回不久後，我又去了一趟台灣。在去過大陸之後再造訪台灣，我對同樣都是操持中文的人民，竟然可以建造出外表如此迥異的國家感到非常訝異，這是我對台灣留下的第一印象。

但待在台灣的一個星期裡，國民黨那種幾近滴水不漏的徹底管制，連我這個外國人都備感束縛，到後來簡直快喘不過氣來。老實說，搭上飛機離開台灣的時候，我有種鬆了一口氣的感覺（笑）。

在大陸，雖然一切也都受到共產黨的管理，但畢竟幅員廣大，漏洞也多。可是在台灣，這個監控網卻非常綿密，這是我最直接的印象。

戴：這和日本媒體所報導的台灣形象之間有沒有落差存在呢？有關台灣的資訊要傳進日本，老實說並不容易。

田畑：的確如此。自從中華人民共和國建國以來，大陸被承

認是代表中國，台灣則被視作遲早會遭大陸吸收的過渡性存在，如同盲腸一樣可有可無，因此也不再是眾所關注的對象。而儘管在商業往來與觀光上兩者關係依然緊密，但就知性的關懷而言，台灣的確已經遭到忽視。

然而，實際走訪台灣之後，我學到最重要的一點在於重點並不在於國家大小。畢竟在這個異於大陸的制度之下，至少也住著2,000萬的居民，若將兩地都視為中國看待，就非得雙方同時並重不可。

戴：橫堀先生的意見如何呢？您曾造訪北京與台灣，又是曼谷特派記者，對「華僑」應該已有一定的印象，您這次帶著這種印象前往台灣時……。

橫堀：剛才提到了何以日本會缺乏台灣的資訊這個問題，我認為其中最大的理由在於，過去要是造訪了台灣，就會因此無法前往大陸，反之亦然，這對於如日籍記者的我們來說，是個非常敏感的問題。

還有一點，大陸與台灣的關係中存在著統一的問題，但這畢竟是中國人自己的事，沒有日本人置喙的餘地。如果我不先釐清這點，可能會被捲入特定的討論，並且影響發言。儘管如此，台灣海峽的動向對日本來說是個具有重大影響的問題，因此，這次能夠前往台灣，對我來說是個很好的機會。

親自去了一趟之後，實際看到的台灣和我過去對台灣抱持的印象的確有很大的落差。其中最明顯的一點，就是台灣因為完成驚人的經濟發展而自信倍增這件事，這和我到目前為止對台灣抱持的印象截然不同。

　　還有一點，我和田畑先生不同的是，我並沒有喘不過氣的感覺。或者應該這麼說，我原本以為自己會有這種感覺，出乎意外的是完全沒有。採訪工作也可以自由進行。當然這中間仍然有許多規定，不過在東南亞的其他國家也多半如此，而且這些規定遠比我之前所聞來得寬鬆，採訪範圍也相當寬廣，這就是我對台灣的印象。

　　戴：受訪對象有沒有明白地回答你們的問題呢？

　　橫堀：關於這點，有些人在接受採訪時非常小心地選擇措詞，也有不少人找了各種理由拒絕受訪。不過，我的感覺是大體而言已有採訪管道可循，而非全面受控制或全然無計可施的狀態。

高齡化的革命世代

　　戴：近來，大陸開始對兩位剛剛提及的向台灣展開和平統一攻勢。如果回溯到稍早之前，1979年1月1日中美建交時，全人代常務委員會即曾具名發表《告台灣同胞書》，9月30日提出九項方針政策，接著在10月9日又有胡耀邦演說登場。首先，為什麼北京要挑選這個時間點？還有一點，那就是透過葉劍英進行發表的意義何在？胡耀邦在演說中公布14人邀訪名單的意義又如何？我想請兩位針對這幾個問題進行分析。那麼，我們先來談談為什麼會挑中這段時期。兩位覺得呢？

　　田畑：1979年元旦，全人代常務委員會署名發表《告台灣同胞書》。若從北京政府的角度出發，這是因為近三十年來支撐台

灣的美國這個核心已經脫離，這讓事態因此變得非常簡單。不少樂觀的看法就認為，單是公布此份「告書」便足以讓台灣的國民黨政權搖晃不已。

事實上，自12月16日中美建交的消息公布後，國民黨就曾延後舉辦選舉，這顯示他們已有相當程度的危機意識。之後過了三年，儘管期間曾有如1979年12月的「美麗島事件」等內部的動盪發生，但如今回頭檢視，仍然可以說是相當成功地擺脫了困境。

另一方面，在中國大陸，鄧小平於1980年1月16日召集了一萬名幹部聚集於人民大會堂，並以「當下的情勢與任務」為題發表重大演說。他提出了三個1980年代的目標，分別是：第一、反對霸權主義；第二、祖國統一；第三、促進四個現代化。

在這些目標當中，反對霸權主義並非單憑中國一己之力可以解決，而促進現代化乃是中國固有的問題，目前看來恐怕也難以順利推動。最後還剩下的就是祖國統一的問題。事實上，這個說法早在1979年的「告書」中即曾提起，然因遭到台灣當局冷漠推拒，因此遲遲無法著手進行。只是如果一直這麼延宕下去，對大陸政權來說有失顏面，所以無論如何都得想點辦法才行。再者，諸如葉劍英、鄧小平、蔣經國這些被稱為革命世代的同輩年事已高。客觀來說，我認為他們掌握時間可能不會太久，恐怕沒辦法再毫無作為地拖三、四年，所以這回才會趁著辛亥革命70周年的機會舊事重提。

至於為什麼是透過葉劍英、胡耀邦的名義著手這點，只要觀察近來的中國情勢就不難得知，雖然實際的權力均由黨副主席鄧小平把持，但他傾向於隱身幕後。而因1979年的「告書」是以全

人代常務委員會的名義公布，所以這次同樣是由委員長葉劍英掛名。至於辛亥革命紀念集會演說是對國民黨首腦喊話，所以由黨主席胡耀邦負責吧。不過我認為，這些動作毫無疑問都是源自於鄧小平的主意。

橫堀：基本上，我也是這麼認為。台灣的人民也都承認中美建交對台灣造成的震撼，還以「我們已經克服了緊急事態」來形容此事。

而在實際上，《台灣關係法》已被列入美國國內法，台美之間的關係也據此漸上軌道。雷根政權的上任，即可視為台美關係將漸趨鞏固的一個徵兆。我認為，這也是大陸在選擇對台喊話的時間點時，重要的考量因素。如果置之不理，雷根政權會進一步強化台美關係，並導致大陸與台灣間的分離狀態持續延長，最終可能演變為「兩個中國」的政策。中國應該已經觀察到了這點，所以才會挑在這個時間點上對台灣進行喊話。

接下來，我想分享一段我在台灣時發生的小故事。當時，因為手邊正好有短波收音機，所以我在台灣收聽了10月9日的廣播內容。

戴：用耳機嗎？

橫堀：不是，我是光明正大地播出來聽（笑）。當時我雖然人在旅館房裡，不過音量大到連門外都能聽見，讓很多人嚇了一跳。

之前就已傳出當日將公布重要事項的消息，國民黨的有關人士們多半認為，既然第一個是由葉劍英委員長進行喊話，那麼接下來應該會輪到鄧小平副主席登場。不過後來答案揭曉，喊話的

人是胡耀邦，內容部分也並未超出最初的喊話範圍，僅僅是列舉出重要人士的姓名而已，這點讓台灣的有關人士們鬆了一口氣。他們認為，如果當時是由鄧小平出面發表談話，並且採取更柔軟路線的話，事態恐怕就不妙了。

中美建交的影響

　　戴：剛才兩位都曾提及，台灣當局在中美建交之後順利擺脫了困境，我從國民黨外人士口中，倒是聽到了一些不同的說法。

　　關於為什麼要在1978年12月16日，提前公布中美即將建交一事，如前所述，當時正值選舉活動最激烈的階段，黨外人士勢力出現大幅成長。北京當局從一開始就想避免造成台灣的局勢混亂，因此才會在和美國達成暗中協議後，刻意選在投票前而非投票時公布中美建交的消息。除此之外，《告台灣同胞書》中也絕對不使用太挑釁的用語，這是因為北京當局尚未自文革的傷害中完全痊癒，缺乏喊話的力道使然。假如北京當局一直維持1953、1954、1955年間的作法，避開大躍進或文革，現在應該已經有了相當程度的成長。而若在此一情況下進行中美建交，對台灣而言將會是一記重創。然而不知道是幸或不幸，北京經過了文革混亂震盪的十年，並且留下嚴重的傷害。如果他們真的有心要搖撼國民黨，恐怕就不會選擇12月16日，而是會在選舉投票期間公布消息。如此一來，國民黨無法中止選舉，民間將可能出現暴動。因此，國民黨其實是在北京與華盛頓當局默認之下，才能成功突破困境。至於我們這類黨外人士，則可說是因而錯失良機。國民黨

當局在中美建交的「危機」下宣布中止選舉，面對這個正當的理由，不論是哪方面的黨外人士都無法公開進行反對。以上就是這位黨外人士的意見，針對這個觀點，兩位的看法如何？

田畑：我也聽過這個說法。簡言之，既然中美建交將於元旦開始生效，為什麼刻意要挑在兩個星期以前公布消息？我想，這個安排大概是為了讓國民黨可以名正言順地延後當時已迫在眉睫的選舉投票。我不清楚北京當局有沒有牽涉其中，但恐怕是卡特（Jimmy Carter）總統送給國民黨最後的……。

戴：禮物。

田畑：對、對，我曾經聽過這樣的說法。

戴：這個觀點後來也成為台灣獨立派對北京當局進行批評的邏輯之一。也就是說，北京當局喊話的對象只有國民黨、只有蔣經國政權，但蔣經國等人造成了台灣人的不幸，又是一個腐敗的政權，為什麼要無視我們台灣人的存在呢？如果換個角度檢視這個邏輯，可知北京當局自始至終都想與握有實權的蔣經國聯手，並趁蔣經國還健在的時候，在保全其顏面的前提下展開應對。這是黨外人士提出的一種見解。因為台灣的現狀就是權力集中，也正因為權力集中，所以只要備妥一定條件，那麼不論是要推動國共合作或和平會談，相對來說都容易得多。

還有一個觀點認為，這是因為蔣經國對大陸釋放出相當程度的暗示使然，也就是與張學良有關的行動。蔣經國曾於1979年的中秋賞月會時，邀請張學良進入總統官邸。10月10日的雙十節慶祝大典上，張學良現身在台灣「總統府」廣場上設立的閱兵台。翌年，他再度出席雙十節慶祝大典，並於10月20日，在台灣「國

防部」副參謀長馬安瀾與「總統府」副祕書長張祖詒的陪同下前往金門訪問，這是張學良被移送台灣以來第一次離開台灣本島的旅行。他們認為，自西安事變以來就遭軟禁，至今仍受監控的張學良，他這一連串官方許可的行動值得注意。

提出這種說法的黨外人士們，多半抱有一種危機意識，認為也許哪天早上睜開眼睛，就在台灣看見飄揚的五星旗。在此危機意識之下，他們對這一連串動作進行的評價意義尤其深刻。特別是提出此說者並非是立刻就想和大陸進行統一的人，單是這點就非常有趣。對於這種見解，兩位如何作想？

橫堀：我先回到稍早之前的話題，也就是關於挑在選舉期間發表中美建交，是否與北京當局的期望有關這點。我認為，這件事毫無疑問是美國伸出的援手。在那場選舉裡頭，黨外人士的勢力雖明顯成長，但從選舉制度來看，立法院不可能被推翻。

戴：發言的黨外人士所欲表達的邏輯，恐怕並不僅只是結果而已。從一年後發生的「美麗島事件」看來，其背景約莫也和當時幾乎釀成暴動的激情有關。愈來愈多的人公然批判國民黨，其中更不乏痛罵蔣介石、蔣經國父子的人，情況可以說十分緊迫。

橫堀：不久前，陳鼓應在日中經濟協會演講時也曾提及這點。說到選舉期間的激情，這次我前往台灣時正值選前造勢期間，反應確實相當激昂。

因此，國民黨的統治體制繼續維持，才有可能與共產黨進行合作，對北京政府而言也才有利。然而在現實上，雖有為數不少的人認為將來總會統一，但即使贊成統一，也不樂見自己的生活轉為共產主義體制。所以如果是國民黨說同意國共合作的建議，

這些人會擔心隔天起牀或許就見到五星紅旗在外頭飄揚，並將此視作國民黨的背叛而備感憤怒。如果演變至此，事情反而會無法收拾。

還有一點，那就是假如統一大業非得在過去曾有國共合作經驗的鄧小平或蔣經國在世時完成的話，那麼目前的確是比較適合對談的時刻。然而現實的情況是，在決定國家的政策時，不可能單憑個人的交情或經驗有無就進行決定。

關於這一點，前陣子我去台灣的時候，曾經詢問過台灣當地人的意見，如果這些人去世了，大陸與台灣的分裂狀態是不是會就此固定？當時他們的答覆是，我們並不會因為這樣就不是中國人了，由新的領導人另行協談也無妨。所以，我認為問題應該是在什麼條件之下能夠針對統一進行和談，也就是有關具體政策的問題。

呼籲進行兩黨對等交涉

戴：現在的國共合作被稱為第三次國共合作。既然曾經有過第一次、第二次，自然就會有第三次這個說法，我覺得邏輯上有其可議之處。正如橫堀先生所言，有無私交或其他因素，或許適用於懷抱著一般「華僑」的鄉愁或「鄉情」（對故鄉的懷念）的人，但在政治的世界裡，如果缺乏在共同利害上某種程度的一致性，也就是倘若缺乏共同的場域，事情就不可能發生。從這個觀點出發，促成第三次國共合作的已知條件究竟為何？還有，究竟有無此一已知的條件存在？接下來讓我們針對這點進行討論。

田畑：這點倒是顯而易見。1979年元旦提出的是名副其實的《告台灣同胞書》，這次則是呼籲兩黨對等交涉的喊話。仔細檢視葉劍英的談話內容，約可將之粗分為對廣大台灣同胞的期望，以及對台灣國民黨當局的期望兩種。

而檢視這次的提案內容，台灣同胞並未獲得正視，因為這是針對實際統治台灣的國民黨所進行的喊話，單是這點即可反映出情勢的變化。如果要說起1979到1981年間的轉變，那就是台灣打著「中華民國」之稱成為全中國的代表，並在台灣島上豎起了「中國」的招牌。諷刺的是，這個招牌卻也發揮著將台灣自中國分離的功能。雖然這只是我的假設，但如果當初國民黨逃往台灣時就已經徹底對大陸死心，或者因為厭惡共產黨，決定選擇獨立，共產黨政權將會為了阻止台灣獨立，不擇手段地採用武力干預，那麼也許在當時就已經達成統一。但正因為國民黨也是「中華民國」，而且又宣稱遲早會取回大陸，所以共產黨也就安心地放任台灣立足於「中華民國」的招牌之下。

然而，在經過30年的時間之後，這座招牌背後的實體業已出現變化。再過五到十年，待國民黨高層相繼過世後，國民黨有可能不再是現在的國民黨。而等到這些曾經促成國民黨與共產黨合作或爭執的人不在了，由新生代進行的協商也許會更容易，但也有可能恰恰相反，就此失去對話的可能。而如果等到哪天看板崩毀，那麼到目前為止，緊守著「中華民國」這塊招牌不肯離去的人們也許就會選擇前往他處。正因如此，共產黨才會急急忙忙非常清楚地要與國民黨談，並希望台灣同胞在此刻能夠保持緘默，這是大陸方面抱持的危機意識。至於究竟有沒有國共合作，我個

人認為大概沒有。

戴：只不過，不論是就國共第一次和第二次合作的過程，或是國際政治的常識看來，即使推動革命時需要借助民眾的力量，但當掌權者彼此進行交易或合作時，幾乎都不曾也不可能呼喚民眾響應。這次喊話中最讓人驚訝的，莫過於坐擁10億人口的共產黨，竟然宣稱將對等看待擁有1,800萬人口的國民黨，國民黨恐怕無法安心接受這個說法。但在外人看來，中國共產黨此舉十分寬宏大量。此外，既然都已說了這是國共合作而非革命，那麼目前商談的對象也只有國民黨。

但問題在於，國民黨拒絕接受此說，也不願與之配合。畢竟不論再怎麼宣稱對等，也不論有多少國際輿論監控，實際上這仍然等同遭到大陸併吞。因此，對北京當局而言，問題的重點就在於如何追逼，並使國民黨不得不接受此一提案。如果台灣內部發生了任何可能導致政府不得不坐上合作會談圓桌的狀況，必須抓緊這個時機，然後填平外城壕，以促使台灣當局坐下參與和談；但這種作法是否有效呢？

第二次國共合作時，蔣介石之所以會答應配合，是因為他若不接受就只有死路一條，再加上民眾之間也已醞釀出合作的氣氛，這些便是第二次合作得以發生的已知條件。至於這次合作的已知條件是何種形式的？還有這些條件是否已臻成熟？是我們應該注意的重點。

田畑：在討論這個部分之前，若就形式而言，由於中華人民共和國是代表中國的唯一政府，如果它真的有心改善台灣現狀，那麼大可選擇台灣省政府，而非國民黨進行有關合作或商量統一

的喊話，這也是在形式上直接與台灣同胞進行對話的方式。可是實際的問題在於，這種作法並不具備任何意義。如果想和至今為止，始終刻意忽視的台灣的國民黨進行對話，現在已到不能再拘泥於形式的時候；假如不能撼動高層的心，將有可能不知落入何方，我認為大陸方面也抱有此一危機意識。所以，就台灣民眾的層次而言，並不具備任何統一的條件。

　　戴：畢竟，就算同情曾因文革受創的「親戚」〔譯註：指中國大陸〕，但這和立即與其同行仍是兩件不同的事。既然如此，北京當局鎖定的暫時目標究竟是什麼呢？接下來，我想請大家談談這個話題。

　　橫堀：對台灣民眾而言，要他們立刻接受大陸的生活，確實有難行之處。但另一方面，他們同時也很清楚，中國在國際上擁有龐大的力量，總有一天會不得不以中國人的身分與之整合為一。譬如說，在這座島嶼上幾乎不可能從事資源開發，因此，人們不得不在中國大陸這個龐大的背景中生存。我認為，這種身為中國一分子的民族意識，未來在台灣民眾之間將會逐漸增強，而為鼓勵、擴張這種想法，就要不斷下工夫推動。

　　還有一點，那就是面對雷根政權，當時正是針對台灣問題進行對話的必要時刻。

　　此外，關於現在是否立刻有國共合作一事，答案大概是否定的。只不過，反覆透過各種形式進行喊話，並讓台灣人恆常處於對國共合作或統一有所意識的情況之中，將有助於各種以此為軸心的討論逐漸浮現，這點至少在營造氣氛上，具有極大的效果。

企求自由往來的台灣民眾

戴：事實上的確如此。除此之外，前述的黨外人士還曾提及下列內容。

明明什麼時候慶祝都無妨，為什麼卻偏偏挑上這個時間點，慶祝辛亥革命70周年呢？這是因為即使是北京當局也無法預測人的壽命，他們失去了一個重要的談和關鍵，那就是孫文夫人宋慶齡；在北京內部的體制完成整備以前，孫文夫人就已逝世。假如孫文夫人還在世的話，說不定北京當局會有其他計畫。譬如，曾有傳言指出，要安排造訪美國、東南亞的「華僑」社會，並進行遊說等計畫。此外，這位黨外人士也提到，蔣經國的健康狀態是目前一個重要的先決條件。蔣經國罹患了糖尿病，最近才剛進行過眼部手術，而若糖尿病的影響擴及眼睛，意味著病況已經十分嚴重。因此，邀請時間所剩不多的蔣經國擔任和談對象並給他面子，就是製造條件之一。當然，這多少也帶有搖撼國民政府的意味。

另一個已知的條件，則是黨外運動意外高揚一事。至今為止，誰都不曾想像過，透過攻擊國民黨、警察、調查人員，就能取得選票順利當選，這可以說是自1977年中壢事件（參考近藤龍夫〈台灣的內部傾軋──中壢事件的意義〉〔〈台湾の內部軋轢──中壢事件の意味〉〕《日中經濟協會會報》1978年3月號）之後的最新狀況。不難推斷，這類黨外運動的進展已對蔣經國形成相當的壓力，這點也被納入北京當局的算計裡，所以他們才會開始採取和平攻勢。這是這位黨外人士的見解，兩位如何看

待這種觀點呢？

田畑：將台灣的1,800萬人區分為本省人和外省人是最簡單的一種劃分方式，不過，他們對大陸抱持的歸屬感卻有極大的差別。台灣自《馬關條約》與大陸切割以來，已經過了86年。三十多年前自大陸渡海而來的人們，或許仍然抱著懷鄉之情，但對非屬此一族群的人們，以及所謂的戰後世代來說，他們對大陸的歸屬感究竟還有幾分？而且諷刺的是，國民黨的教育乃是反共教育，在30年來不斷描述大陸民眾的生活何其悲慘之後，就算人們自認是中國人，抱持的也是一種空泛的意識，無法和與大陸進行統一一事劃上等號。就我所認識的人而言，對本省籍的知識分子來說，如何思考與大陸間的關係這個問題，恐怕會是無論如何都無法解決的棘手難題。

戴：這就是自我認同的危機吧！

田畑：沒錯。所以台灣人才會抓著我問，你覺得我們到底該如何是好呢（笑）？很多人說「我們討厭國民黨」，但同樣也不喜歡共產黨，他們不知道如果接受這種情況後，將會導致何種問題發生？又該如何是好？面對這個難題，有錢人選擇把兒女送往美國或日本，他們奮力尋找一條求生之道，以便因應單憑台灣力量無法解決的變動。而這就是台灣的現狀。

從北京的觀點來看，這些情形顯示，「中華民國」這塊招牌下的內部正在進行質變。黨外人士的力量擴張，民眾對他們的關心逐漸高漲，這不僅對國民黨而言相當困擾，對北京當局來說也可能造成十分不利的事態。假如有一天招牌垮了，北京政府為了接手台灣，有可能非得付出極高昂的代價不可。

　　因此，北京當局恐怕並不認為這次大陸的喊話會立刻成功。如果他們真的有心動手，就不會鬧得如此沸沸揚揚。像鄧小平自尊心這麼強的人，怎麼可能發自內心說出敬請美國與日本協助這種話。總之，他們就是在營造氣氛，對包含台灣在內的全球大眾表示，台灣不可能永遠保持現狀，一而再地說這麼下去總有一天會發生問題云云。而最好的方法，則莫過於讓包括外國人在內的所有人都認為，台灣是中國的一部分，遲早會回歸中國，或是讓台灣的民眾自己覺得將來非得回歸不可，然後自然而然達成統一，這就是最好的解決之道。

　　至於最壞的情形是，由於北京政權絕對不可能承認台灣獨立，所以如果出現了類似的具體行動，北京將有可能採取武力干涉。現在葉劍英所提出的政策方針，乃是為了實踐和平統一的政策，但如果蔣經國對此方針遲無回應，就有可能成為中國動用武力時，向世界輿論交代的理由之一。北京當局可以宣稱，我們已經花了這麼長的時間提出如此重大的建議，國民黨卻依然無動於衷，所以我們無法坐視不理。

　　戴：田畑先生剛才提及，30年前從大陸來台的人們或許仍有懷鄉之情，但自《馬關條約》以來，先接受50年的日本殖民地統治，又接受了30年的國民黨統治的人，對於大陸是否仍然抱持著緬懷之情？即使隱隱約約抱持著中國人意識，但在此之外是否還有其他？還有該如何判斷這點也是一個問題。如果要從中取個最大公約數，我想他們想到的中國恐怕既非「中華人民共和國」，也不是「中華民國」，而是中國的廣袤，還有歷史與文化中的「中國」。所有人的共同願望都是到大陸旅行，那是基於緬懷山

河、祭拜祖墳，是前往故鄉的一種「思鄉之情」，並非政治的東西。

前不久曾經發生了陳文成事件。國民黨當局雖然宣稱，這位居住美國的助理教授是自殺身亡，但誰也不相信這個說法。順帶一提，中國大陸目前還沒有發生過任何國民黨高官子弟前往大陸時遇害的事件，基本上可以安心前往。反而是回到「自由中國」的台灣籍年輕學者遇害身亡，這種不安所造成的負面印象相當深刻。

另外一點是我近來的感慨。台灣人民對中國大陸所抱持的興趣，既不是對政權的興趣，也並非想久居當地生活的情緒，而是在日本50年的殖民統治期間裡，兩地無法自由往來，因此對自由來去兩地的渴望。我認為這種想法在台灣民眾中非常普遍。關於這點，橫堀先生，您在台灣時的感覺如何？

橫堀：台灣人雖然想去中華人民共和國，但並不想立即回歸，因為那實在太辛苦了！現在的生活雖然困苦，但多少仍有發展，而且年年都有起色。人們很清楚和大陸在生活水準上的落差，因為表面雖然禁止，但兩者間實際上已有書信往來，也能匯款到大陸，所以各種資訊不斷流入。再加上國民黨也會在電視上播放大陸的生活，只要看過了也就不難明白。所以，在目前這個時間點上，人們並不想回歸。

我在台灣時曾經和旅行業者聊天，他們提到，如果法令允許，現在舉辦大陸旅行團一定可以招攬到大量遊客參與。雖然誰都沒有非到對岸居住不可的想法，但如果是造訪自家祖先的故鄉，舉行為期約兩個月左右的旅行團，肯定可以大賺一筆

（笑）。我想一般大眾的想法，大概也和他們提出的這個說法相去不遠。

戴：應該是這樣沒錯。

橫堀：從這點看來，歸屬感並不是朝向中華人民共和國而發，而是針對這個名為中國的文化而來。所以，台灣人才會覺得自己也是中國人，台灣當局也才會表示要依據三民主義進行統一，並宣稱自己是中國人。而這也是被鼓勵的事情（笑）。

在外交上得分的北京

戴：到現在為止，我們某種程度上已經看過在舞台上的表演或在表面發生的事情，接下來，我也想談談關於舞台後的景況。在有關統一提案的一連串新聞報導中，廖承志曾經說出「要做這麼大的事情，當然會有接觸」。這句話既是政治性的發言，同時也是一般人認為高居此位者不該輕率脫口而出的默契。但我以為，檯面下絕對不可能毫無動靜。

除了剛才提及與張學良有關的行動之外，事實上，國民黨的高官和台灣菁英的子弟們，也頻繁地往返歐美與北京之間。陳納德（C. L. Chennault）夫人陳香梅女士經由東京前往北京與台北進行的訪問，其意義遠較上述行動更為重大。如果換作平時，高傲的蔣經國多半不會直接與她碰面，但當她離開北京，經由東京抵達台北之後，媒體即公開報導了蔣經國積極與她碰面、商談一事，我認為這是一個值得關注的行動。

還有一點，香港新聞界的代表人物《明報》集團總裁查良鏞

社長前陣子造訪北京，並和鄧小平進行了兩人對談。查良鏞出身上海一帶，過去曾經擔任《大公報》的記者。根據媒體報導，他過去去不了台灣，直到1973年才造訪台灣，並曾進行有關台灣的報導。1978年，他再度訪台，參與了國民黨當局主辦的「國家建設會議」，並與蔣經國進行討論。他是一位定居香港，可以直接與蔣經國對談的中立派人物。

　　儘管不乏這些動靜，但以蔣經國為首的國民黨要人仍堅稱絕對沒有和中國進行接觸，同時宣稱將以三民主義統一中國。北京當局則非直接否定三民主義，而是主張自己正在實行真正的、革命性的新三民主義。因此，依觀點不同，詮釋也各自有別的「三民主義」，就成為兩岸共同的場地。兩位怎麼看待這類檯面下的動作呢？

　　田畑：廖承志那席曾有事前接觸的發言，應該是想說明，既然兩方同樣都是中國人，當然不可能絲毫沒有接觸。只不過，自我觀察1981年9月30日以來的動靜，我並不認為對談會基於讓五星紅旗某天可在台灣飛揚的前提下展開。因為大費周章地搞出敲鑼打鼓、大鳴大放的行動，絲毫無益於解決這種微妙的問題。北京政府之所以會開始採取大肆宣傳的手段，約莫是因為1979年以來，對台工作進展並不順利，所以才會轉換方針，開始採取如今的宣傳戰。

　　但對國民黨而言，這種宣傳戰的作法只是加重他們的負擔。北京都已經放出這些風聲，你們又宣稱會以三民主義統一中國，如果還是拒絕對話，也不採取任何行動，所有的主張豈不就都成了謊言？你們除了躲在台灣自欺欺人之外還會什麼？我認為，不

論是發自國際輿論，或是來自居住海外的「華僑」，他們施加的這些壓力將會逐漸增強，因此國民黨非得採取行動不可。

譬如，在農業的近代化上給予一點幫助，或將中國人在台灣的一定成果上累積出的經營管理訣竅傳授給他們，然後主張這是僅限於該領域的討論。另一方面，國民黨則以授權形式轉派代表團前往大陸，但堅稱這與政權問題無關。我認為，國民黨遲早會被迫面臨此一非交流不可的困境。

如果台灣當局連對這點都堅決抗拒到底，那麼就像前面提及的最壞情況，北京政府將有理由宣稱，我們無法持續對民族的神聖義務置之不理。而也正因北京政府改採此一路線，雖不清楚幾年後，但台灣將不可能持續迴避與之對話，而是非得與北京當局對話不可。

戴：在此意義上，這次大陸所出和平統一攻勢的招數，是否可以說賺了相當多分數？

田畑：我也是這麼認為。

橫堀：在我看來，這種作法很有效果。

田畑：台灣的情況如何呢？表面上葉劍英說了這些、胡耀邦說了那些，但台灣的一般大眾是不是已經知道這些消息了呢？

橫堀：他們知道，因為當天的內容都已經刊載在《中央日報》上了。

田畑：發言的內容……。

橫堀：對，全版頭條。報導主要是為了提出反駁，所以先有駁斥的報導，下方則刊出了九項方針政策，民眾可以透過文字得知九項方針的內容。再不然，收聽廣播也能得知內容（笑）。

田畑：原來如此，這也算是一種效果吧！如果連這九項政策方針都不公開的話，「自由中國」的招牌可要掉漆了。

戴：我還聽過另一種說詞。既然對岸都招手了，為什麼不去呢？不如就去吧！而針對主張「去了的話，說不定會有危險」的意見，有人反駁，在全世界的監視下怎麼可能會有危險？還有一位台灣企業家認為，如果你們自己不去的話，不如邀請鄧小平來台灣！既然深以推動三民主義的台灣為傲，那就拿出自信，邀請葉劍英來台灣不就得了！

橫堀：的確有很多這樣的意見。

戴：不過如果真的發出邀請，鄧小平可能會來。假如鄧小平到了台灣，蔣經國又該怎麼接待他呢？談到這裡，人們就會以大笑收場。或許，這也是北京當局預設的效果之一，如果是由民眾思考、行動的話，便會形成這個結果。所以不管怎麼做，都夠台灣當局傷腦筋了。

田畑：台灣政府應該很傷腦筋。

戴：還有一個問題，橫堀先生剛才提到了台灣驚人的經濟發展。的確，台灣自1960年代後半開始，經濟就進入高度成長，貿易也迅速發展，但縱然如此，台灣的富豪和政府高官人士仍對台灣缺乏安全感，動輒就會辦理美國綠卡，一旦有個萬一就有隨時出走、亡命美國的打算。這個問題對國民黨當局，不，對蔣經國來說，是最令他頭疼的一個問題。

台灣經濟如果能保持現在的狀態持續成長，當然很好。但因貿易依存度高，換句話說，也就是經濟基礎薄弱。而大陸雖然貧困，但屬於自給自足型，在對抗全球性的經濟變化上反而較為

「有利」。弱者為強的真理在大陸運行不輟，現在表面上很強勢的台灣，換個角度看來有可能極為軟弱。這點會否成為台灣的致命傷，是人們擔心的理由。

田畑：所以，蔣經國才會在不久前提出要把三民主義建設的成果積極推向大陸的說法，也才會有許多質疑的聲音認為，既然如此，為什麼還不去談呢？光是在自己的地盤上放話，不可能有所進展。甚至也有一些意見認為，不如把對方請來談。

只不過，就算蔣經國真的與鄧小平見了面，台灣的經濟恐怕仍難脫困局。說不定又會有人將不動產脫手，然後匆匆逃出台灣，進而導致貿易立國出現動搖。因此，儘管有「來談吧」的情勢，但一旦談了，自己的處境恐怕將陷入困境。北京政府現在正是透過這九項方針政策，把這個兩難之境攤在蔣經國眼前。

出也不是、入也不是，這作法就如吃中藥一樣，乍看之下什麼也沒有，其實已經一點一滴地產生效果（笑）。

難以預測的台灣情勢

戴：剛才橫堀先生提到了旅行業者的觀點，其實我也曾從台灣的企業家口中聽過如下說法。他說：鄧小平路線的四個現代化持續進行，深圳、珠海地區已像台灣的高雄一樣成為自由貿易區，也很鼓勵華僑投資。只要他們能夠保證，或至少讓我們確定，未來不會再出現四人幫那樣的問題，那麼即使是透過人頭公司，我們也要到大陸進行買賣。這大概就是剛才田畑先生所提，蔣經國所面臨的兩難的另一個面相吧。

　　目前大陸和台灣經由香港進行的貿易額，僅僅占有台灣貿易額的一成左右，但在不景氣的時候，即使是一成也是一個龐大的數字。只不過，對蔣經國而言，什麼時候坐上對談的圓桌是他自己的決定，容不得別人囉哩囉唆的插嘴。然而，不論什麼地方的商人都是斤斤計較的。假如台灣的經濟不景氣持續惡化，那麼從台灣經由香港的出口與進出將會漸漸轉往檯面下進行，因為台灣的企業家不可能放過這個有利的市場。

　　橫堀：和此事相關，在9月30日的喊話後，台灣某家報紙製作了「識者之聲」的特輯，裡頭有位應該是國民黨員的大學教授作出如下發言。

　　中國的喊話宣稱歡迎到大陸投資，但我們絕不能容許此一情形出現，因為商人眼中只有利益，大量投資將會導致大陸成為台灣的出口對象，等到台灣經濟開始倚賴大陸之後，大陸方面有可能突然終止進出口的行動。我們不能上大陸的當、不能前往大陸投資。他如是說。

　　從這一點看來應該就不難明白（笑）。一旦走到了「該如何是好」的情況，對前途的不安便會湧現；台灣仰賴國際貿易，缺乏天然資源與石油，儘管至今為止發展得十分快速，但經濟基礎依然淺薄的事實仍然不變。在我訪談過的對象裡，不分上下，幾乎都能感覺到他們因此而生的不安。

　　戴：結束前，能否請兩位針對今後的情況進行預測？

　　田畑：關於中國的問題，預測一定會落空（笑）。我雖然不想直說，但未來五年左右，應該會得到一個結論，那就是剛才所提到的蔣經國的健康狀態，還有鄧小平、葉劍英兩人都不在人世

這點。

戴：在大陸方面，即使這兩個人都不在了，只要10月9日胡耀邦演說的路線不瓦解這個條件，還有四個現代化路線接受海外「華僑」和台灣本地資本的已知條件存在，說不定田畑先生的預測將會成真。但是，如果又發生像過去的大躍進，或者是文革的經濟政策，那麼進展就會停擺。當然，如果發生戰爭的話，又得另當別論⋯⋯。

田畑：沒錯。台灣問題並不單是靠著北京與台北間的協商就能決定，而是得依大陸的整體狀況而定。在這方面，鄧小平一方面持續宣稱進行四個現代化，另一方面又掐緊了文藝界，他非得穿過這個極為狹窄的渡橋不可，同時也不能不考慮到現行路線遭到否定的可能。

如果這個情況真的發生了，那麼這九項方針政策將會如何，台灣方面也抱持著相同的不安。在思及這些情勢之下，再考慮到現在這些主角們的年齡，我推測未來的五年將是一決勝負的關鍵期。

橫堀：北京當局的和平攻勢今後應該會加速。此外，我也認為，中國這次之所以會祭出喊話攻勢，應該有其理由存在。

這個理由包括了外交上的考量還有國內的因素。為了推展四個現代化的路線，中國必須要加強與外國的聯繫，並且大量導入外資。另一方面，中國也必須自立更生，主要有這兩股趨勢。眼下的主流雖然是以串連外國、推展現代化為主，但這兩種方式是否能順利進行統一，將是台灣與中國能否達成統一為關鍵。這既是愛國主義的延續，同時也是現代化路線的一種延續方式。而如

今，台灣的經濟正值好景乃是不爭的事實，台灣的現行制度也獲得了正面評價，譬如在企業經營上，就有大陸必得學習的層面。

　　而一如我們到目前為止所提及，正如九項方針政策提案至今所引發的許多效果一樣，未來它如果在台灣問題上觸發了任何行動，將會從中衍生出各種漣漪效應，並因此開闢出新的局勢。

本文原刊於《日中経済協会会報》第102號，東京：日中経済協会，1982年1月，頁14～27

雷根・中國・朝鮮半島
——探尋東亞的安定化座談會

◎ 龐惠潔譯

時間：1984年7月
與會：曹瑛煥（亞歷桑那州立大學教授）
　　　辻康吾（《每日新聞》北京特派員）
　　　戴國煇（立教大學教授）

雷根訪中的目的

　　辻康吾（以下簡稱辻）：曹先生最近剛剛結束在亞洲各國的旅行回來，趁著這個機會，我想請您針對亞洲整體的最新情勢進行分析。

　　美國總統雷根（R. W. Reagan）最近前往中國進行訪問，我認為，這可以說是一個開創新時代的舉動。首先針對雷根訪問中國一事，請您談談美國與中國各自對此抱有什麼期待。

　　曹瑛煥（以下簡稱曹）：就美國方面來說，他們真正期待的恐怕不是雷根總統提出獨特的中國政策，而是希望他能延續尼克

森（R. M. Nixon）、卡特的政策，並促成其發展。此舉將能為美國經濟帶來不少利益——譬如，美國能輸出十座原子爐，據說就能為至少十萬名失業者帶來工作機會，因此在經濟上有利可圖。

　　再說得明白一點，雷根在外交上並無顯赫功績，他自己又向來以親近台灣的國民政府聞名，所以這次的中國訪問顯示，這是美國要獲取利益的唯一途徑。畢竟若就長期看來，親近大陸對美國來說具有莫大的利益可言。

　　在中國方面，他們期待的並不只是經濟援助而已，也包括了技術援助。另外，針對香港問題與台灣問題，與其遭受美國干涉，中國更希望能夠贏得美國的贊同與支持。因此這次的會談有一個特點，那就是幾乎沒有深入觸及台灣問題，僅僅花了15分鐘就結束討論，反而是兩方各自針對韓國與朝鮮半島問題發表了不少看法。

　　而對蘇聯方面而言，他們沒有料到雷根總統的中國訪問行程竟能如此成功，蘇聯對此大感失望之餘，還因而取消了副首相阿爾希波夫（Ivan V. Arkhipov）訪問中國的行程。然而，今年初曾經傳出副首相前往朝鮮民主主義人民共和國（北韓）的消息，他與北韓肯定曾針對未來是否要步上中國後塵一事進行諸多討論，爾後莫斯科當局似乎也向金日成首相發出了邀請。雖然看不出究竟是哪方比較焦急，不過顯然兩邊都各自懷有某些算計。

　　假如金日成首相選擇前往蘇聯，那麼就算他想向美國、日本借款或請求經濟援助，可能性也將微乎其微；縱然獲得援助，也有對北韓社會產生負面影響的危險性存在。因此，他可能會選擇前往蘇聯與東歐，以期自蘇聯獲取軍事援助，再從其

他國家取得經濟援助。他需要的援款約為10億美元左右，據傳他應該已經取得其中的一半左右。我猜想蘇聯應曾邀請北韓參加COMECON（東歐經濟互助委員會，Council For Mutual Economic Assistance），但顯然北韓並未加入。

　　而從雷根出訪中國的行動看來，這位明顯右傾，又向來最與台灣國民政府交好的美國總統，他選擇前往中國並與之發展友好關係，由此可以預見，爾後中國問題將不易成為美國國內選舉中的爭論焦點。

中國的意圖

　　戴國煇（以下簡稱戴）：4月1日，我結束了旅居美國一年的生活返回日本。當我還在美國時，雷根總統已經敲定了中國訪問的行程。就我看來，在雷根總統的各種考量裡頭，最明顯的一點就是他為了總統再選，力求消除所有不利於己的負面形象。還有，他想藉此凸顯個人的健康狀況。從他站在萬里長城對美國進行電視直播等行徑，就可看出他試圖操縱選前宣傳的企圖。

　　第二，我認為雷根有意藉此沖淡自己身為反共旗手的形象。根據雷根的追隨者們研判，反對蘇聯一事雖不至於對美國輿論形成負面影響，但反對的對象如果擴及中國，恐怕將會不利於雷根的形象。因此雷根如果有意追求總統連任，就必須思考該如何展現出對中姿態的轉變。

　　以卡特總統的落選經驗為例，與其說他敗在政策，還不如說是因為選民的反應出現劇變使然，選民已經看膩了卡特那套學者

模樣和鄉下總統的形象。雷根如果稍有不慎，使其對全球戰略全然無知、無能的總統形象定型，接下來要尋求連任恐怕就不容易了。所以，我認為他應該也考量到了改變形象的意圖。還有一點則應與美國總資本家們的要求有關。近年來，台灣的國民政府巧妙地運用手中外匯，派遣代表團到各州進行採購，藉此拓展經濟外交，並擴增台灣在各州——也就是上議院——議員中的支持者；採購武器亦可視為是經濟外交的一環。

儘管如此，對美國的總資本而言，台灣僅有1,800萬人口，再加上小島的經濟實力，實在很難讓他們對未來抱持太多展望。即使現在中國大陸在外匯存底與經濟實力上還不成氣候，但也不能眼睜睜地旁觀中國市場被日本或其他國家捷足先登。除此之外，美國也顧慮到巧妙對大陸進行軍售的必要性。

那麼，北京政府又是基於什麼考量邀請美國來訪呢？中文有句俗話說，「見面三分情」，也就是「只要打了照面，自然就湧生出三分情感」。正如曹先生剛才所提，邀請具有鮮明反共領袖形象的雷根總統造訪北京，並透過電視對此進行實況轉播，這不只能成為雷根的選前宣傳大秀，另一方面，我認為北京當局也已經盤算過。事實上這位代表了美國極右派，過去又曾經出現在西部片中的男演員（姑且不論他是二流或三流），當他以萬里長城做為背景的影像在全球各地播放時，這整件事的政治意義絕對不會造成北京當局的任何損失。

總而言之，全球各國——尤其是資本主義陣營，以及美國的中產階級，對於毛澤東去世後的中國情勢、文化大革命的混亂，還有共產主義備感不安。同時，他們也對中國當局是否真的有意

願推動「四個現代化」政策充滿疑問。為了展示決心，中國有意利用「男演員雷根」這個機會以供大肆宣傳。這是我個人的一個假設。

其次，在台灣問題這個部分，我個人的想法和一般的中國人略有不同。一般多認為，對中國而言，台灣問題占有極高的優先性。但就我個人以為，在北京當局的戰略與戰術構想之中，台灣的重要性其實沒有那麼高。儘管北京當局確實一再強調非得解決台灣問題不可，可是我並不認為台灣問題在中國當局眼中會是排行第一的重大問題。我認為他們一直像絞緊棉布一樣，一點一點地掐緊台灣。

所以，總之就是先邀請雷根總統訪問中國、招待他，讓他實際看看我們都在這裡做些什麼。再經由此舉反過來影響台灣的國民政府，或進而影響美國國內親近台灣國民政府派的人士，這些漣漪效應應該都在北京政府的計算之中。

再者，由於美國與中國間的貿易向來受到對COCOM（共產圈輸出統制委員會，Coordinating Committee for Export Control）所控制，為能減緩委員會的控制，與其邀請卡特或福特（G. R. Ford）來訪，還不如邀得像雷根這樣的反共總統，實際上能產生更大的影響力。北京政府應該就是盤算到了這一點，才會成全這場大秀。

武器輸出與胡娜流亡問題

辻：戴先生剛才提到，對中國而言，如果套句時下的流行

話來形容台灣問題，那就是「不過是個台灣，卻又偏偏是個台灣」。這也就是說，中國絕對不可能無視這個問題的存在，但也沒有必要為了趕在當下解決這個問題而造成重大犧牲。關於這一點，我個人也持贊同意見。

只不過，一直到去年為止，在諸如網球選手胡娜風波、對台販售武器，以及《台灣關係法》等問題的影響之下，媒體曾經一度盛傳中國可能與美國斷交。在這種情況之下，中國邀請雷根造訪，這件事是否曾在國內引發任何爭議？

曹：我想爭議的確是有的。但是就我感覺，北京當局利用雷根訪中來解決中國國內的問題這點，就與雷根總統藉由訪中以安撫國內政情一樣，兩者都是基於相同的理由。

在中國方面，雖然對鄧小平的實利主義政策的反對聲音不大，但這次會邀請雷根訪中，其實就是有意在顧全鄧小平顏面的情況下，與中國國內那些反對在台灣問題上，過度讓步的意見達成某種程度的妥協。

由於中國與雷根的談話似有難行之處，因此雙方會談時並未觸及台灣問題。但當與美國國務卿針對各式台灣問題進行談話時，中國方面已經表明，總之就是希望美國不要增加對台軍售，同時也希望美國可以告知何時將會是最後期限。而儘管美國並未明確交代時間，但業已承諾有朝一日將會停止對台軍售。

戴：就我看來，不管是胡娜問題或是軍售問題，基本上都可視為北京政府對國家主權的主張，以及對國際輿論進行的宣傳。如今，北京當局的領導權正逐漸從革命的第一代交棒至第二代手中，他們之所以會如此強勢地主張國家主權，我認為與以下兩個

理由有關：

第一，出於中國人對傳統正統性的固執。還有一點就是因為中國在鴉片戰爭以後即飽受列強羞辱，他們出於對此羞辱進行的反動，非常強勢地主張主權不可侵犯。老實說，一個網球選手的流亡事件原本稱不上是什麼重大問題，然因在處理過程中，中國幾乎完全遭到忽視，所以才會有這些反彈與主張出現。再者，儘管《上海公報》已明訂「台灣為中國的一部分」，但美國仍然持續對台軍售，這使得中國產生國家主權遭到侵害的危機意識。若非如此，我不認為單單只是購買武器這件事，就會讓台灣與中國大陸間的對立關係因此失去平衡。

還有一點，就是因為美國現在正值景氣低迷，所以只要有商機，他們就願意做買賣。畢竟販售武器涉及這些親近台灣國民政府的美國上議員們一定的利益，假如它將來又會以政治獻金的形式進行回饋，那麼就雷根的立場來說，自然沒有放著買賣不做的道理。

曹：就胡娜事件來看，我認為美國在處理這件事情上有許多不當之處。如果要以個人的人權自由為名任胡娜居留美國，那麼大可以同意她以無國籍身分留下，而非予以「政治庇護」。畢竟每年約有五到六千名外國人向美國尋求政治庇護，以胡娜的例子來說，她和那五到六千人相較之下立場相形薄弱。儘管如此，美國卻同意給予她政治庇護，這等於直接傷及了中國的自尊，也讓事情變得十分棘手。

當然，美國在《上海公報》中雖已承認中國主權，卻仍持續對台軍售一事也非明智之舉。但就我最近詳讀美國歷來政策制定

過程中，與台灣問題相關的紀錄後發現，蔣介石政府從大陸流亡至小小的台灣島後，曾經屢次利用美國的反共勢力，引發不少令美國政府十分頭疼的問題，例如宣稱反攻大陸而驚動美國等。相較於此，如果中國也看到了相關紀錄，應該就會注意到，雷根政權相應地對中國釋放善意，是否可以這樣看。

戴：總而言之，現狀總之是可以忍耐的程度……。

曹：對，我感到這些是可以忍耐程度的問題罷了。

美國對中國的期待

戴：如今，美國已自越戰中慘敗。今後他們是不是還會採取同樣的姿態，也就是為了保護其他國家的保守政權，而扛下那些吃力不討好的重擔呢？關於這一點，曹先生的看法如何？

曹：我想恐怕是不會了。和10、20年前相比，美國現在已經開始卸下，並且試圖減少這些負擔的階段，未來他們應該會希望能慢慢對此進行整理。

戴：美國的勢力相對而言也已經減弱。

曹：雖然美國自己的領導者並不這麼認為（笑），不過從外部的觀點看來，的確如此。另一方面，美國知識分子的思考方式也出現了一定程度的進步與改變；批評美國至今為止過度干涉他國事務的輿論正逐漸高漲，這也意味著，雷根的政策並未獲得知識分子的高度認同與接受。

辻：還有一點必須置於中美關係裡思考，那就是對中國來說，他們對來自美國的資本與技術寄予高度期待，核能協定就是

最具體的例證，只是這個協定目前似乎遇上了挫折。另一方面，最新的長江大壩計畫已經開始運作，中美之間經濟合作關係的速度雖仍無法掌握，但無庸置疑在今後將會有所成長。或者說，不論是美國或是中國，都殷切期盼此一成長出現。

曹：雖然就目前的階段而言，美國尚無法從與中國的經濟合作中獲取龐大利益，但未來大有可期。且隨經濟發展，中國也將漸朝美國期許的政治、外交轉向。而隨中國近代化的進展，中國未來也將更形倚重美國。一般來說，美國的反共主義者原本反對的對象就是蘇聯，和對待中國的輿論略有不同，事實上，美國人對於中國多少懷有一些憧憬。

戴：是對中國那些絢爛歷史的憧憬嗎？

曹：曾經有位學者說過，美國人的心理結構和中國人的心理結構有某些神似之處。盎格魯撒克遜人是實用主義者，中國的傳統也是實用主義吧。美國人對中國的憧憬，到頭來不外乎是針對文化、傳統而發。美國立國時間不久、歷史短淺，對這個部分懷有憧憬也是無可厚非。

再者，這些儒教國家和新儒教國家，不論是日本、韓國，或是台灣、新加坡，他們的經濟發展令全球刮目相看。在過去，傳教士們曾經宣稱，東方世界因為缺乏馬克斯‧韋伯（Max Weber）所主張的新教徒勤奮精神，因此無法獲得發展。但如今儒教國家個個表現出色，這點也讓美國充分感受到了儒教國家的魅力。

最近，哈佛大學出版了一本名為《東亞時代》〔*East Asia Age*〕之書，探討這股由亞太地區興起的颱風即將襲捲西方世

界，就是對此一情勢所提出的警告。

戴：不過，如果這個議題沒有處理妥當，可能會演變成另一波的「黃禍論」（yellow peril）。

曹：沒錯，現代的黃禍論。

注視中國視線的轉變

戴：雷根結束這趟中國訪問返回美國之後，發表了什麼樣的聲明呢？

曹：雷根沒有發表共同聲明，不過他倒是召集了重要的亞裔人士，我因為會員身分也受邀參與。他提到，你們因為文化上的背景而有相當顯著的進步，也誇獎了包含中國在內的儒教文化圈發展極佳，並提及今後中國和美國將步上蜜月之旅。

戴：他連這種話都說了嗎？

曹：對，他說雖然因為背景各異、十分複雜，偶爾可能會發生齟齬，不過一定會漸入佳境。只不過，由於到場的華人大部分都傾向支持台灣，所以聞言後反應十分冷淡不鼓掌，我倒是替他鼓了掌（笑）。雷根很快就注意到這點，所以他又補上一句「不過，我絕對不會忘記台灣」後，與會者才紛紛鼓掌。

戴：還有一點，根據如辻先生等外籍新聞記者的報導，中國的農村似乎已經大有改善。關於這點，美國的大眾傳播媒體是否也有相同的想法？

曹：就我觀察，美國媒體的反應比較平淡。這是因為美國農業的機械化程度極高，甚至已經到了過度的程度，因此缺乏適於

比較的對象使然。還有一點，對美國而言，中國在農業上的經濟發展與文化上的表現不同，至今依然給人相當原始的印象，因此很難對此進行比較。不過，最近倒是常常可以見到有關人民公社已然名存實亡的報導。

辻：除了農業，美國對於工業或者所謂的四個現代化政策應該也都抱有期待吧！

曹：這點倒是相對居多，關於都市工業化和貿易的消息常常見報。

辻：對美國人而言，中國是不是已經漸漸成為一個比較容易理解的國家了呢？

曹：是的。

辻：也就是說，如今已經不同於文化大革命時期的激狂了。

曹：對，已和當時不同。也正因為曾經有過這件事，所以他們對如今中國的轉變更形期待。只是期待愈高，失望也愈大，如果從意識形態的觀點出發，與其拿現在的中國研究與蘇聯研究相較，還不如將中國視為開發中國家檢視比較容易理解。

　　一直以來，我的主張都是如此。但截至目前為止，美國的中國研究要不是傾向訴諸一般的意識形態，就是從「蘇聯如此，中國勢必也將如此」的角度進行檢視，這類觀點多不勝數。其實中國的問題幾乎都是導因於它身為發展中國家，大部分的社會、經濟條件尚未獲得良好發展而起。我和雷蒙‧梅爾（Raymond Meyer）在台灣進行辯論時也曾提出此一說法，但他始終無法認同這個觀點。

戴：他只接受從意識形態來看，隸屬於共產黨中國的中國大

陸吧。

　　曹：對，除了這點以外別無其他。由於美國學者們缺乏充分的認識，所以至今為止才會有不同的解釋。再加上中國的統計方法又不夠發達，在缺乏基礎資料的情況下，經濟相關調查因此會出現問題。

　　也正是因為缺乏基礎資料，所以不論左派、右派，其實都搞錯了問題核心。不只經濟學如此，在政治學的領域中，與中國相關的研究如果能有七成正確的話，已經算是難能可貴。

　　戴：具體來說，雷根在造訪北京之後，簽署了包括核能協定在內的幾個協約。針對這方面，台灣當局有什麼反應？

　　曹：台灣最擔心的是美國對台軍售的增加。軍售增加是一個相對性的問題，假如台灣增加，那就表示北京也會做出大幅增加，這點才是問題所在。在雷根的考量裡，台灣的軍售增加，就能賣出更多給另一方；而一旦對中軍售增加，台灣也就非得跟著增加不可。如此一來，兩方的軍購量都會擴張，對美國而言自是利多，可是他的計畫無法順利推行。這是因為兩方雖然都有意增加軍購，但也同樣都不希望對方的武力再形擴張。台灣當局甚至寧可美方不再增加對台軍售，只求不要再供給大陸過多的援助。而對美方來說，比起台灣問題，目前更令他們擔憂的是因核子武器問題牽動的北韓關係。

如何看待北韓問題

　　辻：先讓我們試著將問題做個分類，早在雷根前往中國訪問

以前，北韓問題在亞洲就已經成了重大問題。

曹：從今年元月，趙紫陽總理前往拜訪雷根時開始。

辻：當時就已經傳出類似的消息。這是因為去年先後發生了仰光爆炸案與大韓航空爆炸案，東北亞的問題因此被大肆渲染使然。雷根在拜訪中國之後曾經有過許多動作，處於中美這個大框架下，同時又涉及日本的北韓問題，這裡頭可以推演出哪些可能的發展呢？

曹：其中一點，應該就是現在北韓所提出的三方會談。韓國與卡特政權早在1979年發表的共同聲明中，就曾提出三方會談的建議，但這次的三方會談是在仰光爆炸事件後由北韓所提出。只是不論就心理上或是面子上來說，韓國都不可能在目前這個時間點上接受此一提案。如果是從1979年以前的立場來看，這個提案可以說是眾望所歸，但現在實無法如此解讀。對韓國來說，他們至少希望北韓能夠針對仰光爆炸事件發表道歉聲明，接著如果能將三方會談的形式稍做調整，那便可以說是符合韓國的主張。所以，「三五（會談）」其實也就意味著在北京舉辦三方會談。這是其中一個劇本。

還有一點，那就是香港光大實業有限公司某位知名的美籍顧問，為了確知北韓的意圖出發前往北韓，我想這應該是在胡耀邦訪問平壤前不久的事。之後，北韓政府也前往拜會蘇聯，並與之進行多項磋商。

由此看來，這和先前提到的劇本有關。北韓對日本進出口銀行的資金和美國某些程度的科學技術，特別是先端技術的IC產業抱持極高興趣，並希望盡可能引入前述技術。遺憾的是無法順利

進行，正因如此，北韓才會前往蘇聯，選擇與之達成某種程度的妥協。

　　然而如過去印度那種經由和強國周旋以獲利的外交時代已經結束，如今中國與蘇聯方面都試圖對北韓略施小惠，然後盡可能加以利用，這使得北韓無法輕舉妄動，在經濟上亦復如是。

　　因此，北韓不得不採取對蘇聯而言還算有利的形式，透過中國以向美國、西歐，以及日本索取一部分的資金。然而，若要套用完全中國式的開放政策，這對仍然抱持如世襲問題等種種難題的封閉社會而言，仍有難行之處。而若加入東歐經濟互助委員會，又等於完全傾向蘇聯；在蘇聯並未給予充分對等價值的前提下，這種作法也有危險。因此，北韓大概會暫時游移在這兩極之間。

　　就我看來，至少在金正日的繼承問題解決之前，北韓都將動彈不得。一旦進入1988年，美國就將舉辦下屆總統大選。在這段期間裡，全斗煥總統非得進行改變不可，還有金大中的動向也會漸趨明朗。如此一來，直到1988年為止，不論是美國或是日本，短期內都不會再繼續右傾（笑）。

　　辻：不能輕舉妄動。

　　曹：沒錯，就是動彈不得。為了舉辦奧運，和平的環境勢不可少，在此前提之下，包括韓國在內的朝鮮半島情勢應該會逐漸趨向和平。

　　戴：你的意思是，將會逐漸出現和談的氣氛？

　　曹：沒錯，樂觀看來，可望營造出和談的氣氛。韓國為了舉辦奧運非得這麼做不可，為了盡可能贏取社會主義國家的支持，

他們將會試圖尋求聯繫。如此一來，韓國對待北韓的政策也可能略有轉變。如今正適逢金日成主席退休，金正日上台，北韓無法從事太危險的舉動。再加上國際輿論壓力影響，我認為應該不必擔心北韓是否會採取冒險或南進行動。

還有一點，那就是我們必須要從歷史中學習教訓。正如中國不會重蹈文化大革命的覆轍一般，我認為北韓大概也不會再重演危險性極高的仰光爆炸事件。

台灣與香港問題的關聯

戴：接下來，我想扣合香港問題與台灣海峽問題，針對雷根的中國訪問將會產生何種影響，提出我個人的整理。

對中國大陸來說，香港、澳門的存在，其意義就有如展示窗一般。它們一方面是對東南亞的華僑、華人社會的聯繫窗口，另一方面，也是與台灣暗中往來的地下管道。不過，這一點只有在美國、日本與中國大陸保持對立的前提下方能成立。

可是如今的情勢已經出現劇烈的變化，隨著1997問題漸趨明確，香港的主權回歸將會先於台灣而行。也就是說，相較於中共當局期望解決台灣問題的時間點，香港問題將會早一步獲得解決。

儘管到香港回歸前還有13年的時間，但因毛澤東去世之後，中國的局勢出現了新的發展，香港問題身為開放政策的一環與其延伸，如何妥善進行處理便顯得相當重要；甚至，我們也可以把台灣問題視作其延伸進行思考。

　　而既然還有13年的時間，這期間勢必出現各種動盪。譬如前一陣子，當鄧小平說出「派遣解放軍」這種聽來十足父權式的發言就讓人非常震驚。不過，據我從全面看來，只要現在由鄧小平、趙紫陽、胡耀邦共構的三頭馬體制依然穩固，他們所標舉的自由化開放政策就不會開倒車。畢竟假如開放政策無法持續，香港問題就不可能順利解決。

　　此外，在我居留美國的一年期間，有一件事令我覺得不可思議，那就是要是換作過去，美國一確認香港將回歸中國，便會火上加油地呼籲香港資本撤離，並基於反共立場策動各種活動。可是出乎意料的是，美國幾乎沒有採取這類舉動。

　　更有趣的是，從季辛吉（H. A. Kissinger）出任在大陸擁有深厚人脈關係的王光英公司顧問，並且積極活動的行徑看來，我認為美國的主流意識傾向期待香港主權順利完成轉移，也期望透過促成英國與北京間的轉移而創造出一個模式，然後從中獲取利益。

　　與此同時，美國的大方向認為，現在不要為了推動台灣與中國大陸的合併，直接進行任何動作。就長遠的計畫來說，應盡可能在不加干擾的情況下，期待台灣海峽的和平誕生，中國的四個現代化則能獲致某種程度的成功。在他們的盤算裡，此一發展將能對美國、日本的資本主義體制，以及對蘇聯戰略產生正面助益。

　　何以胡耀邦在會見雷根之後直接前往平壤呢？試著對此進行推演，將會得到許多有趣的結果。如果檢視這兩三年來的動靜，不難發現，過去北京是利用北韓這張王牌來對付日本與美國，美

國則是利用台灣來與中國大陸抗衡，但現在兩邊似乎逐漸交叉，韓國與中國也正逐漸靠攏，試圖改善情勢。

　　儘管和中日關係、中美關係的情況略有不同，但大體而言，中韓目前關係的良好程度乃是至今為止前所未見。韓國大概也有意藉由拉近與中國的距離，以強化對北韓的發言權與優越性。

　　而從北京的立場來看，他們試圖在兼顧平壤政府的前提下拉攏韓國，如此將可切斷台灣國民政府與其在亞洲最重要的夥伴間的聯繫，進而孤立國民政府，逼使其坐上談判桌。朝鮮半島的安定對中國而言也有幫助，因為如果要推動四個現代化，和平的環境必不可少。再者，這對改善中國對日、對美關係亦有助益。就我看來，胡耀邦、鄧小平路線正是以前述形式積極運作。針對這一點，兩位的看法如何？

韓國的立場

　　辻：先不論大框架的看法結果是否正確，我個人也希望現在提出的這些觀點能夠實現。日前在出席李源京外交部長的說明會時，我曾於會中發問：過去韓國係將反共、反北韓政策整合為一，但近來兩者是否已有所分化？韓國不再堅守反共政策，唯獨對北韓依然抱持極強的警戒心。李部長笑著回答：「這是一個很好的問題，但我沒有辦法直接答覆你。」

　　假如韓國的反共政策漸趨弱化，想當然爾，韓國與台北當局間也會逐漸交惡，如此一來就會如您剛才所提，中國與韓國的關係將會間接波及台灣。只不過，這個大前提是朝鮮半島必須維持

和平。如果照剛才曹先生提出的說法，在「三五會談」可能於北京登場的背景之下，中國有意利用現在的朝鮮問題做為手段，在這一點上，我大致贊成戴先生的看法。

　　曹：我想補充一點，儘管在中國當局的計畫裡，他們有意離間韓國與台灣，但就韓國方面而言，他們其實更關心北韓問題。北韓的南進行動令人畏懼，如果要考慮如何予以牽制時，最後還是只能仰賴中國的力量，因為美國無法直接聯繫北韓，就連美國都得經由中國牽線不可，所以韓國在考量自身的未來時，已經判斷出台灣與中國有朝一日非得進行統一。此外，台灣在經濟上可以說是韓國的競爭者，反而中國不具備這麼高的競爭性，再加上韓國的水準較高，某種程度上兩者可以進行互補，因此十分有利。

　　更具體一點的說，有個牌子是叫「金星」或「幸運」牌電視機已經經由香港進入上海。根據消息來源指出，韓國的資金已經流入經濟特別地區，所以可想而知，韓國在經濟上亦有利可圖。

　　一旦中國對韓國的理解加深，中國就不會再採信北韓主張由南而起的北進說法。此外，中國正在研究韓國的馬山自由加工區，甚至遠赴日本蒐集資料，這顯示整體氣氛已經明顯改變。

　　再者，如果針對延邊一帶的朝鮮族居民，以及從北韓前往北京留學的學生進行比較，北韓的學生們每天晚上八到九點時就會聚集在一塊，一起收聽平壤的廣播節目，並在集會中討論金日成、金正日如何如何。但若詢問延邊出身的學生，裡頭甚至會有人直斥金日成主席很無聊、是民族之恥；他們收聽的是韓國KBS的新聞，對事態的理解與前者完全不同，而他們代表的正是中國

朝鮮族居民的思維模式。

　　因此，北韓派遣了大批情報員到中國從事各種活動。據說中國曾向北韓表明，中國原則上願意承認北韓的世襲制度，但希望北韓不要再對東北進行干預。

美國靜觀香港問題

　　戴：由於曹先生日前曾造訪香港，所以我想提出最後一個問題。總而言之，香港還有13年的時間，我認為這之間如果完全沒有任何爭論、批判浮現，反而很奇怪，還不如出現各種爭論、批判，情況會比較有趣，也比較有可能導引出正面方向。譬如前陣子，鄧小平突然提出了派遣軍隊駐紮的說法，此說引發了各種反彈和風波。今後13年間的各種動作，對台灣與大陸間的關係將會是非常大的刺激，也可能成為一個參考的模型。對於這點，您的看法如何？

　　曹：關於香港，美國的基本態度是不進行任何干涉，最主要的理由是對中國來說，美國現在對台灣問題已然介入過深。再者，即使牽扯到香港問題，對美國來說也絲毫沒有好處。還有一點，即使美國最後無法抽身，香港的資本現在也正從澳洲轉向移入美國加州。

　　此外，雖說只剩下13年的時間，但美國可以委託英國與中國達成妥協，不要在13年內一口氣交還所有事務，而是花上10年或20年，盡可能拉長時間，然後一邊慢慢干預，一邊進行整理。如此一來，就算美國並不插手，也足已妥善解決。

　　不只資本外移至美國與澳洲，還有為數不少的人也希望能夠移民美國。由於英國已無接納移民的餘力，因此英國必定會向美國提出請託。而即使目前還未浮上檯面，但我認為在香港回歸中國之前，親中的西方人必定會希望中國能與台灣達成妥協。

　　戴：的確如此，但不清楚是否能夠順利推動。

　　曹：最晚如果能在香港回歸時解決最好。現在最大的希望，就是現任的副總統李登輝能在卸任以前，在某種意義上達成妥協。再不然，最遲就是在香港回歸時，到時就算無法達成統一，至少也要能形成某些展望，否則事態將會非常危險。

　　戴：為什麼是李登輝呢？

　　曹：李登輝相對而言比較年輕，和現在的總統蔣經國相較之下，他的身體比較健康，而且他在美國享有一定的知名度，又是台灣省出身。蔣經國肩負有歷史使命感，在這種歷史使命感的驅策之下，他無法自行宣稱獨立，也不能和其他國家（蘇聯）締結合作關係，是以目前不可能會有任何改變。身為源出大陸的遷居者，他抱持著強烈的責任感。由於源出大陸的遷居者和其後代子孫，乃是身處台灣最不安的一群人，受此影響，他知道自己無論如何都無法做出解決，所以才安排好由台灣省出身者擔任總統。如果這些人有意和中國達成某種意義上的妥協，將會成為他們的責任。從眼前的情況看來，蔣經國應該是盤算著，要把自己不想做的事情交付給李登輝。

台灣將何去何從？

戴：我對這個說法有點疑問。總統的任期是六年，如果蔣經國的健康狀態維持不變，到時他就是80歲，而李登輝也有68歲。根據我個人對李登輝的認識，我不認為他具有這種氣勢，（目前看來）也沒有這麼大的野心和魄力。

曹：也就是說，他缺乏足夠的勇氣。

戴：對，而且他是一個很清楚自己現在能力有限的好好先生。曹先生剛才提到，蔣經國交派給他這個任務的說法雖然非常有意思，但我實在無法想像，李登輝自己會主動擔任這個角色，我也不覺得（目前看來）他擁有足以肩負這個任務的力量。畢竟他與軍方毫無關係，而且他既不是人民投票選出的人，也不是透過掌握黨、特務機構、警察權爬到這個位置的人。蔣經國是在父親的栽培下，經歷過並且掌握了特務機構、黨、軍之後，才登上現在這個位置。

我還有一個大膽的推測，那就是在這13年內，中國內部將會逐漸朝向良性方向發展。首先就是經濟有所起色，言論自由與人權也逐漸擴增；如果生活好轉，人權就會跟著改善。中國和蘇聯的不同在於，他們擁有香港這個實驗地點。如果能以這個實驗做為媒介，讓香港成為中國內部民主化、提升經濟的刺激，那麼對台灣進行喊話，某種程度而言也將更具效力，台灣當局做出回應的可能性也會隨之出現。畢竟如果是在大陸現今的情況下進行合併，既不自由，又吃不飽，實有難行之處。

曹：所以現在在台灣，誰也沒有想過要在現實的立場上展開

對話。

　　所以我認為，中國和台灣間的統一最快也是二、三十年後的事，只是和談這部分應該是由現在的副總統進行，或是非得在這13年內想出對策因應不可。正因如此，國民政府中年輕——說是年輕，但指的也是50歲左右的——世代的智囊團才會不斷地摸索、尋找眼前的方案。

　　在他們的考量中，保持現狀之所以危險，是因為假如台灣有宣布獨立的可能，大陸就會進軍攻打台灣；而假如台灣宣布和蘇聯發展合作關係，同樣也可能遭到攻擊。就算不是前述兩種情況，如果台灣內部軍方發動政變，爆發出軍人恣意妄行的危機，同樣也會不知如何收拾。所以，他們透過一般討論獲取的共識在於，總之就是中國像現在一樣繼續向前邁進，當中國大陸以近似三民主義原理的型態漸趨民主化、近代化，國民也獲得自由時，兩者間就有了可以慢慢靠攏的條件，這正是他們的考量。

　　戴：如果實際上也能進行得如此順利，這將會成為對東北亞和平最大的貢獻。我對此充滿期待！

　　　　本文原刊於《エコノミスト》第62卷第30號，東京：每日新聞社，
　　　　1984年7月24日，頁24～33

輯二

台灣文學作家與社會運動

老社會運動家楊逵的回憶與展望
——陪若林正丈訪談楊老於立教大學

時間：1982年11月6日夜18時

地點：日本東京池袋東江樓

與會：楊逵（作家）

　　　若林正丈（東京大學教養學部助手）

　　　戴國煇（立教大學教授）

　　　楊逵（本名楊貴），1905年生於台灣台南。1924年從日據州立台南第二中學校退學，然後東渡日本，一邊苦學，一邊參加社會勞動運動。1927年，響應台灣農民組合號召回到台灣，從事抗日運動，直至第二次世界大戰結束。在這期間，他根據自己苦學之經歷寫成小說《送報伕》，以入選作品第二名登載在戰前日本左翼文藝雜誌《文學評論》上。戰爭一結束，他就領導重建台灣運動，在二二八事件中被捕，幾經危難，幸得免於一死。1949年，起草呼籲國共停止內戰的《和平宣言》，因此被判處監禁12年。1961年4月刑滿，從火燒島（現改名為綠島）回歸台灣本島。在這之後，一直從事守墓及經營農園，更持續透過文學活動，來激勵台灣的民主化運動。經過50年漫長歲月，楊逵終於在1982年8月中旬被批准離台，首次訪問美國，並第三次來到日本訪問。

青春・東京・大正期民主主義思潮

戴國煇（以下簡稱戴）：先生最初來日本留學，並投入社會運動的過程，究竟是怎麼一回事呢？是否先從這兒談起。

楊逵（以下簡稱楊）：在我孩提時代，台灣曾發生西來庵事件（別名噍吧哖事件，指1915年余清芳、江定等領導的反日武裝起義事件）。當時我家在新化，我從家門口的縫隙中親眼看見彈壓起義的日軍通過。因為我只有九歲，什麼都不懂，但印象卻是深刻的。後來，我從當時被日軍征為軍伕的哥哥那裡，聽說了日軍是怎樣殘殺與起義有關係的村莊村民的。在中學時代，去舊書店涉獵，發現了《台灣匪誌》一書（秋澤烏川著，台北杉田書店，1923年）。這部書的最後部分記述了西來庵事件的來龍去脈。明明是對日本壓迫政治的反抗，但在書中卻被當作「匪賊」來處理，我深感這是對歷史的歪曲。我決心研讀自己所喜歡的小說，並想藉小說創作，來矯正這被歪曲的歷史。懷著這樣的熱情，我沒等中學畢業，就到日本東京，時間是大正三年（1913）。到日本後，我參加了檢定考試（大專入學考試資格檢定考試），合格了，然後又考進了日本大學。因為家裡出不起學費，我幹過各種各樣的工作。如送報啦，參加了建築日本國會議事堂的挖土、運土等工作。

戴：您在東京一邊學習、一邊幹活。當時日本正值大正民主主義思潮的旺期，您又是怎樣理解這一時期日本的新動向呢？

楊：當我還是台南二中學生時，正逢日本關東大地震，我在報紙上看到大杉榮（當年的無政府主義運動的日本人領袖），被

甘粕〔正彥〕上尉投入井中殺死的消息，感到非常憤慨。直到來東京時，那件事依然縈繞在腦海之中。因此可以說，在文學方面，我從事寫作的動機得之於西來庵事件；而大杉榮遭受殘殺這一事件的衝擊，使我對思想方面覺醒並注重起來。

若林正丈（以下簡稱若林）：前年曾在台中的東海花園中採訪過楊先生。先生說，在東京國會議事堂工地現場打工時，曾有過這樣的想法：議事堂落成後，日本政治會趨向民主化，倘使大眾擁有發言之權，則多少會有好處。果真如此嗎？

楊：開始的時候，確實也曾經有過這麼幼稚的想法嘛！（笑）

戴：真是幼稚嗎？或是有別的什麼？（笑）總之，當時還是有所期待的吧？

楊：那倒確實是。以後我曾寫過一篇散文。這篇散文以「一隻螞蟻的工作」為題刊登在《台灣新民報》上，時間是1943年8月3日。（《台灣新民報》為台籍抗日運動家們創辦的《台灣青年》、《台灣民報》後身的報紙。但是，也就在這前後，該報受日本當局壓力，被迫重編並改名為《興南新聞》）從題目上可以看出，這篇文章寄寓著這樣一層意思：雖說是一隻螞蟻般微不足道的工作，卻能成為民主主義，或者說是民族解放的基礎。這篇文章不知有無存留下來？我本人倒沒有存藏。

若林：當時回到了大正中期，議會不但通過了《普選法》，同時也通過了《治安維持法》。從現在來看，戰前日本政治民主過程的展望在那時已開始走向黑暗期。但是，我以為也是同樣在這個時期，台灣人認為大正期民主思潮的氛圍或多或少地緩和了

日本對殖民地民眾的壓力，從而能激發起解放運動的意欲，使人們能夠持有一個光明的展望。您認為，我的這種想法如何？

楊：是的，比如設置台灣議會請願運動（以對日本帝國議會請願運動的形式要求設置「台灣議會」的運動，1921～1934年）等就是如此。我們的前輩對日本議會還是寄予相當期望的。

戴：改良主義派的人們希望，最低限度在台灣也能實施明治憲法，來取代所謂假藉《六三法》（「關於應在台灣施行的法令的法律」，1896年制定。委任台灣總督執掌台灣特殊法令的立法權）的偽法治總督制統治方式。……當然，明治憲法絕非是好東西，但當時的要求是想至少可以比《六三法》下的台灣總督專制獲得較好一些的憲法保障……。

楊：確實如此。就是在這樣的思想指導下，發生了設置台灣議會的請願。

戴：然而，就連這麼一點極為有限的要求也被拒絕了。

楊：是，是啊！

若林：當時從台灣到日本的留學生中，有許多是大地主和資本家的孩子，在這些人中，也出現了搞台灣議會設置運動、台灣文化協會運動等的人。

楊：從台灣來日本的人中，像我這樣的很少。在朝鮮人來日留學生中有許多勞動者，而台灣則是地主、資本家的孩子居多，需要賣勞力的人很少。只是在本所或者淺草的小鐵工廠裡，有五、六個台灣青年在勞動。他們有些時候亦會因某種原因參加罷工，我們則前去支援。這種情況有，但其例頗鮮。

戴：根據年譜（河原功〈楊逵——其文學活動〉，《台灣近

現代史研究》創刊號，1978年）記載，先生因參加1927年朝鮮人
發起的抗議鎮壓集會，而第一次被捕。據我所知，那時台灣人的
一般傾向是追隨在一般日本人裡面，看賤朝鮮人的。在這種情況
下，先生參加朝鮮人的演說會，是因為先生有需要並正在勞動的
緣故嗎？

　　楊：是的。因為正在勞動，從而與朝鮮人的接觸比較多。就
受民族壓迫的境遇來說，我們是相同的。也因為在一起勞動，全
看到不甚愉快的事情。亦可窺知他們的一些「劣性」，但朝鮮人
是很會鬥爭的，他們很勇敢。那時，我住在勞動農民黨的牛込支
部。因此，也去聲援在本鄉佛教會館舉行的那個集會。集會剛開
幕就被令中止和解散了，我按照指示跑到街上，高呼「示威遊
行！示威遊行！」結果被抓，在本富士署（文京區的警察署）關
押了三天。當時被抓的總共有38人，除我和一個日本人外，其他
都是朝鮮人。

　　戴：據現在去北京的陳逸松說，他當時從東大法學院畢業，
滿懷理想，做為一名辯護律師加入了布施辰治的自由法曹團，但
他只能拿到日本辯護律師一半的薪水。總之，即使是在當時被認
為是進步的團體中，也有民族歧視，他一氣之下回台灣去了。楊
先生的情況怎麼樣？在勞動農民黨中，是否因為是台灣出身者，
而被輕視，或者說被差別對待？……

　　楊：我沒遇到過那樣的事情，雖說是住在勞農黨支部，但那
兒是不支給工資的，不管是日本人還是我自己，都得自己想辦法
管飯吃。因此，在我記憶中，全然沒有被輕視之事，反而有一種
連帶感。

戴：那時，東京有許多從大陸來的留學生。先生同他們有過交往嗎？

楊：交往很少。但是，我經常去參加位於神田三崎町的中華基督教青年會的聚會。但每年，每次幾乎都是大混亂。那時來日本士官學校的大抵是蔣介石的支持者，其他的人則是反蔣派居多，因而對支蔣派的宣傳不滿。所以，每次聚會，總是互相摔椅子、大鬥毆。每逢此情景，我很失望，快快地回居處去。

戴：楊逵先生參加聚會是出於因受日本帝國主義壓迫而對祖國思念之情，不管從哪方面說，意識形態的要素是淡薄的。換句話說，楊逵先生是帶著一種對民族主義的連帶心情參加聚會的。而從大陸來的人們則不同。因為當時是1926、1927年，正好是北伐、武漢政府、上海政變的所謂第一次國民革命時期，所以留學生們意識形態、政治對立很嚴重，從而導致互擲椅子。而先生之失望，乃在於當時中國面臨著大敵——日本，但他們卻置大敵於不顧，在自己民族裡亂搞一通。

楊：確是如此。只是我當時中文很差，非經艱苦努力，難以讀懂中文文章。因此，詳細事情並不十分理解。

若林：那麼說，先生是通過日本的報紙來觀察中國革命的情況，並對此頗寄期待的吧！

楊：當然是這樣。

回歸台灣・農民運動・分派鬥爭

若林：先生是在參加那次朝鮮人集會，並首度被捕的同一年

回台灣的吧！

楊：是的。在回台前，參加朝鮮人的集會啦，搞自由運動啦，支援罷工啦，我在思想方面也漸漸成熟起來。也就在那時，因為我從已回台灣的朋友那裡聽到台灣需要鬥士，所以就在1927年9月回了台灣。因為在自己的故鄉進行鬥爭的實踐效果應該更大才對。

若林：先生回台灣以後，就投入了當時正趨於高漲的農民運動。但在一年以後，因與幹部簡吉發生對立，被排斥出台灣農民組合。接著，在1929年又被排斥出文化協會。日本的警察資料認為「這是因為受了日本左翼理論鬥爭及台灣共產黨影響而產生的分派鬥爭」牽連。

楊：關於這期間情形的經過，我在美國期間也常有朋友們問起，比如，我為何被趕出農民組合？其經過究竟是怎麼回事？等等。因此，我竭力回憶當時種種情景，形成了這樣一個推測。九月分，我先在台北會見了連溫卿（崇仰山川均的社會主義者，是當時改良主義派退出後的台灣文化協會台北支部負責人），然後直接參加了一星期的巡迴演講會。在這期間，我雖經過新化之家門而不入，就去南部的鳳山，訪問了農民組合的支部。葉陶（後為楊逵夫人）也在那兒，簡葉兩人是一起參與運動的，他們本來都是鳳山公學校（只有台灣人的小學校）的教員，簡吉先辭職，在那裡創建了農民組合。然後，葉陶也受其影響，辭職參加了農民組合。葉陶大概既對社會運動懷有興趣，也對簡吉抱有好感。因為，如果她討厭簡，也就不會追隨他（笑）。不過，這只是我的推測，當時簡吉已有妻子，而我則是單身漢。更何況，我是帶

著各種知識和新訊息從東京剛回來的，葉陶當然有與我親近交談的機會和親近我的意念。接著，我們在南部台灣農林進行了三個月的巡迴講演。在這期間，我們自然漸漸地親密起來。之後，我們回到台中本部。在全島大會之前，進行非正式的分工，葉陶擔任中央常務委員兼婦女部長；我擔任中央常務委員兼教育部和組織部長；簡吉擔任總務部長，在本部的時間比較多。我的工作在鄉下的時間比較多。剛好這時發生了山麓地帶的竹林等爭議（抗日糾紛）。當年在茶葉方面是「三井」執牛耳，在竹林方面則是「三菱」擁有造紙工廠。剛回台灣時，簡吉是運動的先進，而我則因剛回來，儘管有時通過開會決定某事，但大多數的情況則是由他指示。不久，我被指定為竹林問題爭議的總指揮。由於竹林爭議迅速發展，中央委員會通過決議，不準備輕易地決定勝負，而是通過不妥協的鬥爭，達到組織農民的目的。因為我是總指揮，當然要負起執行這個決議的總責任。

隨著形勢的發展，在嘉義的竹崎，警察的鎮壓變得更為嚴厲，已無法自由地入山、出山，只能派人混進或化妝進山。山上的人也假裝賣農產品出山來聯絡。形勢發展的相當可觀。正在這時，簡吉無視中央委員會的決議，直接向當地的農民寫信說，就給日方簽字吧。這無疑就是要農民妥協，認可對方有理的條件。農民們憤憤地來到我這兒，紛紛責問我，說我騙人，並說簡吉要他們妥協，該怎麼辦。我非常憤慨，這麼大的方針轉換怎麼能不開中央委員會就擅自決定呢？退一萬步說，至少應該事前同我這個總指揮商量一下。我即刻寫信向簡吉提出了抗議。經過種種曲折，最後終於召開擴大的中央委員會來進行討論。這時，爭議地

的幾個農民也參加了擴大會議，因為他們最了解現實情況。討論後進行投票表決，結果支持我和支持簡吉的各占一半。會議因此進入暫時休會狀態。這時，簡吉展開了頻繁的遊說活動，逐個進行說服工作。我因為在這方面缺乏經驗，休會時就躺下休息了。另外，我還想，這個指揮工作是因為非幹不可而幹的，也沒有什麼報酬。如在原則上不能貫徹我想法的話，這工作也就毫無意義了。當然，當會議再開時，簡吉取得了勝利。結果，我被解除一切職務，包括中央常務委員、組織部長、教育部長等職。

戴：那麼說，所謂路線鬥爭只是表面文章，其實本質是和路線毫無關係的私情對立，是嗎？

楊：說是路線鬥爭，但也摻雜著私人感情對立等因素。

以後我才知道，簡吉和連溫卿之間早就有摩擦。在當時我全然不知。在我的事情發生後，簡吉及其支持者就給我們帶上了「楊連」一派的帽子。現在細細一想，我發覺任命我為竹林爭議的總指揮也是為排除我而埋下的伏線。同時這也是所謂的「調虎離山」之計，他方面即蓄意拆散我和葉陶的關係。

若林：根據總督府的警察資料記載，在這之後，簡吉做為台灣共產黨員於1931年被捕，判了十年徒刑，在這之後，他究竟怎麼樣了？

楊：聽說簡吉被投入了台南監獄。又據說他在獄中狂熱地拜佛。在這之後，他在戰爭中成了皇民奉公會的總幹事（該是事務局長），是日本人高雄市長強拉他幹的。

戴：日本當局總是有意識地強迫具有社會運動經歷的人物來掛牌進行皇民化運動，把他們做為招牌。

若林：在農民組合和文化協會的實際活動中，先生是否感覺到了台灣共產黨的動向？比如是否覺得有誰明確受誰的指示而活動的事情？

楊：那樣的事當然有。其中既有從日本回台灣的人，也有從大陸回台灣的人。我主要在鄉村活動，與這些人雖然有接觸，但不多。接待他們的主要是簡吉和本部的人，從那時起簡吉就宣傳什麼「楊連一派」啦，楊逵和葉陶熱中於戀愛而將工作置於腦後啦等。我對此提出了抗議書，此文後被載於《台灣社會運動史》。如果我真是熱中於戀愛，那就不會在工作之事上與簡吉爭論。從大陸回來的人，大都先在本部由簡吉等灌輸了一通「楊連一派」之類的宣傳，然後再與我接觸。這樣，他們在最初就有了先入之見，從自己那兒就先製造了和我的距離。

戴：先生是否還回憶得出，當時有哪些日本人幫助了在台灣的運動？

楊：在農民運動時代，布施（辰治）是經常來我們這兒，後來古屋（貞雄）也成了農民組合的顧問。

若林：為此，古屋在台中開了一段時間的律師事務所。

戴：先生在留學期間也參加了日本的社會運動。先生認為日本的運動和台灣的運動差別何在呢？

楊：我對日本的農民運動全然不知。而在台灣，社會運動的主流，核心是農民運動，在這一點上，日本和台灣是有很大差別的。另外，在文化運動方面，1920年代，台灣的文化運動還只是一種啟蒙運動。但是，在日本，文化運動已成長起來，從文學發展到了演劇及其他的實踐運動。

回歸祖國（光復）、分裂、架橋

戴：先生在所謂的分派鬥爭中被逐出之後，過了大約二年，以左翼為主流的抗日運動在台灣內部遭到鎮壓而瓦解。先生在這之後，就同夫人葉陶一邊幹活，一邊寫了也為日本文壇所肯定和推崇的小說《送報伕》。當時來慶應大學留學的胡風（張光人）將《送報伕》譯成漢文介紹給中國。在這之後就是七七中日戰爭，然後是1945年8月15日日本戰敗。由於日本帝國主義戰敗，台灣得以從殖民地統治桎梏中解放出來，這就是復歸祖國也就是光復。在這樣的局面下，當時台灣的有識之士是怎樣考慮，怎樣迎接這一局面的？包括先生在內，曾經從事過抗日運動並坐過日本牢房的人們、受警察監視的人們都可以自由行動了。我想，在這種情況下，一定有各種各樣的想法、活動⋯⋯。

楊：戰爭中我在台中種地，並將農場取名為「首陽農園」（從伯夷、叔齊各餓死「首陽山」的故事中取「首陽」二字），但在日本戰敗後，又將其易名為「一陽農園」（從「一陽來復」中取「一陽」二字）。日本一投降，昔日農民組合以及文化協會的朋友從各地來看我。因此，我就用謄寫版出了《一陽週報》，把它分送給朋友們，向他們提供討論的素材。他們和我都很希望早日重建工人、農民等人民的自主團體。

戴：在1981年謝世的池田敏雄的論文——《敗戰日記》〔《敗戰日記》〕（《台灣近現代史研究》第4號，1982年）中有這樣的敘述，說先生在終戰之後即刻得到台中日本當局的諒解，並著手組織「解放委員會」。這究竟是怎麼回事？

　　楊：沒有「解放委員會」那樣的名稱。我確實在著手組織團體，日本警察也對此默認，其狀況似乎如池田先生所說。今天想來，終戰後確實形成了各種團體，但不管是文化團體也好，農民團體也好，都只是剛著手組織。這些團體尚未發展起來，二二八事件就發生了。另外，那個時候各方面變化既快又大，甚至變化過於激烈，大家都不知道怎麼幹才好，非常躊躇不決。這就是當時的實際狀況。

　　若林：聽說終戰後台灣各地立刻都形成了三民主義青年團。

　　楊：那時，三民主義青年團是國民黨公認的團體，而且當時又盛言三民主義，於是便有許多人乘機湧入三民主義青年團。儘管說是湧入，但也並非每人都積極地參與。這就是說，它成了一個人們比較集中的機關。因此，尋訪而來參加的人也有，進來探視情景如何的人也有。我也常在台中的三民主義青年團露面，但根本無意參加。我想根據自己的想法來建立自己的組織，採取自己的方針。不久，各種組織都出現了，有的被三民主義青年團吸收了；有的沒被吸收；有些人是機會主義者，見風轉舵，情況相當複雜。從大陸來的工作人員中，也有被特務系統注意的人物，也有以後被說成是共產黨同路者而受迫害的人物，實在是呈現出錯綜複雜的情況。

　　若林：提起台灣和三民主義，我想起一件事。在我的學生時代，有一次在回鄉探親乘坐的列車裡，坐在對面的一位年長的日本人對我講起他戰爭中的經歷。他好像是在日本陸軍特務系統，曾在緬甸和海南島從事訓練工作。在海南島時，他部下有許多台灣青年。戰爭一結束，這些年輕人立即滿口的三民主義，並十分

了解三民主義的內容，實在令人吃驚。一讀剛才所說的池田先生的《敗戰日記》，我們一般立刻就會接受這樣的印象——在戰後的台灣，立刻是三民主義的天下，而且其後也是得靠三民主義。例如有這樣的記載：角板山的醫生對村裡人解說，所謂三民主義就是日本人、台灣人、高山族三個民族融洽行事（笑）。自然，這裡會有許多誤解，但至少在口號方面，已是三民主義獨而走行大氾濫了。總之，眾人在當時是準備以怎樣的方式來接受三民主義的呢？

楊：簡單地說，民族、民權、民生的大致內容一般都是知道的。然而，在實際政治方面，盡與其背道而馳的情形在光復（台灣回歸祖國）後馬上就出現了。從大陸來台灣的官吏啦，接收委員啦，甚多人實在是很荒唐的。因此，甚至有人這樣解釋：不管是誰，即使是不清楚詳情的也都認為，三民主義的民族、民權、民生與台灣實際情況相去甚遠，甚至是全然相反。因此，在一般民眾之間，把三民主義說成是「三眠主義」之類的各種說法在擴大開來，對現狀的不滿和反感也在逐漸升級擴大。

若林：因而，二二八事件爆發了。

楊：是的，由於此時民眾的不滿已蓄積甚多並有一觸即爆發之勢，所以當台北發生事件的消息一傳來，立刻就由台北波及擴大成全島性的抗議熱潮。

若林：關於「二二八」，常聽說外省人（戰後和國民黨政府一起從大陸來台的人士）和本省人（台灣人）有對立。

楊：對一般民眾來說，似乎都認為「外省人不行」，因此就產生了對立。知識階級有時也被捲入這對立漩渦中去。但是，政

治方面姑且不論，在文化界，我們卻常和外省人朋友一起合作，互相交流。彼此努力希望能藉此來消弭雙方的裂痕。

若林：比如有些什麼努力？

楊：以中日對譯本的形式出了魯迅的《阿Q正傳》，郁達夫、老舍、沈從文的作品，以及我的《送報伕》。在這期間除因「二二八」事件被抓而中斷了幾個月外，前後共出了六種這樣的中日對譯本。

戴：先生所說的用中日對譯本的形式出書，是一件很重要的事情。從當時台灣語言狀況來看，只能選擇這樣的作法，也很有必要這麼做。當時，台灣有高山族；就漢族來說亦有閩南語（福建南部的方言）和客家語，其文章語一概尚未充分形成。而且，當中國大陸提倡白話文這一近代文章語言時，台灣卻已經淪為日本殖民地達20年之久。在這之後，發生過獨立自主地引進中國白話文的運動；也提倡過閩南話的口語文，但都沒有獲得很大效果和結果。其首要原因就是日本殖民當局的嚴格控制。因此，在日本殖民地時代，除少數人外，寫小說都是用日語。因此，在戰後，為了閱讀中國近代文學，必須借助日語不可。這實在是一種本末倒置的悲劇。在口語方面，國語和台灣方言的主流——閩南語也有相當大的區別和一段距離，這也是十分頭疼的事情。

楊：就我而言，戰爭一結束，探訪我的外省朋友很多。這是因為我的《送報伕》的中譯本（胡風譯，世界知識叢書之二《弱小民族小說選》所收，1936年，上海生活書店），據說在大陸也曾廣被閱讀過，特別是在抗戰中，這篇小說亦廣被雜誌轉載過。但是，即使有採訪者來，我也無能為力，因為我當然不會講北京

話。儘管如此，比如《台灣新生報》的副刊（學藝欄），編輯們每有座談會和演講會，就硬把我拉去，然後讓大學生坐在我旁邊做翻譯，用這樣的方法來謀求交流。在文化方面，和我一起工作的自然有很多外省人。在二二八事件後，我組織了文化界的聯誼會，和外省籍記者們商談起草《和平宣言》，試圖來緩和外省人和本省人的感情對立。

若林：正因為那個《和平宣言》，你被送往火燒島達12年之久吧。

楊：正是這樣。我以呼籲國共停止內戰並謀求和平一案，而被問罪。

中國大陸和台灣的未來展望

戴：先生這次到美國，遇見了各種各樣台灣出身的鄉親，就先生以往的經歷來看，既非共產黨員，但確實是一個對社會主義有所期待，從某種意義上說也是一個激進的孫文主義者。而且，先生既坐過日本人的牢，也坐過中國人、國府的牢，從這個意義上說，先生的經歷是很獨特的。這次先生又從台灣出來訪美，一定受到很熱烈的歡迎吧。在美國期間會見了台籍的年輕人，這些人中既有統一派，又有獨立派、左派甚至右派，他們究竟在思考什麼？今後大陸和台灣之間究竟會出現何種情況？如蒙先生能就這些問題發表意見，則十分感謝。

楊：就後一個問題來看，還不能說得很清楚。就我的想法來說，現在大陸和台灣處於同一個民主主義競爭的階段。在民主主

義建設中，誰走在前面，誰就能得到人民大眾的支持，台灣是如此，大陸亦是如此。當然，事情並不那麼樂觀。這次到美國時，許多人都聚集而來。走了二十多個地方，既有公開的演講，也有小型的私下聚會，受到了盛情的歡迎。右派也好、左派也好、統一派也好、台獨派也好，都來歡迎我了。在美國期間，華語報紙對我做了介紹，也轉載了我的作品。其中有屬於中立派系統的《北美日報》、紐約的《台灣公論報》、洛杉磯的《美麗島》和《亞洲商報》，後述報紙一類是台獨系統，或者說是被認為同情台獨的。他們兩方面都很感情地邀請我開座談會，並進行報導。這些報導大體上沒有曲解或歪曲，是按照我說的如實報導。只有一次，《台灣公論報》的報導消息走樣了，我提了抗議。具體情況是，這份報紙在報導我和報社社長談話的消息最後一段說，蔣政權利用我抗日運動的經歷，把我當作關於日本教科書問題的說客派到美國來的。我立即寫信抗議。那個報導的標題把我形容成「冰下70年，處處被撞，但也不凍結」。自然，大家都知道，我始終是堅持獨立獨步的。但把我說成是受國民黨利用而來美國的，這是對我的侮辱。我在信中寫了上述內容，該報登載了我的抗議信全文，向我謝罪。

　　戴：按先生的看法，台灣和大陸目前正在進行民主化的競爭，那麼，其前景如何呢？

　　楊：關於這一點在美國也進行了相當多的討論。在美國，有人主張「台灣民族」。這個說法我在台灣沒有聽說過，而持此說法的人硬要把它強加給別人。甚至說道如不「認同」（identify）「台灣民族」，就不是台灣人。

戴：先生對此是如何回答的？

楊：我說，照你們的說法，我就不是台灣人了。對方沒話了。我是生在台灣、長在台灣的百分之百台灣人嘛！如果我不是台灣人，那還有誰是台灣人呢（笑）？我這麼一說，就得到了共鳴。我表明反對把台灣和中國大陸的關係以「一統」的形式來統一合併。因為，所謂的「一統」是小集團及個人把基於自己獨斷的主張和主觀意志強加給一般民眾，用武力或別的什麼形式強加給一般民眾。這完全是獨裁，所以我反對。而通過說服和了解，大多數人自發地參加到一起的那種形式的統一，才是真正的統一，才是通過民主的統一，我贊成。對我的這個發言，別人沒有異議。我非常清楚台獨思想之產生的根源。那就是，台灣發生了「二二八」，大陸以後又發生了「文化大革命」，變得一團糟。因此，他們對大陸也失望了。只看出有獨立一條路。

戴：那麼，先生這次來日本，闊別了50年的東京怎麼樣？從某種意義上說，這次舊地重遊，有許多尋訪昔日青春足跡的感傷吧！

楊：是啊！我彷彿覺得，過去不也是這樣的嗎？好像覺得是前年的事情，走在新宿的街上聽到了軍歌，當我走過二重橋前時，就回憶起昔日曾在這裡進行過示威遊行。那次遊行是反對田中義一內閣出兵山東。參加者主要是日本人，有幾位是朝鮮人，台灣人只有我一個。走過二重橋後，我看到了國會議事堂，我在打土工時，從鷹架上差一些就掉下送去了命的前塵舊事。

戴：怎麼樣？50年後的今天，是否應重新認識最近的日本人？

楊：這也和過去一樣不變，和我一樣觀點的人還是很多。過去在自由運動中一起幹的都是日本人。

戴：這就是說，日本人雖屬殖民地統治民族，但也不盡是壞人，也有可以團結在一起的人……。

楊：確實如此。事實上，在過去的戰爭中，對日本一般市民和下層階級人士來說，也是毫無所得。出了300萬人的犧牲者，又得到了什麼呢？真是「一將功成萬骨枯」，全世界都是同此一理呀！

戴：這次出國之際，正碰上日本篡改教科書記述問題表面化。聽說先生也被邀參加加州大學柏克萊分校及哥倫比亞大學的討論會，做為經歷過日本殖民地統治的被迫害人士，先生對篡改教科書記述問題是怎麼看待的呢？

楊：在這個問題上，我是一種類型的歷史見證人。我們已經老了，但年輕的一代必須留意。因為日本的青年一代要是被灌輸了軍國主義思想，將來或許還會有再一度的不幸，所以我們自己要寫反戰的詩和小說，並把它們編入我們自己的教科書，告訴年輕的一代。

戴：這是最後總結性的話題。即，在近現代歷史中，台灣知識分子也有各種各樣的生活方式，對此，先生有什麼感想嗎？

楊：有相當數量的知識分子具有機會主義的傾向。然而，每當掀起運動時，如果沒有知識分子的參與，這運動便很難推展。我一生幹過各種事，在那期間，我不曾把自己界入在知識分子的地位中，也沒有過那種自我意識和自負感，我隨時都想著置身於群眾之中。例如，我蒔花已近四十五年；在東京，我送過報，做

過土木零工；台灣的運動瓦解後，我又幹過各種活，最後進入園丁生活。我寫文章，但不把自己說成是作家，而自稱為「園丁」。我寫文章的量很少，因此，打開頭起就沒有過靠筆桿子生活的念頭。當然，自己寫的東西被廣泛傳誦閱讀是很不錯的。被選入台灣中學國語讀本的〈壓不扁的玫瑰〉一文，我就沒拿過一分錢的版稅。那書已出七版，大約已達200萬部，每年約出四十萬部，我對此已很滿足。300萬青年人讀我的文章，我期待他們得以具有壓不扁的氣質心境。倘能如此，我就覺得自己已做了貢獻，也就感到欣慰且滿足了。

戴：那部作品的原來題目是「春光關不住」吧。是先生在火燒島監獄時，跟監獄的難友——青年學生學北京話後寫成的作品。政治犯在牢房裡寫的東西竟載入了官定國文教科書，其經過如何？

楊：台灣大學有一位名叫吳宏一的中國文學系老師，他四十多歲，擔任「國文」教科書編纂委員會主任，此人提議採錄我的小說，並在編譯館討論決定。會議通過後，寒爵（本名韓道誠，中國東北籍的作家）來信告訴我，雖然決定採用，但「春光云云」會使中學生引起不好的聯想（春光隱含情色之意），所以不行（笑），請我改題目。因為在小說的最後部分，我把台灣抗日運動中民族壓不扁的精神寄寓在玫瑰花上，所以就據此改名為「壓不扁的玫瑰」。

戴：文章當然寫出了對日本的抗日精神及其表現，但先生的用意不止這些吧（笑），在玫瑰花上作者還寓於這樣的意思，即，民眾、庶民、老百姓的真心和思想是不會被永遠壓制住的。

　　楊：是啊，是有兩方面的含意。我。知識分子交往，但我自己不耽溺於知識分子的名分。獨立獨步，按自己的想法幹。今後也一如既往，和知識分子不「一統」，而是和他們「統一」友好地共同生存工作。因為我毫不絕望⋯⋯

　　戴：楊逵先生長年來太辛苦了。今天的座談也花了很長的時間，是太辛苦您了，我們都希望先生今後健康、愉快，並保重，我們人人都期待著您能繼續未完成的心願工作。謝謝！

　　（1982年11月6日夜18時於池袋東江樓，於東京歡迎餐會後訪談）

　　　　本文原刊於《台湾近現代史研究》第5號，東京：台湾近現代史研究
　　　　会，1984年12月30日，頁193～206

拼湊台灣戰後史
——「台灣，變化的底流是什麼？」座談會

◎ 林彩美譯

與會：陳映眞（作家）

　　　松永正義（一橋大學助教授・中國文學）

主持：戴國煇（立教大學教授・近代中日關係史）

關於陳映眞：

陳映眞，1937年生，為台灣具代
表性的作家之一，基於中國統
一為目標的民族主義及社會主義
的立場，激烈批判現代主義、大
眾消費社會、台灣獨立論的評論
者。也透過雜誌經營，組織文化
運動、文學運動的能幹組織者。

自1959年的處女作以來，喜描述
閉塞狀況的青年、知識分子的
挫折或虛無感。1966年起，試改
為加重批判、諷刺的寫實作風，
批判1960年代主流的現代主義文

陳映眞《夜行貨車》以批判性寫法描
繪台灣現代社會

陳映真《山路》以1950年左右共產
黨相關活動為主題

學，構築1970年代文學的理論基礎。此外，從當時開始步出實踐活動，因為進行與毛澤東、中國革命、文化大革命相關的讀書會活動的嫌疑，而於1968年遭逮捕入獄。

1975年出獄後的創作可分為兩系列：一為《夜行貨車》、《雲》等，以跨國企業為舞台，批判地描繪台灣的現代社會。另一為《山路》等，以1950年前後共產黨相關活動，及與此關聯的人們的生活方式為主題，思考那個時代的意義。後者對於總是從本省人及外省人的對立去談二二八事件的觀點的台灣戰後史，希望用包括另一種方向性（即做為中國革命延長的台灣解放）去重新總結主張的實踐。

在評論中，陳映真主張批判現代主義，重視現實，以做為反帝反封建之第三世界文學，主張繼承中國近代文學傳統。他統整把握中國統一、社會主義及中國革命的理念的一點，有他自己的立場而不是祖述中國共產黨的立場。文革後的今天〔1987年〕其立場被認為有所困難但具意義。現在傾全力於以照片為主體的報導文學雜誌《人間》之發行，為台灣左派動向之代表人物之一。

此次訪日，主要是為了主題為中國人被強制帶來勞動的象徵的花岡事件的報告劇演出事宜，由石飛仁負責的「不死鳥」劇團及台灣的「人間世

劇場」聯合公演。該劇去年也曾在台灣公演，引起極大的迴響。（松永正義撰）

戴國煇（以下簡稱戴）：陳先生此次來日本前，好像也曾在首爾短暫停留。

陳映真（以下簡稱陳）：是今年2月吧，首爾外國語大學邀請我去做關於中國抗日文學的演講，出國申請早向政府提出，但是久久沒有獲得許可，本想算了，但到4月時突然獲得許可。其後不久也得到香港、新加坡關於文學會議的邀請，結束香港、新加坡的訪問後，順道繞去了馬來西亞、馬尼拉。到首爾時是6月11日，每天在瀰漫著催淚瓦斯的空氣中生活，因此深受打擊。

戴：所以見到激烈變動的現場，菲律賓如此，訪問韓國時也是最騷動的時候，能夠目睹歷史性的一刻，我認為是很幸運的事。台灣從去年秋天以來，也開始顯示出驚人的變化。對於許多日本讀者不易明白此一變化，其中一點，是因為在日本直接從台灣來的資訊極端的少。

因此，我希望能請身為作家、同時是影像報導雜誌《人間》的主事者、每天緊追著台灣變化的陳先生，來介紹台灣的政治方面、經濟方面及文化方面的變化。

質的問題

陳：若只從現象面來說，事實上在政治方面的變化非常激烈；不是漸進式的變化，而感到像是突然發生。國民黨默認了在

野黨民主進步黨的成立，也解除戒嚴令，報禁也聽說要解除。

　　表面上看來，或許有人認為國民黨是迫於民眾的力量，不得不進行自由化、民主化。不過我卻不這麼認為。並沒有像菲律賓一樣被人民的力量所攻擊，不得不讓出權力的狀態。為什麼台灣會在一夜之間，採取了完全不同的政策？我認為這並不是很單純可以理解的問題。

　　經濟方面，目前政府在喊要「三化」，也就是國際化、自由化以及制度化。所謂國際化，也就是解除對國內資本的保護及關稅等保護主義政策，自由化主要是對民間開放國營事業，制度化在日本就是稱為經營面的合理化。

　　為了要在國際經濟的競爭中勝出，台灣或許已到非改革資本主義結構不可的狀態。長久以來，資本與政府的關係過於緊密，無法僅用行政命令進行改革，因此，藉由市場法則，把台灣資本主義的結構，朝向更資本集約的方向改革。

　　戴：在文化和思想方面的變化您認為怎樣？電影或文學等方面相當活躍的樣子吧？

　　陳：這裡就有點問題了。我在1968年入獄，當時西方的新思想，例如存在主義，只有少許被介紹進台灣，同時也進行討論；總之有要思考事物的場域及氣氛。因此，我本覺得出獄後，要挽回落後，一定要好好用功。而1975年出獄事實卻不是如此，可以說，出來後發現那種思考事物的場域及氣氛都消失了。

　　想想看原因是什麼。1968年當時，近代的大眾消費社會，特別是電視文化只浮現一些之時，當時知識分子生活雖然貧困，總是把思考事物當成自己分內的工作。然而隨著台灣資本主義急速

擴張，在以跨國企業為首所形成的產業組織中，知識分子逐漸被吸納進去、組織起來，因此文化的現況改變了。好像討論這一點的人和場域都變少了吧。

　　戴：我與陳先生的感觸有點不同。事實上大約在這十年，台灣好像出版了不少純文學的詩集和小說，雖然不論其內容如何，這種情況在日本並不是那麼容易，對此現象您有何看法？

　　陳：在台灣，純文學也是賣不出去的。看起來像是出版繁盛，是因為作家負擔一部分出版費用甚或全部，印了1,000本或1,500本，雖然一部分流通到書店，但是其他部分則分送朋友，這樣的情況很多。

　　戴：這件事本身就是一個變化，雖然不能靠它吃飯，但是還是想出書，而且能出，我認為這也是一種文化現象。

　　陳：是啊，不過戴先生說「不論其內容」，我認為不能不論其內容。

　　台灣自1950年以來，藉著在文化、思想、社會科學等領域有形、無形的禁壓，而無法有知性學問的累積，學者或學生也都不從事累積的基礎工作。在美國留學歸來，也只是現學現賣學說而已，其引進的學說究竟與台灣有何關係，或如何配合台灣的條件，都沒有去思考。翻譯也是這樣，並沒有經過驗證研究，只是拚命出版而已，雖然那樣，求知若渴的讀者也不能不讀。

　　台灣的文化問題，第一在累積上，第二在內容上，也就是質的問題，都是40年來台灣文化的重大問題。

自力救濟的動向

松永正義（以下簡稱松永）：剛才提到質的問題還很不好，這是可了解的。無論如何，從1970年代開始，台灣社會的變化非常引人注目，在文學方面也變得非常有趣。此外，在1980年代社會運動，像是反公害運動、消費者運動等，也都大幅成長，這也是至今沒有過的事。

這樣長期的變化，與剛才陳先生已提及，是去年開始突然發生的變化，有何關聯呢？

陳：當然在理論上，可以想成是因為台灣社會產生巨大的變化，所以政治上也被迫要改革。

但是在台灣實際的感覺，這次的變化有些太突然；統治者被迫才做出讓步。 實際上這次的事情並非如此而是突然來的，為何如此，並不是很清楚，清楚的只是一個人的意志，也就是蔣經國一人的意志而已。這個人真的是要做的樣子，從統治機構全體來說，相關人士只看上面，是這樣聽憑上意的狀態。

但從別的方面來說，我當然對民主進步黨很有期待，因為這可以說是中國歷史上，首次出現有某種程度的民眾基礎的在野黨存在。此次的政治變化中，他們在野黨，也就是黨外勢力所完成的角色當然不小。但是變化的原因不只是如此，如果誤讀的話會很危險。而且在野黨的勢力中，也有未成熟之處，例如他們還不能十分汲取社會運動中所見到的民眾能量。

戴：做為一種社會運動，最近學生似乎有新的動向。像是國民黨當局推薦了大學自治會長候選人，但是卻由非國民黨系的學

生推出與其對立的候選人並且當選，或是學生自發性地從事地下出版活動等。我認為這是1970年代初期的保釣運動以來，首次的情形吧。

陳：學生運動或許可分為三個階段。最初的階段是1960年代，我的時代也是這樣的，當時覺醒的學生只是單純地參加選舉活動，協助黨外人士參選，黨外人士每在選舉時受到打壓、下獄，因此得到學生的同情。所以，一個個學生都逐漸參與了政治，也就是說，本來是單純的不滿，或是延續反抗浪潮。

第二階段則是從1970年代開始，或者早一點，起初仍然是以援助黨外參選為始，但是對黨外只是心情上表示同情，理論層面還無法被完全說服。因此開始有少數校內自主的團體出來，與學校當局對抗。先是行動，然後從思想上開始變化，因此校內的氣氛也有點改變了。

第三階段是在最近，大約從去年開始，出現了進步的政治學或社會學的盜版原文書，學生之間逐漸在閱讀，例如像是馬庫色（Herbert Marcuse, 1898～1979）的書，華勒斯坦（Immanuel Wallerstein, 1930～）的資本主義世界體系論等，學生看事情的方法有點改變了，更加覺得僅黨外運動不能使他們得到知識上的滿足，才開始出現知識、思想的覺醒。

因此，在學生的出版物中開始有階級或是資本主義、帝國主義等這樣的用語出來，之後也漸有把理論應用到現實的脈動，我想這是很大的變化。

只是關於讀進步書籍這一點，因為戰後台灣的問題是，在知識上或社會運動上都缺乏蓄積，突然想要讀書，這就是件不容易

的事了。

　　韓國長久以來有學生運動的歷史，在運動中累積勝利的記憶或傳統的成果，有很大的功用，和台灣相比，他們實在是很了不起的。

　　戴：關於反公害運動，例如杜邦想在鹿港設廠，黨外和學生及市民集結而產生反對運動，結果杜邦收手了，我認為這也是新的動向吧。

　　陳：台灣的反公害運動是這樣的狀況：起初，居民對於許多工廠要來自己的地方大表歡迎，因為資方宣傳會有很多收入以及僱用的機會。但是過了兩三年，抱怨就會逐漸出現：水被污染而無法喝了，或是造成皮膚病等。居民也很善良、持續地，進行十年以上的合法抗議，報警或是對政府陳情，可是政府什麼也沒有做。經過了十幾年的忍耐，受害漸漸嚴重起來。我也去採訪過，情形的確很嚴重、已到無法忍受的狀況。民眾站出來了，這是他們身處其境，長久以來一直忍受的結果。

　　也就是說，居民的運動是被迫自發而起。然而黨外對於公害問題的重要性，還不是認識很清楚，只是去那裡的話可以提高知名度，所以才會偶爾出現亮相一下而已。

　　學生的話就另當別論了。在校園讀書，發現自己必須走入民眾才能印證知識，而去到公害運動的現場當成是學習的一環，在當地住了下來，和公民交談，變成很好的學習。雖然還只是少數，但如台灣大學的社團等，認識到如果不走入民眾，是不能解決理論和實踐問題的。用這樣的心情去到鹿港，而有提出很好的報告出現。

　　因此，反公害運動並不是由黨外或學生先發起、然後公民再起來的，完全是相反的，是公民先行之類型。

　　戴：最近的一個變化是民眾自力救濟的動向變得激烈化了。

　　到今天為止，台灣所謂的經濟奇蹟也好，經濟成長也好，都只是經濟擴張而已，擴張之中有對立的矛盾。其矛盾終於表面化，就例如公害問題，群眾到忍無可忍時被迫站出來，因此最近出現街頭運動，反公害運動也增加了。

　　陳：確是這樣的。

　　松永：這種超越政治框架的社會大變化，好像未反映在最近的文學上。1970年代時，在陳先生為首的文學者努力之下，描寫台灣的現實面，這是文學界普遍的認識。當時是受民族主義支持的所謂的寫實主義文學，這樣的共通的一個條理。

　　但是現在似乎台灣的現實不容易看清的緣故吧，是不是喪失共通的條理與共識了？

　　陳：是的，完全就是那樣。

　　松永：原因之一是到1970年代為止，特別是在政治方面言論被壓抑，所以以文學來表達的形式，因此文學非常具有活力。現在政治的事可以在政治場域裡議論，所以文學固有的問題反而不容易看出。

　　所以現在政治突出了，想要追趕上這種情形、而主題先行的小說也增多了，但是在文學上，我認為好像是有點喪失方向的狀態，不知您對此有何看法？

無力化的危險

　　陳：我同意您的看法，但是要尋求答案，就非要回顧台灣戰後的文學狀況不可。

　　戰後台灣在1950年前後，文化的潮流呈現一大改變，之前很有批判的寫實主義傳統。

　　但是1950年前後的清共（red purge），在血染的土地上開出的花，是從美國來的現代主義，其影響力持續約二十年。為何能壟斷這麼長久？是因為批判的傳統被斷絕了。在第三世界，早就在批判現代主義為首的西洋事物，第三世界的主要文學作品在1960年代前半就出齊了，而台灣則到1970年代還在被模仿西洋的文學所壟斷。

　　1960年代末期全世界的資本主義社會中，掀起知識分子的反叛，之後1970年代初，中美接近，帶給台灣很大的影響和衝擊，終於產生所謂批判的文學，其中最具體的是1970年代的現代詩論爭與鄉土文學論爭。當時的文學脈絡，是反帝國主義與以中國全體納入視野的民族主義。到當時為止，全然沒有以台灣為名的文學的意識。

　　我認為這個改變，高雄事件的影響遠比想像中還要來得大。在這個事件中，相當部分的台灣年輕菁英被國民黨彈壓下獄。

　　因此有別於1970年代的方向，與中國有不同意味的，台灣人、台灣文學開始出來了。有那種「台灣人不可以只是被欺負」的情緒升高之故。

　　因為1950年代以來的知識貧乏之故，而只能抓住事物的表面

的、情感的部分。

台灣的基本問題，用醫學用語來說，基礎疾病是知識的貧乏。因此，雖然最近的政治小說之類的作品常被談及，但還是台灣人不可以那樣被欺負之類，感情面強烈，卻沒有出現具有深度的東西吧。人也好，社會也好，環境也好，解釋的內容都還不成熟。這是我的看法。

松永：與陳先生的主題之一大眾消費社會的問題有關聯吧。台灣的社會結構和最近的日本社會很像，在日本，文學的語言在大眾消費社會中已喪失做為語言的力量，已成為只是單純的複製商品，我認為這樣的情形好像也逐漸在台灣發生。

陳：台灣也有這種危機的狀況，日本有安保鬥爭的歷史，但是在今天，文學也變得無力了，這是很可怕的事。

台灣幾乎沒有這種批判的、改革的藝術家或文學家的傳統，因此大眾消費社會到來後顯得更為無力化，顯現知識缺乏深化的條件。

戴：我想回到政治的主題。到現在為止，從事反國民黨運動而入獄，此事即成為一種勳章，只因這樣民眾就給予支持，但是這種狀況恐怕會逐漸消失。以後光只是入獄並不能獲得民眾的信任，反而是要有確實的思想或主張，對於民眾提示一些新的東西，否則民眾不會跟從，也不會支持吧。

陳：我也認為這樣。高雄事件之後，政府對政治案件的處理方式改變了，以前是選舉當年一定抓人，或許國民黨本身也感受到高雄事件對體制方面的不良影響，之後幾乎不再抓人了。

戴：逮捕使被捕者本身成為英雄，體制方已知道。那麼就又

回到最初的問題，陳先生說過最近的變化像是突然發生，大家都注意蔣經國一人的言行。但是否也該考量，國民黨中產生了感到過去所採取的方法已經不適用的層級？

其中一項是台灣的經濟，雖然仍有許多問題，但是規模已擴大，和過去的生活相較，已經富裕很多，因此人們出國比較容易。在此情況下，開始把外面的世界和台灣內部連結起來，開始連結的瞬間，國民黨本身也感到政治壓抑不免招致爆發性的反抗，因此嘗試緩和情勢，減少反彈。我是這麼認為的。

現在所謂的變化，與其說是來自民眾或在野黨的壓力的變化，不如說是體制方先行，希望使狀況能走向對自己有利，其結果或許就是您所指的現象吧？

陳：確是這樣的，新一代的現代官僚，從哈佛或耶魯回來的留學生等，許多人進入官僚機構，他們和以前的官僚不同，能從管理上、經營上的角度看事物。

例如對於出國許可，過去那些人一見到人就反射似地說，這傢伙不可以出去，一句話做了結。現在有了管理的概念，會基於狀況仔細考量，再決定是不是給予許可。

不過這只是原因之一而已。這次的變化，很大的一個原因還是在美國，希望有更安定的台灣，維持台灣與大陸的分離，因此站在共同的利害上，美國和國民黨、在野黨的微妙關係，在此意義下而形成合作關係吧。因此美國不斷地招待在野黨領袖等，嘗試想法的溝通。事實上許多在野黨領袖訪美，與對方的要人會面，做為自己的政治籌碼而引以為傲。

戴：如果是本來的思想層次關係還好，但這是一種政客政治

秀的關係。對於這種作法，現在搞學生運動的一群人會表示不滿的。此外，既然提到美國，也想聽聽您如何看台灣和日本的關係。

書寫平假名的年輕人

陳：如您所知的，戰後在冷戰結構中，無法清算戰爭責任，台日間形成緊密的關係，台灣有賴日本或美國才能在國際社會存在，這種狀態長時間持續下來，使日本與中國的近代史總結受到嚴重的扭曲。

也因此，戰後40年來台灣的歷史教育敷衍牽強，兩三年前問高中生「七七」（盧溝橋事變）是什麼，他們回答說，不是巧克力的牌子嗎？是這樣的狀況。

到現在政府方面也沒有在紀念抗戰，而在野黨的態度，則是認為抗戰是「中國人」的事，和「台灣人」沒有關係，非常冷淡以對。在野黨也全然對日本和美國沒有批判的觀點，更不用說與反帝國主義或與第三世界聯合等的想法了。這是台灣戰後的冷戰結構，如何地以扭曲的形式影響所及的呈現。

在此狀態中，新世代也全然沒有對日本的批判意識，不懂日語的年輕人也在讀日本《non-no》雜誌或《an-an》雜誌，看其中的圖畫及照片，想比其他人更早知道日本的年輕人在穿什麼、髮型怎樣等。

更使人吃驚的是，最近年輕人把中文裡的「的」，也寫成日文平假名的「の」，例如「我的鉛筆」，就寫成「我の鉛筆」。

他們認為抗日是老一輩的歷史仇恨罷了，大言不慚地說自己用新的眼光看歷史。其實他們對日本完全不了解，但只是無批判地盲目追隨狀況而已。

戴：這一次來日本，有沒有新的感想？

陳：花岡事件＊即使中國人知道的也不多，但這次我來，卻能和努力紀念這個事件的日本人見了面，實在非常感動。像這樣的日本人必定要和他認識，否則我的日本觀也不知會變成怎樣，我自己也不能想像。來台灣的日本人，只是像您所知的那種日本人。此外，我這次去馬尼拉，也去看那裡的日本企業，那是新型態的強制勞動，我認為只是在當地的強制勞動而已，完全委任轉包人，看來一點也不管勞動災害等，也不想負責任的樣子。

台灣是蔣介石・國民黨的台灣，自己是改革派，台灣的問題沒有必要管，也不願意管，日本人當中，採取不想管的傾向的人不少。

要改變這種想法，是不是有必要在民眾的層級上開始搭起聯絡網呢？並與對亞洲的事務確實認真研讀、參與活動的日本人見面，我深切地感到這一點，而這不是可以做得到的事嗎？

戴：話說回來，聽您說台灣的年輕人的對日意識時，我感受到經濟擴張後，近代化也為台灣帶來荒蕪，不只顯示出公害問題，還有文化面的無國籍化、喪失民族性等問題。

陳：是啊，像這樣下去，我擔心會不會像香港一樣，在經濟

＊ 花岡事件：指1945年6月，被強制帶去日本勞動、約八百名在秋田縣花岡礦山勞動的中國勞工起義的事件。經過數日與軍隊、警察的戰鬥，受到鎮壓，有百餘人被殺。

方面和意識方面，都逐漸成為無國籍化。

另一個掛心的是，冷戰結構中，執政黨的反共體質也轉移到在野黨勢力。在野黨和執政黨的意識形態的水準，完全停留在對大陸的共產黨的同一點上。因此對於國際資本主義毫無批判的態度重疊。在野黨和執政黨兩者所爭的，只不過是政治的排序及國會的席位而已。

松永：我能了解，冷戰結構對在野黨也有強大的影響。只是我想，現在成為問題的還是民主化，從這一點來看，現在民進黨的運動，在政治制度方面，顯示固定化的台灣內部冷戰結構，已從內部崩解了。

陳：確是如此，理論上是這樣。但是我這次在韓國停留的體驗，認為民主化也有質的層次方面的問題。

戴：揭舉民主化的行為及主力分子在質的方面有相當的落差，韓國的主力分子相當的成熟，質和理論的層次水準都很高。

陳：台灣有部分程度的自由，在野黨也有組黨的可能，文學上也比較有表現的自由，但是要說什麼、要做什麼呢？要怎麼看過去的歷史？要如何分析現狀？在這個基礎上，未來要走向什麼道路？這些質的方面的問題，現在似乎最為欠缺，我痛切地感到這一點。

松永：不過，關於台灣的變化，雖然台灣和大陸有共通的、非常牢固的政治文化，但總算是以民主化的形式而漸漸在突破，這一點似可看成是中國近代史上極大的意義。或許在對大陸的看法上，民進黨也有很大的問題，不過至少現在可以在民主化這一點做個評價吧？

　　陳：這確是個好的問題，不過我還是想提提我這次的韓國經驗。問韓國基督徒或學生時，他們對於國家的分裂、民族的分裂，分別以不同的言語表達出心中同樣的沉痛。

　　當然他們對於怎麼統一，兩種體制、兩種生活狀態要怎麼變成一種，對於這件事是不知道的。他們有多種說法，但並沒有結論。不過，一致認為分裂必須立刻結束，把統一看成是全民族的悲願。對我這個主張中國統一的人而言，令人感動。

重新思量戰後史

　　松永：或許是外國人不負責任的看法，但是我認為台灣的狀況和韓國不同。

　　韓國的情形是殖民地化及分裂都是全民族的經驗，但是在台灣，殖民地化和分裂，都不是全民族共通的經驗，而是被切割分離形式的經驗。我認為，相對於韓國的情形是全民族都有共通的歷史經驗，台灣的情形則是很難有共通的經驗，這是從日本統治時代開始就存在的困難與扭曲。

　　而且如剛才所說的，台灣與大陸本有強固、共通的政治文化，但是大陸方面這種政治文化更強大，大陸內部對於民主化、自由化有多少保障，對在台灣思量民主化、自由化者而言，這當然是很重大的問題。

　　民進黨方面確實只看大陸的政權，沒有看大陸的民眾，甚至也沒有看大陸和包括台灣在內的中國的歷史。不過我認為這個問題點，也是要看現在大陸的政府的作法。這是不得已的部分，也

是沒辦法的吧。

在這種意義中，思考分裂或是統一時，台灣或許要比韓國困難吧。

陳：我想說的是，要克服冷戰結構培養出來對事物的看法，有必要重新思考台灣問題、中國問題。首先要重新思量戰後這樣的事物，把現在所得到的自由和民主加以正面活用。

例如終於出現可以公開談論可視為戰後台灣史原點的二二八事件的氣氛，我們的《人間》雜誌也做了二二八專輯。台灣在光復（從日本的統治解放出來，回歸中國）時，是全面地傾向中國的，當時的氣氛是終於回歸祖國了，這種氣氛被二二八事件破壞了，這真的是祖國嗎？有這樣的挫折和失望的迷惘。在這樣的迷惘中，有些人和當時的地下黨接觸，與另一個中國相遇，而再度燃起民族情感，結果在白色恐怖中被殺了。

這種歷史的複雜性，我是在這次編輯二二八專輯時，首次認識到的。但今年第一次舉行的二二八紀念集會，並沒有像這樣重新認識歷史的努力，而只是叫囂政治口號、罵國民黨，僅止於情緒性的東西而已，平白浪費難得的自由，實在非常可惜。

有趣的是，和韓國的文學者對談時，他們也想要重看戰後史。在日本的金石範先生以濟州島叛亂為題材所寫的小說等，我想也是在思考這個問題，把統一的問題從戰後史的根源重新去思考。

戴：我想整理一下今天到目前為止我們所談的部分。現在台灣民眾很有活力，在此陳先生希望變革的思想，能使之成為極成熟的東西而做準備；希望能為民眾提示出與大陸和國民黨有不同

的改革思想。在這一點上，陳先生認為我們自己的起步是不是有一點晚了，並且因為韓國之行，更加深了您這種擔憂。

　　不過松永先生所見不同，他認為已做的相當好，對於中國歷史的包袱，民進黨等的動向不正是逐漸在剝除嗎？對這一面要好好珍重。

　　陳：我不希望有誤解產生。我絕不是不重視民進黨，反而是對它有期望。現在民進黨不易招募黨員，特別知識階層的募集是很困難。到現在為止，它在理論部分還無法令人滿意，因此許多知識分子都採取旁觀的態度，雖然選舉時不得不投入民進黨，凡民進黨的集會一定會去，但聽了演說的內容又感到不滿意。

　　總之台灣必須摸索出新的東西。我年輕時，曾以為社會主義是解決中國所有問題的答案，中國在做的所有已是問題的解決，有過這樣簡單、安易思考的時代。誰都曾那樣天真至極。文化大革命後發生許多事，有人轉向了，也有人落伍了。但是我認為不能那樣，現在應該重新從歷史的觀點，認真地開始從根本思考問題。

　　在台灣認真地立足歷史的總結之上，開創自主的革新勢力，我認為這或許是當前台灣迫切的課題。

　　　　本文原刊於《世界》第506號，東京：岩波書店，1987年10月，頁140～151。原題「台湾──変化の底流は何か」

應否道歉？由誰道歉？
──道歉、賠償與二二八的歷史情結座談會

時間：1992年2月23日
地點：《聯合報》大樓
與會：賴澤涵（中研院社科所研究員）
　　　李筱峰（世新學院副教授）
　　　戴國煇（立教大學教授）
主持：高惠宇（《聯合報》副總編輯）

　　行政院二二八事件專案小組的事件研究報告日前正式公布，45年來因此一不幸事件而引發的恩怨情仇，總算可以大致清理出一個眉目。接下來的問題是：事件發生當時責任的歸屬？誰來向冤屈的死者道歉？應否賠償？更重要的是：當人事都盡了以後，恩怨情仇能否減輕或轉化呢？以下是由本報副總編輯高惠宇主持的一場座談會，三位與會人士都是長期關注和研究二二八事件的知名學者。他們都認為，國家元首可以出面代表道歉；合理而有誠意的賠償也一定要做；受難者家屬的寬恕情懷和執政者徹底走民主化道路的胸襟，才能為這一糾纏四十餘年的歷史悲劇劃上句點。

　　高惠宇（以下簡稱高）：行政院對外公布了二二八事件的研究報告後，各界多對這項作法表示肯定的態度。當然，二二八事件本身還有許多問題，是無法在這本研究報告中解決的。不過，如果我們要使此一事件最後能夠「讓歷史的歸歷史」；那麼，政府除了公布這份研究報告之外，還應該採取什麼措施，才能撫平這些歷史的傷痛。畢竟，最終大家還是應該是往前看，才能面對台灣未來的各項挑戰；不要讓二二八成為永遠的心結，也不要再成為各種政治事件中拂之不去的陰影，繼續造成更大的傷害。今天我們想共同探討的是將來政府在可能的範圍內，還能有什麼樣的作為，可以配合這項研究報告的公布，使這個事件的傷害減到最低。今天應邀出席座談的學者，包括：戴國煇先生、賴澤涵先生、李筱峰先生，這三位都是長期對二二八事件關注並有研究的人士。這次座談的參考題綱是：

　　一、二二八事件研究報告公布後，政府是否應該道歉？由誰代表道歉？程序如何？

　　二、政府應否賠償？政府如何解決賠償問題？賠償應一視同仁嗎？

　　三、政府在採取道歉和賠償措施後，關於二二八事件的歷史情結能否撫平？省籍問題能否化解？以上請各位就應否道歉的問題提出意見。

　　戴國煇（以下簡稱戴）：賴教授所領導的研究小組辛苦了。不過，一開始，政府明顯就是有意以政治解決的方式，來處理這個問題；但是政治必須依靠學術研究，而賴教授的研究小組則是本著學術良心，來進行這項研究。

　　至於由誰道歉的問題，當然是由政府來道歉。因為，以學術的立場，可以探討某人應負某種責任，但整體而言，當時的長官公署仍為國民政府在台灣的行政單位，其引起的問題，仍應由政府來道歉。另外，由誰來代表政府道歉呢？應不外乎總統或行政院院長，兩人之間，當局應有所考量。不過，由誰來道歉的問題，與往後民主憲政的推行與落實是有關係的。

　　如果從歷史的觀點來看，此事基本上是台灣光復後，大陸來台接收，並為結合成一體而進行重建的時候所發生的衝突，這也是整合未成而引起的悲劇。到現在為止，此一事件所引起的後遺症，仍不斷被部分人士引為炒作的政治訴求；為了整個社會更和諧，民主憲政更落實，在此課題下，道歉的事應由李總統來代表，較為堂皇。因為，這許多人多年來的努力，目的就是要從其中吸收歷史的教訓，讓我們走向更光明的明天。所以這個問題應不分省籍，由李總統代表政府來道歉較好，因為李總統是根據中華民國憲法所產生的總統。

　　賴澤涵（以下簡稱賴）：我贊成戴教授所說，政府應該道歉，並且應該由李總統來代表。不過，我認為，應正式一點；不應僅僅由總統簡單地對此事表示遺憾，而應該由立法院通過正式的決議，由總統代表道歉。

　　立法院應有較長遠的眼光，因為，未來的翻案將難以避免，但一個健全發展的社會應不怕翻案，甚至愈翻案社會愈健康。畢竟，過去的社會，權威體制累積這麼多年，難免發生各種問題，現在則應該面對這些問題。

　　我們在報告中原本有二段話，後來接受審查委員的建議，予

以刪除，其大意是，以往由於未對二二八事件做妥善的處理，故在野人士常利用此事件來做政治訴求。因為，有人認為，未必是在野人士有意利用二二八事件做為訴求，而是政府未做處理，怎麼能倒果為因，說是在野人士利用此事來做政治訴求呢？說法不無道理。

過去，二二八事件不能談，對事件本身也未做處理，累積多年的結果，就有了現在發生的許多問題。現在這份研究報告，雖然不可能獲得社會各界百分之百的肯定，但能有百分之七、八十以上人士的肯定和鼓勵，就令人欣慰了。因為政府要求我們做的這份報告，基本條件就是要客觀公正，達到了這個條件，應該就可以接受的。

當然，接下來就是政府道歉的問題。政府應該透過正式的途徑，由立法院做成正式的決議，由總統代表道歉；可預期的，未來還會面對各種翻案風，必須通過一連串的法案，來解決這些問題。立法院做為決議後，再由國家元首來代表道歉，較為正式。

李筱峰（以下簡稱李）：最近許多人經常提到一個問題，政府應不應該道歉？我開玩笑說，小時候，老師就說過，如果我們做錯事情，就應該道歉。那麼，今天既然我們已經研究出當初的確有許多措施失當，就應該道歉。雖然，政府作為不能與個人行為一概而論；不過，在立碑、道歉和賠償等方式上，道歉已經是最為省錢、省事，而又最能獲得政治效果的，政府為何不為呢？因此，道歉應該是可以做到的。

但道歉應由誰來代表呢？有人說，現在我們的省籍歧見是否真正化解了呢？李總統為台籍人士，甚至傳聞當年他自己也僅以

身倖免，如此，由身為台籍人士的李總統來代表道歉，是否恰當呢？不過，我們不應這樣看問題，因為道歉並不是李總統個人的道歉，而是代表整個政府的道歉。因此，我贊成賴教授的主張，在立法院正式通過決議案後，由李總統代表政府來對此一事件表示道歉。

戴：賴教授建議道歉要經立法院正式程序，這可能要花很長的時間。因為一經立法院就成為法律問題，這也牽涉到事件發生之後的「白色恐怖」時期發生的一切，是否也應經法律程序處理。

賴：我擔心的是如果沒有立法院這個正式程序，未來很多人會說，總統道歉，這不能算數的。二次大戰時美國將日裔美人關在集中營，後來賠償也是透過國會立法程序的。所以政府不妨宣布與二二八有關的道歉、平反或賠償，都由立法院通過決議案，政府再照辦，時間稍為拖一陣子，相信民眾也不會計較。目前立院對此問題也很重視，應不會拖太長時間。

戴：既然如此，這份調查報告當初也要經立法院來委託調查，而不應是行政院委任才較恰當。

賴：這份報告雖然是行政院委託學術界做的，其出版後應代表政府立場，立院依此再建議元首道歉。

高：過去如由立院帶頭提案通過對此一事件傷亡做道歉和賠償，因無客觀調查報告，並無所本，但行政院專案小組的調查報告已把政府責任點出，應可解決這個根本問題，因此立院如今再提案，就已有所本了。至於民意機關依此做何建議，我們不必干涉。透過立院通過道歉決議案，總統再依法來做，情理法是否都

兼顧了？

　　李：二二八之後的「白色恐怖」期間，也有許多冤案，也應一併處理，才能代表過去那樣的統治型態結束了。

　　高：如果政府未來願意承認一開始的鎮壓是錯誤的，並因此而道歉了，則事件發生後的其他事件，是否也有必要追究得一清二楚？

　　賴：如果二二八的死傷全是攻打軍事機構的人，今天問題不至於如此嚴重，但許多人是無故被殺，被報復，尤其菁英分子的罪名都是莫虛有，所以定要適度平反。

　　李：談道歉，應是指那些冤死的人，在雙方對抗中死亡的人不在此列。

　　高：賠償的標準與對象是很複雜的問題，牽涉到所有納稅人，也許年輕一代的人會質疑，45年前的事件，為什麼要現在的納稅人來賠償？有些納稅人在二二八事件發生時，都還未出生呢。請大家就這一部分做些討論。

　　戴：我一直主張應道歉的道歉，應平反的平反，應賠償的賠償。其對象則為過去因不民主、不合法定程序所造成的冤案、錯案。對於那些曾被監視、限制出國或就業者，應予特別關懷，其生活有實際困難者，就應多給關照。還有一些遺族比較沒有聲音，卻暗自飲泣，他們應受關懷不能少於聲音大的，否則會引起反彈。

　　遺族能獲賠償固然好，但精神上的平反更為重要。政府與民間可以籌款，成立一基金，為台灣的將來而努力，並可為遺族辦獎學金。

　　賠償不能流於物質主義，二二八事件中失去英魂的人會願意這樣做嗎？因此，生活困難的應關照，不再歧視他們，且予平反。但生活好的，則予更高境界的精神補償。

　　所以我主張成立一基金，以為致力民主之用，並可再繼續研究、調查二二八，使整個事件獲得更大的釐清。

　　賴：由立法院立法通過賠償是有必要的，而政府首先表示處理誠意更是重要，拿出一筆基金乃政府的誠意，至於有遺族只願領象徵性的賠償，或捐給慈善機關，那是他個人的事，絕不必去考慮領償者的動機。我們要了解，二二八事件賠償迥異於戰士授田證發放，因後者無人傷亡，前者則有很多無辜的死傷。

　　至於基金運用時效也不能過短，因有些遺族早就出國，另外受難情況有別，有些是無辜受害，有些是拿武器對抗而死，不能一概而論，這些區別都需長時處理，十年亦不為過。因此，應該訂出時限，時限內均應處理，這也是政府道義、責任的表現。美國對二次大戰集中管理的日裔美人，後來都給予每人2萬美元的賠償。

　　戴：但不要忽略了一點，當時日本人是連財產都被沒收了。

　　賴：最起碼，當時日本人沒有人員傷亡，再說，二二八事件時也有多人失去財產。幾年前，韓國光州暴動事件，韓國政府也準備賠償。所以，從這些例子看得出，案件不因時間而算了，政府應有這方面的誠意，否則報告真相被逼出來了，最後的賠償也被逼才做，那就不好了。總之，政府應籌出一筆基金，在長時期的年限內處理此事，且不得區分身分、階級處理，因為生命的價值是一樣的。我要強調，學術研究報告出爐，政府如無後續動作

配合，還是很難彌合傷痕，畢竟學術研究很難解決政治問題。

李：我既然主張道歉，當然也主張賠償。今天的賠償是為解決二二八所造成的社會負擔和包袱，如果納稅人，或事件發生後才出生的納稅人不願負擔這項賠償，則將來要扛的負擔可能更多。事情絕不能這樣來看，否則國家賠償或冤獄賠償也都可以不用做了。至於怎麼賠償，是屬於技術性問題，各種受難情況不同，還得進一步調查。

高：所以，賠償問題最後還是要經由立法通過，尤其經費、預算更是如此。

戴：剛剛賴教授提及事件發生後，對外省公教人員有補償，但卻發生有些人「亂報」的情形，這是一種劣根性。為了走上民主化道路，我們固然同情遺族，但如因賠償問題又引發劣根性的重現，殊為不值；果真如此，台灣社會真是沒有希望了。所以，大眾傳播界、學術界應該對這件事提出看法。

賴：賠償代表一種誠意，美、日作法亦復如此，我們不能說美、日精神層次低，人命畢竟無法挽回，還是要用錢賠。當然賠償分類是技術問題，但只要有耐心、有時間，終能解決。

目前還有許多人不敢站出來訴冤，只要政府展現解決誠意，有很多人可能會把實情表白出來。因此政府應盡早處理，早做還可區別各種情況，拖下去恐怕愈來愈難了。目前報告出來了，閱讀之後總知道責任在哪兒了，總不能說政府沒有責任吧？有責任，就應馬上做，透過立法及黨的運作，把處理法案訂出，否則報告出來還是枉然。

李：這個問題的技術面很難解決，但如果政府有一天明白表

示，受害者家屬可以登記請求賠償，也並不是所有人都會登記，但他們可以不再恐懼。而這也正好可以做為一個調查。如果再配合歷史學者鑑定，當可使事件更加明瞭。

另外有人也很健忘，據我的經驗，他們傾向於認定，這是他們祖父輩的事，有人甚至說「算他們比較倒楣吧」！

但我們絕不能再拖，如果認為「再拖下去就都沒有人來領了」，這種心態只會使問題更嚴重。

高：請問賴教授，在您已過目的那麼多研究檔案中，您能大約推斷當時的死亡人數到底有多少？

賴：我當初認為是一萬左右，但現在人口學的推估結果大致在一萬八到二萬八千人是比較可以被接受的數字。

高：是否有單位會有比較更精確的數字？

賴：有，應該有，但這是否就是逮捕名單猶待考；當時的逮捕名單我們有，一共五本，大溪檔案中有關死亡的菁英分子名單有一本，但一般百姓則無。除非是當時軍紀失控，否則被捕者大致有名單。可是，陳儀的外甥丁名楠就曾表示，曾有警總槍斃人後再來要求陳儀補簽名的情事，而其中更有被要求「密裁」的，這些都不會留有紀錄。

另外一個問題是，軍方檔案取得不易。所以有若干聲稱是家屬的人要我們協助，但我們沒有資料，不能憑空創造歷史。如果將來政府要設立基金，那一定要把這些檔案資料都「清」出來。而有些被錯置、散佚的檔案整理起來會費工夫。同時檔案法的擬定實有其必要。

戴：政府真正把過去歷史做一總結，要展開民主憲政之路，

然後靠學術來昭信大眾。而其中對報復的恐懼問題也是一股暗流，所以我才說對事不對人，恨事不恨人，可恕不可忘。

賴：此外，我沒有直接證據，但我懷疑情治單位和台灣同胞彼此的趁機誣告勒索也是死亡人數高的原因。

戴：丘念台告訴我類似的故事。他說有些人陳儀並沒有抓。最近我還知道，有些人在陳儀下台後，還有人以陳儀的名義通緝他。

高：二二八事件研究報告出爐，而政府又願意繼續採取道歉和賠償措施，將來是否就能消除二二八事件所帶來的仇怨與對立？

李：上述問題非我所能解答。可是我願報告研究二二八事件對我的啟示，事實上我並不在乎政府是否要採取道歉或賠償，我關切的是這段歷史為何在那時候發生，而這段歷史又對今天世局有何影響。歷史學者常言：歷史是現在與過去不斷的對話，我便以今天我們的時空與45年前的歷史做一對話，會發現二二八事件是兩個社會經過50年隔離後所產生的差距，碰撞在一起所產生的衝突。1945年台灣回歸祖國，台灣民眾都高興歡迎他們心目中期待的祖國，不料，在一年四個月後卻爆發二二八事件，這是隔閡半世紀後兩個社會的差距所產生的摩擦。

45年前的衝突，我們稱之為省籍情結，迄今省籍所產生的鴻溝已幾乎被撫平，特別是我這一代和下一代，其實已感覺不出這個問題。倒是我認為目前海峽兩岸的差距才真正出現，而台灣內部省籍的摩擦已不明顯。兩岸經過四十餘年的分離，社會文化和價值觀念已有極大不同，若再往前推，台灣割據給日本半世紀，

其實兩岸已隔離近一世紀，那這二個社會未來該如何相互對待，二二八事件可提供我們一個很好的參考。所以獨統都可以在二二八事件得到很好的經驗和教訓，在統一之前，兩岸的差距若無法拉近或溝通良好，則浪漫的統一，須事前考慮周詳。

賴：道歉和賠償措施不易有立竿見影之效，但多少對化解省籍情結有幫助。要化解省籍情結最基本的是讓受難者家屬感覺到政府有誠意解決。這包括廢除黑名單，讓其陰影消除，並容許法律限制之內的自由言論存在；其次，省籍情結目前真正只存在執政領導階層，不在一般民間。如台灣人只能擔任某些閣員，考試委員還有省籍分配？這是沒有道理的。這皆源於執政高層心裡有鬼，不能怪民間，唯有政府致力推動民主化和用人唯才，才能徹底打破省籍隔閡。

據七、八年前的一項民意測驗顯示，有85％受訪者無省籍問題，唯自解嚴後省籍問題卻逐漸升高。不過，政府最近廢除籍貫，改登記出生地，在經過二、三十年後是可以化解省籍問題。所以基本上要靠教育、政府體系和法律的調整。

李：除了民主化之外，東晉時的「土斷」政策可供參考，今天我們不僅在制度上要進行土斷，在觀念上也要進行土斷。當然有人認為此舉是台獨，可是台獨觀念有多種，無論統一或獨立，必須要以獨立的狀態來面對，即必須認同這塊地區，不能在台灣這塊土地生存四、五十年，還自認是外省籍。

戴：文化差異僅是事件發生的因素之一，當時的台灣人一般是innocent（天真、無知），他們不懂國民黨內有那樣多派系傾軋、錯以為曾受些日本軍事訓練就可指揮軍隊，就可把國府軍迅

速打敗。innocent的激情演出了鬧劇式的悲劇。

可是今天情況，大家是否從innocent醒悟過來？我很茫然。至今還有許多人在innocent中徘徊，亦即我們還不能透過反思二二八事件而自我提升，還是「二房東」。所以我認為無歧視就無省籍問題，有歧視才有省籍問題，如民進黨提倡台灣化，把閩南化當作台灣化，而忽視客家人，這便是另一種省籍矛盾；再者，現在兩岸經貿關係的發展，我認為台商在大陸亂來，可能導致類似的二二八事件在廣東、廈門發生。

高：今天政府既然願意將二二八事件公諸於世，顯示未來應該是沒有什麼不能談的，希望各位研究歷史的人，能夠針對這一次事件以鑑古知今方式，提出一些初步的總結看法？

賴：社會大眾透過報告應對二二八受難家屬有所同情。因為這些家屬因此一事件，在其後都受到教育、就業、財產上的歧視，成為他們心靈上恐懼的問題。民眾若能了解，則必然會樂於支持政府所做的一些善後措施。

第二、報告公布之後，政府一些後續善後政策，正表現政府的誠意。如此一來，我認為這些家屬應將二二八事件變成為一件歷史事件，不要再做各種政治訴求。

總結而言，二二八事件為一悲劇事件，我希望今天所討論的一些，在不久將來能使它變成句點。讓這些東西成為未來研究學術的題材，不要再成為政治問題。

戴：首先，要說的是，我相當肯定政府主動去做這個研究報告。未來政府當局若能在此報告之後，能夠對此問題主動規劃，希望能夠達成一種政治解決，或是積極的去做學術研究。

　　過去由於政府不讓大家談二二八，也不讓當時的一些檔案出土。因此使得事變的真相被鎖在黑盒子中，造成歷史被扭曲，使得社會上對於歷史認識出現偏差，成為老一輩人心目中的社會性記憶或者是說常識。然而現在政府主動去做一些事，就是希望讓社會的記憶，經過學術研究之後愈辯愈明的過程，而使歷史能夠正常化。

　　以往有些台籍人士常將外省人視為是壞東西，認為外省人就是中國人，是中國人到台灣來殺台灣人。而早期的台獨將台灣民族與中國民族分開，他們早就輕視外省人，而將外省人稱為「阿山」或「半山」。這個結後來被台獨運動搞熱。但是今天雖有部分人士是主張台獨的人士想利用二二八，不過我認為主要的還是二二八受難遺族想要求一個公道；而我們研究二二八則主要是希望把這一段歷史搞清楚，並且希望因此能夠使台灣的民主憲政更紮實，並走上軌道。

　　正如賴教授所說的，老一輩的台灣人的社會性記憶沒有辦法更正過來，始終認為外省人就是中國人，而中國人就是阿山，就是壞人。而國民政府就是中國政府，將這些都劃上等號。這個偏差是不應該，應該修正。否則將有害未來兩岸關係的正常發展。

　　老實說，今天我們沒有太多的本錢再玩政治遊戲，如果再玩下去則大家都將受害。因此目前最重要的是安撫並克服省籍矛盾，不要再把它政治化。大家都知道當年希特勒，以及南洋的華人和日本人等把血緣問題當作政治問題所造成的流血事件，這些史實都歷歷在目。

　　李：今天大家對於道歉與賠償都已有相當的共識。既然認為

政府當局應該要道歉與賠償，那麼我認為最重要的是，政府要有心去做，不要形式的道歉與賠償。過去所實行的特務統治或是軍事統治，大家都嘗到苦果，未來希望它都不要再重現。如果能夠注意形式後面的心情，讓它能夠落實在真正民主制度上，這樣才能真正解決二二八。

高： 這一份二二八報告，你們認為它服務了什麼樣的目的？

賴： 這一次的二二八的研究小組的工作，是因應於行政單位面對40年來長期事件的壓抑以及民間的要求而從事，與一般學院式的歷史學術論文不同。你不能要求它沒有學術論文的內涵或是歷史解釋與理論架構。它的角色是因應政治上的需要，提出之後的政府措施，則是政府的事。

本文原刊於《聯合報》，1992年2月24日，3、4、6版

我與吳濁流的交誼和他的墨寶

「有人說吳濁流是孤寂的人，其實他並不孤寂，是他自己找上孤寂的。我想可以從他的時代背景來看，他經歷二二八、戒嚴及白色恐怖，心有餘悸，因而他辦《台灣文藝》時，所找的人多是較年長而可靠的。當年有些年輕人去看他，他很怕自己被捲進去，盡量避免，唯一例外的是女性，那人人自危的時代對女性是寬容的，而女性也較不激動。因此有人說他孤寂。」

戴國煇續道：「從文學的角度來看，要注意的是文學小說要表達的，不是一般市井小民能表達的。可見，寫小說的人是感性的，而只有透過母語，才能自然表達感情。

「像吳濁流這個年齡的客家人，從小受到日本統治，念公學校時開始學日語，六年級公校畢業後考上師範學校，畢業後教書，雖然教的是台灣人，但上課內容、同事及校長等多是日本語、日本人的環境。在那樣的環境下，他不能用漢語自由表達，而他的日語只學到師校的程度，所以用日語能表達多少真正屬於他的情感，是值得令人懷疑的。

「在日本人的統治下，不能真正做主人，也不能正面看日本人。除了不是日本人，在精神上又不被視為真正的中國人。這台灣人的悲哀中，他又是屬於少數族群的客家人，所以《亞細亞的

孤兒》，基本上是孤獨奮鬥裡產生的半自傳性小說。」

寫漢詩與日文小說

　　吳濁流寫漢詩，也寫小說，但他的小說多是用日文寫的。鍾肇政提及，日據時代的早期，台灣各地普遍有私塾的存在，吳濁流的漢文啟蒙於私塾，短短幾年的漢文學習，一直到11歲入日本公學校才停止。另一方面，當時日本各級學校的正課仍保留漢文，那時的漢文課有教科書，是用各地方的語言來念讀的，如客家地區用客語教漢文，不過，教科書的內容比私塾教的還淺顯。直到師範學校畢業後教書，吳濁流才開始參加詩社，練習漢詩的寫作。

　　「這中間一個有趣的現象，濁流先生的漢詩有三千多首，但他的小說創作卻是用日文寫的，一直到戰後二十多年，才開始嘗試用中文創作，不過多在遊記、短篇小說的範圍內。我曾經問過他，為何不用中文寫長篇小說？他自認中文表達能力不夠，無法用中文寫長篇作品。長篇作品需要長時間的醞釀，但他的腦袋裡裝的多是日文，所以不如用日文表達還來得自在，來得得心應手。」在談到老作家光復後學習中文時，鍾理和這樣轉述吳濁流的艱難處。

有勇氣對日人說話

　　光復後用日文創作的作品，在台灣沒有發表的園地。1960年

代初期，吳濁流為了讓文學作品能有在日本出版的機會，再度來到日本。

當年留學生中，有許多是職業學生（特務學生），負責監視從台灣出去的學生的言行舉止，這樣的氣氛下，許多從台灣來的人，普遍對人產生一種不信任感。吳濁流也害怕，不相信人。

那時有些如坂口褸子、中村哲及尾崎秀樹等，在台灣出生、或居住工作過，非常關愛台灣的日本文人，和吳濁流是舊識。吳濁流到日本便是為了找他們。透過這些日本文人的關係，當時在日本留學的戴國煇，得以認識當年仍處在白色恐怖陰影下的吳濁流。

曾經在台灣看過吳濁流作品的戴國煇，這樣述及這位年長他三旬的文學前輩，「雖然透過這些日本文人認識吳老，吳老還是很怕我。後來我們用客家話溝通，談了一些對台灣文學藝術的看法，最後吳老漸漸了解我和正派的日本人有交往後，我們才慢慢的建立關係。」

那時很奇怪的是，曾經在台灣做過事的日本人，甚至在台大教過書的，回到日本後，有地位的人很少。吳濁流的作品是用日文寫的，光復後在台灣沒有發表的園地，只好偶爾透過日本朋友在日本的小雜誌上發表，但反應不強烈。「因為日本人看台灣就像盲腸一樣，可有可無。他們把主流放在中國大陸，台灣只是中國大陸的一小部分。從當年來看，台灣的文人及文化比起中國大陸，並沒有特殊的地位。而中共革命成功，日本人以為中共會起來，所以更對台灣冷漠。」戴國煇以一個學者的身分做這樣的分析。所以，吳濁流的作品在日本發表不出去。後來戴國煇在日本

　　有些地位後，為吳濁流安排《亞細亞的孤兒》、《黎明前的台灣》、《泥濘》三部日文版作品的出版事宜。

　　在談及吳濁流的作品時，戴國煇說，「做為一個紀錄者，吳濁流的作品非常寶貴，可以留下來，因為他有勇氣對日本人說話與記錄，並向日本人告發——日本統治台灣50年，帶來什麼樣的罪惡！吳老的好處在於，台灣人是有他的悲哀，但這悲哀如何變成新的力量，及應如何奮鬥。」

　　（本文原刊於《新觀念》1998年2月號。原文由戴國煇口述及提供部分資料，蔣宗君小姐整理及採編，上梓後雜誌社僅寄一

吳濁流作品集（文訊資料室）

本雜誌至敝宅，蔣小姐亦不曾來過隻字，特此聲明）

本文原刊於《新觀念》，1998年2月，頁79～81。原文共採訪戴國
輝、鍾肇政二位先生，僅節錄採訪戴國輝的部分

新願景與新方向之一
——「台灣歷史篇」空中座談會

時間：1998年7月31日

地點：中國廣播公司大樓

與會：曹永和（中央研究院院士）

　　　戴國煇（政大、文化大學歷史所客座教授）

　　　段昌國（空中大學教授）

主持：劉光華（立委委員）

　　劉光華（以下簡稱劉）：本節目之主題，希望自歷史經驗、哲學思考、文學內涵、科技發展四個主題，對台灣人文社會學之發展作反省、回顧，以資前瞻。

　　三位出席的貴賓，曹永和教授甫膺中央研究院院士榮銜，曹教授一直孜孜不息的為台灣早期歷史研究，辛勤耕耘。由於曹教授精通古荷蘭文並對荷蘭統治台灣時期之歷史做了極有深度的研究，對台灣歷史研究做出很大貢獻，故廣受各界肯定。

　　戴國煇教授早年留學日本，亦從事台灣史專題研究，發表甚多著作，而我們也可常在報章雜誌上得見他對台灣問題所發表之高見及專門性著作，如《台灣結與中國結》一書，有關台灣問題

的一些爭議，相信可在該書中找到一些大家可以接受的答案。

段昌國教授亦是研究歷史出身，在空大人文學系教授台灣史課程。

本次節目之主題——「台灣之新願景及新方向台灣歷史篇」的主要思考重點，係著眼於台灣島上的居民對台灣歷史應有一些了解與認識而發展。長久以來，我們對台灣的了解是不夠的，可以說迄今為止，台灣仍然缺乏一節完整的台灣歷史紀錄，故使得台灣民眾對自己生長的土地之認識殊為模糊，既片段又零散。由於地位之特殊及主權變動之頻繁，台灣歷史的內容是非常豐富多元的，一般說來，台灣史分期可分為史前、荷蘭和西班牙統治、明鄭、清朝、日據以及國民政府以來等五個時期，每個時期皆有其發展之特色，統治階層及島上民族之語言、文化也不盡然完全相同，故就研究而言是相當困難的，此亦為完整的台灣史遲遲無法出現的主要原因之一。

目前台灣史研究的時期已漸趨成熟，中央研究院刻正積極籌備設立台灣史研究所，該研究所希望塑造出台灣史研究的理論架構，也希望台灣史研究在國際領域中爭取一席之地。台灣史研究在本土現況及在國際學術中之地位為何？台灣史在未來研究之遠景又是如何？皆是大家所關心的。

台灣早期歷史研究中，非漢文的記載並不多見，由於荷蘭與西班牙曾短期占領過台灣，因此或多或少會有一些紀錄留存，不論是報告、研究皆然。可否請曹教授將您的研究成果，尤其是清領之前荷據時期中原住民及台灣社會的狀況，向我們做一簡短說明。

曹永和（以下簡稱曹）：嚴格說來，個人對台灣史研究是由戰前《民俗台灣》奠基的，《民俗台灣》對台灣的風俗習慣的研究，在當時引發了我們對台灣史的興趣。光復之後，由於日本戰敗，我們也認為台灣人應該從事一些對台灣的研究，當時各縣市也曾成立相關的研究團體。當時楊雲萍先生等認為過去既曾有《民俗台灣》的雜誌，故創辦了《台灣風物》。在此種風氣影響之下，個人由從事東西海上交通之研究轉向台灣史研究，因為身為台灣人的一分子關切台灣究竟會如何？所以當時的主題置於台灣如何開發的研究。

劉：台灣史中原住民的歷史並無文字記載，而多屬口耳相傳的傳說，迄今為止依然停留在傳說之階段。早期有關台灣史之記載，中文著作中如大陸的歷史研究作品指出，自《隋書・流求志》方有較為明確之記載，但當時指稱的「流求」是否包括今天的台灣與琉球在內，仍有待探討之餘地，此亦可見文字記載仍不夠充實。而荷蘭人在台灣的時期，應該會有一些官書及相關之報告，在曹教授研究古荷蘭文之時，是否曾見到相關記載？

曹：荷蘭人占領台灣，主要由東印度公司充其事，由該公司開展其經濟及國際上的活動。最初他們是想獲得東南亞的香料，在荷蘭與葡萄牙、西班牙競爭勝利建立霸權之後，其眼光即投向北方。由於荷蘭欲在日本建立商館，而要與日本拓展商務，一定要有中國貨物才行，所以荷蘭在17世紀初掌握東南亞後，重心即置於如何拓展與中國之貿易。

劉：有關這方面的記載是否很多？

曹：因為東印度公司是一公司組織，該公司每個分支單位都

會有日記及開會紀錄，另有通信、報告等資料，就同現今的公司一般，一定會相互通消息。在荷蘭占領台灣的期間，台灣為東印度公司的據點之一，所以台灣的安平古堡有「日記」、「開會紀錄」，並會將之送往巴達維亞（今雅加達）總督府，而總督府要將整個亞洲的情形送回母國的總公司。荷蘭東印度公司的檔案現存於荷蘭海牙的國家檔案館，資料非常豐富。

劉：荷蘭人統治台灣的時間為1624至1661年，前後約共四十年。

曹：西班牙本來想先占領台灣南部，結果西班牙在南方的總督向西班牙國王的報告信被荷蘭人截獲，所以荷蘭人先下手為強。

劉：曹教授可謂為先鋒部隊，以古荷蘭文為基礎發表了一些研究成果，而荷人據台近四十年的歷史，可否透過古荷蘭文所記載之文獻重新發掘出來？此外，中研院擬成立台灣史研究所，將來可否考慮先培養相關專才的年輕人，亦即研究古荷蘭文的人口要先行培養。

曹：研究人口是應該要培養。近些年來，我與在荷蘭之萊頓大學（Leiden University）的朋友向蔣經國基金會申請一個研究計畫，一者以出版安平古堡的日記，二者為培養年輕人才。該計畫培養兩位年輕人，另外，台大與萊頓大學有交換學生之計畫，故台灣共有三位人才。

劉：足見人才甚少。

戴國煇（以下簡稱戴）：這個問題可能非常嚴重。曹教授此次榮膺院士之銜，受社會肯定，顯示這是一個新的開始，此事除

了顯示出時代意義外，更重要的是懂得荷蘭文的人，除了在台灣人才少之外，全中國中此種人才亦不多，這正凸顯此一問題之嚴重性。

但是台灣史研究有關日據時代部分，大家誤以為好像懂日文的人才很多，其實一般百姓受日本50年的統治雖然懂得日文，但這不等於能從事學術研究，這點非常重要，大家要從「懂日文即可從事學術研究」的陷阱中跳出來。

劉：台灣史研究由於過去歷史多元發展，加上記載亦頗多，不光是自中文、漢文入門即可從事研究，其中雖有社會科學研究，歷史研究的基礎人才，但需精通古荷蘭文，並將日文變成基礎語言，方可進行研究。方才曹教授強調，有相當豐富的荷蘭文之記載資料收藏於荷蘭海牙的國家檔案館之中，在此情況下，待台灣史研究所成立後，是否應撥出相當經費前往影印？荷蘭人是否願意將史料提供給我們，亦需進一步磋商，最好國內能建立這方面的檔案，關於此點不知是否可能？

曹：荷蘭檔案館所藏資料並非只是荷蘭檔案館所有，國際上普遍的看法是：檔案並非所藏單位之財產，而他們認為是在保管人類的財產，所以歡迎各地各界人士參閱。

戴：曹教授榮膺院士給予社會啟示是應該如何做研究，換言之，有無檔案、有無人才並非重點。戰後台灣諸多到美國拿PHD的人、但在市面上究竟能否找到一本很好的、值得大家閱讀的美國史的書籍？此外，台灣有多少人到日本留學，包括本人在內（台灣史只是本人著作的一部分，我涉及的範圍較廣泛，說實話，我自己也要負責任，不能隨便批評他人），迄今都未寫成一

本足與日本人抗衡的日本史之著作。曹先生的研究態度，敬業精神如何傳遞下去才是重點所在。

曹：歷史研究中，如何精通語言以使用資料是相當重要的。

劉：不過，殊為諷刺的是，有關台灣史之史料整理研究，早期做得最多的反倒是台灣銀行的經濟研究室，其所從事者殆為自史書中爬梳，整理出台灣史叢書，而這批叢書可謂為帶領我們進入台灣史的入門。

戴：有關台灣銀行經濟研究室編輯此套叢書，1969年我初次返國，曾前往拜訪周憲文先生。周憲文畢業於京都帝大，他曾經歷過二二八事件，據我觀察他是為了替二二八悲劇贖罪，故以敬業精神來編輯此套叢書。對這段往事，我未曾為文披露，像周氏這樣的外省朋友，真正花費功夫整理台灣史資料。而日本人留存下來的檔案，移存於台灣文獻委員會，有時保管不佳，現在反而由日本人在整理。此種情形顯示什麼？就如我方才指出的，像曹教授的治學態度才是重要的，不要像現在抄襲者眾。例如個人花費十年時間編輯有關霧社事件的資料，很多人加以抄襲且不註明出處，這才是阻礙我們往後發展的最大原因，所以我才說，經費及檔案問題並非關鍵性因素。

劉：經費可能也是問題之一，本人在立法院中深解其意。例如蘇聯解體，有關俄國方面未曾公開的外交檔案已可公開，中研院近史所尚需編列預算購買、影印，而此事尚需經多方折衝與協調，經費也不易一下子即可籌得。曹教授此次榮膺院士之銜，誠如戴教授指陳的，曹教授鍥而不捨，獨立行走於歷史研究之路而又執著的精神，這是對台灣本土歷史研究殊為重要的一種精神。

戴教授亦執著於台灣史研究，並很早投入對二二八的探究，有關二二八的史料，相信日後仍會陸續開放，此外，此一題目題材甚大，能否出現完整記載，尚有待大家的努力。

曹教授榮膺院士之銜給予社會一個反省與啟發，亦即台灣史研究中需要補白的地方尚多，尚需大家戮力以赴。

戴：曹教授目前年屆78，我們很尊敬他，也很尊敬他的事業，而目前最重要的課題是，處於政治激情下的台灣史研究應加以反省，要冷靜，沉澱下來再行發展。個人在日本徘徊41年後返台甫屆滿兩年，很少參加台灣史的研究會（也無人邀請我，但這無所謂），所以我也很少發言，但是，今天藉此機會，個人一定要建議的是：有關台灣史資料的蒐集，不管是西班牙文資料或是戰後的相關資料，不論良窳一定要蒐集完整，整理完整並加以批判，然後再加上研究。目前有許多年輕人為了占便宜，為了方便取得經費，所以先有結論再用資料來套，其實這種研究等於泡沫，也是社會的浪費。劉委員指稱經費的問題並非不重要，這點個人了解，亦即老百姓的稅金應善加運用，否則濫用簡直對不起老百姓。現在政府當局鼓勵大家研究台灣史，年輕人就不要投機，也不要追求泡沫式的研究，這點非常重要。不能說台灣史是顯學，所以大家就放鬆，不願謹慎從事，這是不對的。以琉球史為例，當年日本為了將琉球變成寄屬的過程中，琉球研究炙手可熱，可是可以存留下來的著作到底有多少？所以從事學問研究雖不能不受時代風尚之影響，但是社會上的知識分子要能起作用就需具有反省力。

劉：台灣史研究之所以成為假相的顯學且泛政治化，大家熱

中的題材，諸如革命史研究、悲情史研究，反而抹殺或曲解歷史真相，這點也是眾所擔心的。

曹：從事歷史研究，資料是很重要，不過要如何迂迴利用才是更重要的。目前荷蘭檔案館中有關台灣史的資料已製作微捲，大家皆可購買，台大及吳三連基金會皆有購買，現在我們不必再跑到海牙去看資料。

劉：誠如戴教授所說的，如果所有的資料皆在台灣複製一份並予開放，年輕人就不必由自己再花經費購買或複製檔案。台灣只要先把檔案建立齊全，所有有心研究台灣史的朋友皆可選擇自己有興趣的題材做深入研究。

荷蘭文檔案中，有關原住民本身記載的檔案不知有多少？

曹：現在對台灣的看法，與剛光復時並不相同。光復時的想法是著重漢人的觀點，所以研究台灣如何開發，在農業開發之前台灣的情況又是如何？目前由於注重原住民人權之觀點，所以要擺脫漢人沙文主義，而我們也了解台灣史並非只是漢人的台灣史，應包含所有的族群在內，這也是現在台灣史的研究取向。所以舉凡平埔族、原住民歷史之重構皆受到重視。

戴：曹教授所指稱的是非常貴重的。我們要問，「台灣」是什麼？「台灣人」是什麼？「台灣史」的圖像應該是什麼？對於「本土化」原理性的理解應該是什麼？這些論題都很含糊，其實這些皆應予以釐清，不要隨隨便便以泛政治化的觀點來論述，因為這對學術研究是負面的。

劉：這對台灣的許多族群都是有傷害的。

曹：台灣史並不是台灣人才可以研究的台灣史，我們也希望

美國人、日本人皆來研究，以建立學問體系，這並非狹窄的，也非台灣人才能研究的東西。

劉：段教授在空大教授台灣史，對方才兩位前輩的看法，以及台灣史研究之大方向，不知段教授看法為何？

段昌國（以下簡稱段）：我很佩服兩位教授的研究及見地。戴教授所談的是中國向來存在的問題，亦即學術研究為政治擦胭脂抹花粉，此種現象很嚴重，不單是台灣史研究如此而已。戴教授提示的第二個問題是，在政治激情之下所從事的學術研究，包括台灣史在內，都是先有結論再找資料套，這會扭曲很多歷史真相。

當然，過去在政治影響之下，台灣史研究並未回歸到歷史的基礎之上，故自二二八事變之外的研究皆呈現空白。30年前，我們已有感於台灣人不知台灣史之病，所以即利用強勢媒體在空中大學首次開「台灣開發史」這門課，第一次就有一萬多人選修這門課，迄今為止已第三次開這門課，每次都有一萬多人選修。現階段我們認為，應將台灣史真正在歷史基礎上建立起來的知識先推廣出去，然後再逐步走向學術研究，只要能愈形推廣，真相就能更清楚，那麼少數人以學術研究當成政治激情之附庸的情形就會降低，也唯有如此，才能使真正研究台灣史的人才出頭。

劉：戴教授提及台灣史研究很有可能出現的情結，而這些情結可能是對台灣史研究是負面的、不利的，所以不論從「台灣結」或自「中國結」的預設立場來研究台灣史，對台灣史及所有在台灣的族群頗不公平。戴教授出版了《台灣結與中國結》一書，可否請戴教授再自此角度出發，釐清在研究台灣史的態度上

不讓這些情結糾纏，讓台灣史研究回歸較為正常的研究環境。

　　戴：個人一直認為，經驗主義與理論一定要保持平衡，但一般中國人很麻煩，一向只看重經驗不太喜歡搞理論。最近台灣流行「海洋研究」，據個人所見，海洋研究之主要目的是想對中國大陸說再見，其實所謂海洋研究，是源自法國有名的年鑑學派布勞岱（Fernand Braudel）（16世紀的地中海）之著作*，而布勞岱的地中海研究根本不是海洋研究那一回事。這就是方才提及的學術是在為政治服務，而且更是屬於小政治、泡沫政治，如此一來，豈不徒勞無功，勞民傷財？如果台灣真的要從事海洋研究，就應先了解布勞岱所提的地中海研究之研究方法為何？居民與海洋的關係為何？不論是台灣移民或阿美族等，其與台灣海峽，與海洋究竟發生何種關聯？其多年來的生活型態為何？均需加以探討。事實上，諸多議題線索是重疊的，並由重疊中演變，這些都是原理性的問題。大家泛稱「中國結」、「台灣結」云云，這是不對的。此外，所謂的「本土化」是否指「台灣化」？個人認為，「本土化」是世界性的現象，因為在20世紀，老百姓所受教育普及，大家都有自由主張之機會，是以應朝公信方向在台灣做自主的表達，如果將本土化窄化為「台灣化」，台灣化又成為「福佬化」的話，那可真是冤枉。

　　劉：如此一來，台灣的原住民篇、客家人篇、1949年新移民篇就都不須研究了！所以，方才我說這對台灣其他族群而言是相對不公平的。

---

* 即《地中海史》一書。台灣譯本由曾培耿譯，台灣商務印書館出版，2003年6月1日。

　　戴：有關「台灣結與中國結」的問題，個人是將之攤露出來，以美國學者艾利克生（E. H. Erickson）的認同理論來解釋，並借德國納粹特殊之心結來了解情況，亦即將台灣的特殊性與普遍性連結起來以解釋我們的問題，這是我最主要的方法之一。不過，台灣現在好像不大喜歡這種解釋。

　　劉：如果真是如此，容易使台灣史研究誤入歧途，如果將德國戰前史只簡化為納粹史話，不也是窄化了德國史嗎？

　　戴：其實這只是其中一部分。最近〈聯合副刊〉有有關皇民化文學的討論，個人很想參與，因為早年我也很注意這個問題。

　　劉：反過來說，有關台灣史之研究、台灣史之內涵，真正的本土化——不偏不倚的本土化等均需重新加以界定，而不是被狹義的、扭曲的，由少數人獨斷的本土化稱為正統的本土化，我想這應是台灣史研究所需之前提。

　　曹：台灣史學的建立現在要重新開始。

　　段：兩位前輩談的是台灣史研究，而空大所從事的是推廣的工作，因為40年來這段時間內的年輕人，有的到國外留學、有的在台灣就業，而到美國留學者其對美國的了解可能比對台灣的了解還清楚，這正是我們需要亡羊補牢之處，然而有時也矯枉過正。不過，自某一個角度來說，還是應該盡速全面推廣台灣史，因為自20歲以上到50歲之間的人對台灣史幾乎完全不了解，而諸多政治人物會利用過去的歷史做為口號，以激情式的煽動造成誤解，「二二八」就是最嚴重的例子。其實，迄目前為止「二二八」的歷史真相還不是很清楚，包括數年前行政院發布的二二八專案小組調查報告在內，凡此都變成政治化。

劉：請戴教授對此表示一下意見。

戴：個人有一本《愛憎二二八》之著作，這本書雖未大做宣傳，但已出版十刷，顯示其普遍獲得肯定。但是，傾向台獨的朋友責罵我，被責罵是無所謂。我曾與李總統談過二二八的問題，而李總統在二二八公園紀念館開幕指出，二二八的研究要從這裡開始，這完全是曹教授與我的一個看法。亦即政治解決與學術解決是兩碼事，此其一；第二，二二八事件本身的重要性並無因此所引起的社會記憶來得重要，所以我在書內提及理論上的問題──社會的記憶是檔案，社會性的記憶是大眾從事件所受之衝擊深埋於記憶中並大受扭曲，此即英文所稱的image，而此種image會引發社會的不穩定。

現在台灣史的研究應該開拓一個新的視野，探究台灣的政治文化史必須客觀，不論是對日本統治當局或對外來的政權，都要弄清楚義涵。

劉：戴教授此言是呼籲台灣史研究要回歸其基本面。第一，為曹教授指出的要客觀，不但要從台灣本身的觀點來看，也要從世界歷史發展的觀點來看，如此才能還給台灣史研究真正的面貌；第二，如戴教授指出的，要客觀；第三，台灣史研究不能流於情緒或悲情，也不要在歷史傷口上不斷地灑鹽巴讓傷痛更沉痛。換言之，歷史研究要以檔案公開為基石，讓多數的歷史人口自多角度來研究，俾令歷史真相客觀浮現，如此對台灣社會之長期發展才會有一健康的方向。對於此種台灣史研究之憧憬，不知諸位教授有何看法？

戴：曹教授榮膺院士之銜也為台灣史研究帶來新的反省。個

人在此要再提出兩個問題，一是中國人傳統的道德史觀一定要克服，不能以道德來看歷史，當然歷史需要有是非，但是不能以道德做過多的解釋。以鴉片戰爭為例，一般人認為英國鬼子以鴉片煙毒害中國人，其實鴉片背後，實寓有中國當年的富，以及新興國家間所致力的國際貿易問題，也有晚清官僚政治腐敗的因素在內，這是一個總體面向，全面性的社會史，包括國際史在內的問題。

劉：亦即不能將這段歷史只寫成排外史。

戴：第二是漢賊不兩立的觀念要揚棄，因為這對歷史全面性的理解有障礙，不能因為批判傳統的觀念，又另外創造出新的漢賊不兩立的史觀。

劉：亦即台灣史的反省與研究，也可帶動中國史的反省與研究。尤其19世紀以來外國人，因洋人對我們的壓迫與欺凌，在反常情結之下的中國史，一樣看不到歷史真相。

段：戴教授談到的是，在道德史觀影響之下，中國史研究中有漢賊不兩立的觀念，但目前台灣史研究中亦有一新的漢賊不兩立的觀念。

戴：中央研究院目前籌設成立台灣史研究所，有一次曾與李總統有過個人談話，我主張「台灣經驗」的說法是有問題的，因為那只是政治的提法，只提及正面性，但相對於正面性的「負面」，如二二八、白色恐怖等問題也應一併考量，然後總和起來成為「台灣經驗」，壞的部分我們要想辦法克服，好的再予發揚。台灣經驗的總合研究是非常重要的，這個目標，希望中研院能予以實現，否則只是片面的，而政客的解釋與學術界的解釋也

應加以分開。

　　劉：謝謝戴教授這席話，這也等於為此次空中座談會做了一個結論。總之，台灣史研究，現在居於一個新的反省的起點；台灣史研究，應以客觀的、宏觀的、公開的，持續不斷的進行下去，這是我們一個新的歷史研究的出發點，謝謝大家。

本文係中國廣播公司「國會櫥窗」節目，第230次播出內容，1998年

戴國煇全集 ⑱

採訪與對談卷・一

愛憎李登輝

戴國煇與王作榮對話錄

戴國煇・王作榮 口述　夏珍 記錄整理

謹以此書，紀念我們共同的朋友戴國煇教授

王作榮　夏珍

序

◎ 林彩美

　　戴國煇與王作榮先生的對話集，國煇有幸及時完成並盡其責完成第一校，未幾便緊急住院而走掉，正如他平生盡責，不馬虎、不輕易爽約、不妥協的「硬頸」作風的最後一次表現。這本集子是他嘔盡心血最後送給鄉親朋友們的一本書。

　　戴國煇的唐突辭世，不但他本人來不及做心理準備，也讓被遺留下來的我們迷惘不能接受。我們失去了他，才恍然痛感到他的重要。多麼希望這是一場噩夢，清晨醒來還能看到他已坐在書齋安詳地工作著……。

　　王作榮先生是戴國煇最崇敬的長者之一，做學問嚴謹而淵博、當官清廉而公正，是戴國煇心目中典範。國煇與王先生平生過從雖不密，但王公一直不吝垂愛國煇，大概因為他們都是屬於固執、不善變、不阿世、忠於理念與忠於自己一類型的人物，所以能一見如故、相敬相憐。

　　對談始於2000年7月11日，每次早上九點半到中午（地點在王公館，且均由王公作東，感謝！）積累九次，於11月25日結束。全程由資深記者夏珍小姐記錄整理成稿，國煇的學生陳淑美

小姐也大致在場做筆記。這期間幾次國煇有發燒，身體狀況不佳，他都堅持赴約。一則他非常尊敬王公，不敢怠慢更改日期，二則此對談太難得，務必完成而後已。每次對談完畢回來，都可看到他滿意的笑容，便知道內容的精采與充實，我也為之竊喜。每次初稿到手，他總是迫不及待地趕緊校對，哪怕夜半醒來，也去書庫翻資料做確認，以期正確無誤。

　　這本對話集，以前總統李登輝先生為主軸，圍繞著他來縱橫地談論，自殖民地時代以迄今日的台灣史之祕辛，內容緊湊生動而細緻。這當然有賴於夏小姐的熱忱與感性的勁筆，以及王公與國煇對這段歷史的熟悉。他們曾經寄託各自的理念於李而擁護他，後因李的媚日情結、錯誤的歷史觀與自以為是的作為而指彈他，終致與之分道揚鑣。

　　戴國煇留日有42年[1]之久，很長時間是黑名單上人，被吊銷護照不得返台，他始終不渝，堅拒入日籍，保持了民族的尊嚴和史學家的良知。他知日而不媚日，身處日本還不斷地批評日本在台殖民時期的種種惡業罪行，並說明台灣在被殖民之前已有相當程度的進步與建設。況且主張日本在台用台灣人血汗錢做的建設，均為方便日本的殖民統治與剝削，因此台灣人不必感謝日本的殖民統治。對於「教科書事件」中否定日本軍的侵華罪行，他也大加批評，獲得日本史學界的尊重與擁護，並得到諸多有良識的日本友人喝采。

---

[1] 戴國煇1955年11月赴日，1996年5月搬回台灣定居，共計42年為日本式的計算法，即雙腳踏上與離開日本土地的時間。而一般以旅居日本41年之說居多。

　　李前總統非比市井的一老翁，萬不可因「爽」而隨興口出媚日、欠缺良知的話，或故意或無意去扭曲史實。王公與國煇因投了神聖的一票助李當選總統，所以有責任將他剖析，給予評價與批評，將歷史的真實還給歷史，免得媚日之風在台滋生，誤導台灣民情，更使日本右翼勢力得逞而引起日本軍國主義的復甦，重演二次大戰的悲劇。台灣應自強，不依賴鄰國，不接受干涉，曾經被殖民的史實切記勿誤。

　　當我做此書稿校對時，瞌睡的剎那，夢見國煇穿著那套喜歡的咖啡色西裝，靦腆地向大家道歉，沒有把該做的事做好就走了。我代他向摯友們、前輩們與年輕朋友們呼籲，大家來替他把台灣經營好，朝著民族融合的方向去努力。

　　最後，由衷感謝王公對國煇始終不移的愛顧，感謝夏珍小姐的大力協助，出版社的熱心配合，促成這本精采的對話集及時出爐。

於新店梅苑

序
──兼悼本書共同作者戴國煇教授

◎ 王作榮

　　1970年春，我奉經國先生之命赴日、韓考察三週，由我簽請農復會技正李登輝先生隨行；我負責一般經濟，李技正負責農業經濟。五月初在日本考察時，李技正向我提出請求，要我陪同他一起拜訪一位台灣在日本的學人戴國煇先生，並且說明戴先生有台獨嫌疑，係列名政府黑名單的人物。我立即了解李要我一同前去的用意，是有我一同前去，不怕在東京的我政府情治人員向國內打報告，戴上與台獨分子來往的帽子。我欣然同意前往，一同前往的還有陳清治先生。到達戴府，戴教授還邀約了留日的學生，其中有一位是後來任監察委員的殷章甫。在戴府盤桓了一整天，談笑風生，而且無所不談，並無顧忌。於參觀了戴教授的豐富藏書，並享受了一頓戴夫人所烹調的美食後告辭。這是我認識戴教授的開始。

　　在以後的歲月裡，我們見面機會不多，但彼此神交甚篤。李、戴與我遂成為好友。主要原因是我們那時都自認為是讀書人、知識分子，都有一些讀書人的風骨，也都對國家、民族、人民有一份使命感。戴教授與我個性尤為接近。戴教授在日本是著

名的歷史學家，是在日本皇族學院授課的第一位中國人。我也能讀一點書，兩人都有一點書生氣，潔身自愛，自有主張，不隨流俗，都有強烈的愛國意識與愛國情操。

　　戴教授在日本求學取得東京大學的博士學位，隨後從事研究工作，以及在立教大學任教20年，成為著名的歷史學者，前後共有42年之久，但他仍保有中華民國國籍，持用中華民國護照，自認為是中國人。日本有關方面因敬重其學術成就與為人，幾次請他入日本籍，均為他所婉拒。中華民國政府一度將他列入黑名單，吊銷他的護照，使他成為幾如蕭美琴所說的無國籍的國際遊民，他仍堅持到底，就是不入日本籍，堅持要做一個中國人。據我所知，像他這種堅持要做中國人的，還有一位旅美的馬里蘭大學教授丘宏達，也是始終持用中華民國護照，不入美國籍，要做中國人；而且都是百分之百、無附加條件的中國人，不是「中華民國的中國人」、不是「華人」，也不是「類似中國人」。世界上總有這種特立獨行之士，為人類、為讀書人樹立一個標竿，使人類不至於沉淪，也為讀書人留一粒種子，值得敬佩。戴教授的祖父是當年反日領袖之一，曾因此入獄，故戴教授之節操亦有家傳。我並附帶聲明，我是主張僑居外國的中國人，應該隨個人的意願與環境改入他國籍，並與當地社會融合，忠於他的新國家的。我不贊成雙重，在這一點上，我認為中共的政策是合理的政策。

　　戴教授原為農業經濟專家，後改研究歷史，而成為最具有歷史學家資格的歷史學家。他治學嚴謹，言必有據。論人一字之褒，榮於華袞；一字之貶，嚴於斧鉞。論事則詳讀始末，窮究真

相，態度公正、客觀，而不帶任何意識形態，自然無所謂省籍族群情結。台灣記錄評論二二八事件之所謂歷史學家及政治家文人多矣，其態度偏頗，捏造與誇大事實，昧於學術良知之所謂著作，實不忍卒讀，令人為學術界感到羞恥。而戴教授與葉芸芸合著的《愛憎二二八》，則是我信賴的有關二二八記述評論的兩本書之一，另一本為當時閩台監察使楊亮功之報告。戴教授對我這個外省人敘述一件慘事：當二二八事件發生時，他是建中學生，親眼目睹鬧事群眾將一外省兒童活活打死，塞入公賣局前面的陰溝裡，群眾之殘酷無理性令他終身難忘，也終身遠離政治。

　　正因為他的這種態度與作風，不為台獨人物所諒解，群起指責排斥，他不以為意，堅持一個歷史學家的學術良知，與一個中國讀書人或全人類知識分子的骨氣，直到逝世為止。雖然寂寞，但是成就了一個真讀書人。我為他蓋棺定論：一個中國人與台灣人，一個愛國者與愛鄉者，一個具有完美人格的人，一個具有完美學術良知的歷史學家，可以不朽。

　　在戴、李與我成為好友的以後歲月裡，李技正不久便飛黃騰達，青雲直上，最後位登九五，掌握國柄。我們兩人自然為他慶幸，也希望他能為國家、為台灣做一點事，也為中國人、為台灣人爭一口氣，一洗百餘年來的羞辱，乃至於亡國之恥。因而對他支持辯護不遺餘力，而李總統亦不忘故舊之情，量才使用，回報我們兩人以政府的適當位置，我們也盡心奉職，以酬公誼私情。

　　不幸的是，自1996年李總統以高票當選第九任總統後，其治國理念與實際行為在我們兩人心目中逐漸乖離常軌，而且愈離愈遠，竟至背道而馳。其中最不為我們所諒解與容忍的有兩點：第

一，使用一切正當的與不正當的手段修改憲法，集大權於總統一身，在民主政治的掩護之下，成為實際的獨裁者，嗜愛誇耀權力，也玩弄權力；第二，積極推動台獨，並與日本軍國主義餘孽極右派分子緊密掛鉤，盡情地侮辱中國與中國人，包括歷史與文化，崇中國世仇日本與日本人，因此而不惜歪曲中國歷史與日本侵略中國及統治台灣的歷史。我們同時覺得是可忍，孰不可忍；道不同，不相為謀，終於割蓆絕裾而去。

我們兩人此時的處境完全類似民國初年梁啟超之於袁世凱。民國肇建，袁世凱以舊帝國之重臣，贪緣為民國之總統，梁啟超懷抱書生之見，以為中國民主與現代化有望，復興指日可待，興奮之不足，竟組織政黨，親身嘗試政黨政治活動，接受袁世凱之任命，成為內閣閣員，對袁世凱忠誠擁護，不遺餘力。不旋踵即察覺袁氏不僅以不正當手段集大權於總統，專制獨裁，並將帝制自為，乃公開撰文猛烈抨擊；不足，又復暗中鼓動及協助其弟子蔡鍔反袁，遄返雲南起事，自己則潛赴廣西，策劃西南主政者共同舉事，卒有雲南護國之役，舉國響應，遂使袁氏性命隨帝制以俱去，中國則貧弱落後如故。梁氏則以教書終身，顯示了書生天真、幼稚，與無用。

1996年戴教授在旅居日本42〔41〕年之後，落葉歸根，攜妻帶書，遷回台灣，並接受李總統之任命，擔任國家安全會議諮詢委員，屢有獻替，相處甚得。一日，來考選部訪我，告以近況，談話中對台灣文人政客歪曲台灣歷史，造成政治、社會與文化亂象，甚表不滿，希望與我合作，以公正理性態度，不帶任何族群或其他意識形態，寫一本書，就這些方面及若干人物主張加以剖

析，期望對一些偏頗不實、欺騙社會大眾之流行說法與行為有所辨正，也為歷史存真，我欣然同意。不久，我職務變動，隨因癌症動手術，健康受損，事遂擱置。

約在1998年，戴教授曾來監察院看我，談及他的近況，告以李總統內受台獨分子，外受日本軍國主義餘孽右翼分子包圍，言行舉止與政策決定明顯向這些方面傾斜，無從進言，有求去之意。我勸其忍耐，暫留現職，或可有機會進言，發生一些平衡作用；若一旦離去，則李總統左右成為清一色天下，更無人進諍言矣。戴頗以為然。1999年初我退休，旋聞戴教授終於辭職離開總統府。這就是中國歷史上隨時可見的一種現象：「遠賢臣，親小人」，其國必敗耳。果然，中華民國因之而亡，國民黨因之而潰，台灣社會因之而亂，而黑金亦因之而猖獗，而中華民國的大總統、中國國民黨的主席竟然變成了日本人心目中的台灣系日本人，李總統泰然接受，無一言更正，我們只有無語問蒼天。

2000年夏，戴教授與《中國時報》記者夏珍小姐來訪，告以已罹患嚴重肝硬化症，當年共同寫書之約，以我們的健康狀況已不可能，提議由我們兩人口述，夏小姐記錄整理，就李總統過去12年的心路歷程與實際作為，追究剖析真相及因果關係，並貫串台灣政治社會的一些思想與現象，代替以前的寫書計畫，雖過於簡略，仍可為歷史留一份真實紀錄。我也欣然同意。整個訪談過程均在寒舍進行，由戴教授與夏小姐分別擬出大綱，夏小姐擔任紀錄及撰寫，戴教授弟子陳淑美小姐亦時有參加。主要係戴教授發言，有時自問自答，有時由夏小姐發問，我只是偶作補充說明或答問，間或提些事實經過而已。故本書之成，實是戴教授之貢

獻，我則全程陪同進行，稍盡主人之誼。

　　在進行過程中，幾次因戴教授出國而中輟，但戴教授亟盼這本書在2000年12月能出版，幾次說出希望他能來得及看到本書的出版，我以他的病情並無如此嚴重，未以為意，只是安慰他何致如此，善加調養，必可延壽。不料他終於未能見到本書之刊出。緬懷過去交往及撰寫本書情景，恍如昨日，而已天人永隔，「春蠶到死絲方盡」，戴教授在這本書上吐出了他最後一根絲，同為文人，憶故人，念自身，悲愴無已。

　　在撰寫書時，我們兩人的健康都已是油燈乾盡的境況，已無精力及能力做周詳的記述與對李總統、對台灣政治與社會做廣泛而深入的剖析與評價。但戴教授是一位訓練嚴格的歷史學家，仍有其歷史學家撰寫著作的嚴格標準，故出書處處可見其求證詳確與公允的手法，值得讀者仔細地讀，仔細地思考，也希望讀者能得出公正客觀的評價，或許如前所云，可辨正若干社會流行的歪曲歷史、現實的偏頗觀念與現象，存一點真實，也存一點公道。

　　戴教授要我作序，我遵命寫了，來不及請他指正。他要自己寫書後或跋，內容為李登輝與李光耀的比較，資料已經齊全，構思也已成熟，竟然來不及動筆[*2]，只有遺憾歸諸天地了，然而戴教授豈止這一件事遺憾而已。

2001年2月台北寓所

[*2] 林彩美女士尋獲此跋文之未完稿，參見《全集15‧試論李登輝與李光耀差異的所以然》。

第一章　對談緣起

　　人的緣分，確實難以言說。早在1960年代，王作榮已經是財經圈才氣縱橫的專業官僚，戴國煇則是避處日本不歸的學者。因為李登輝，王作榮和戴國煇在東京初會。彼時，戴國煇因為無畏禁忌，研究二二八等台灣史的重要課題，被列為「黑名單」中人。

　　一別經年，王、戴際遇各有不同，再聚首，他們共同的老朋友李登輝，已貴為中華民國總統。王作榮在李登輝的提攜下，走老運，一路從考試委員、考選部長，乃至監察院長。戴國煇也決定終止長年避居海外的生活，返台定居，出任總統府國安會諮詢委員。

　　戴國煇到考選部拜訪王作榮，暢談老友與時局種種。基於李登輝、戴國煇和王作榮出身背景迥然不同，卻在歷史因緣際會下碰面，戴國煇動念，由兩人對談合作一本書，從李登輝成長的時代背景談起，仔細梳理李登輝主政12年功過，王作榮欣然應允。

　　當時，王、戴與李依舊交好，未幾政治形勢變化，李登輝當選第九任總統後的修憲工程，使王、戴對李登輝的統獨走向趨於懷疑，對其政治操作也有了不同看法。

　　直到李登輝卸任，戴國煇再遇王作榮，兩人相會，對政局前景各有見解，戴國煇從「李登輝神話的形成到破解」詮釋陳水扁當選其實意謂「李登輝神話」已經消解大半，李登輝事後否定連戰傳承的正統，將

「代表台灣人」的大旗交付陳水扁，其實不過是想沾扁之光保駕罷了。

　　王作榮無疑對國民黨政權易幟，是感慨萬千的。他曾經力助李登輝，此刻卻直指李登輝必須為國民黨政權負最大責任！合作著書的想法付諸實現，只是對李登輝的評價，已經有了迥然不同的看法。對談自2000年7月上旬開始，或隔週、隔兩週，每次談話二到三個小時，持續進行到11月下旬。過程中，李登輝與日本訪客的談話紀錄陸續刊出，也成為兩人談李時的佐證，為求徵信戴國煇不辭辛勞，數度往返日本，蒐羅材料，並拜訪李登輝的昔日老友，包括赴中研院取得介紹李登輝加入共產黨的老人李薰山未解密的口述歷史檔案。

　　了解李登輝，認識李登輝，正確評價李登輝加速台灣民主化之外，其對歷史認知的不足之處。往者為來者鑑，值此世紀交替之刻，台灣政局又進入了一個嶄新的局面，在紛亂跌宕中，但望台灣民主有一個重新啟步、更臻圓滿的新境。

政學圈邊緣人聚首

　　戴國煇（以下簡稱戴）：首先要談談這部書的緣起。記得是在1996年的5月7日，我準備從日本正式退休，返回台灣，安排定居事宜，前往考試院拜訪王院長（時任考選部長），王院長吃著麵包等我到訪。

　　我們談了許多，聊到李登輝總統為二二八道歉的講稿，我認為，講得還好，詢及文章從何而來？王院長告訴我，有幾個人參與文稿起草，包括中研院院士杜正勝（現任故宮院長）*3等。我

---

*3 杜正勝擔任故宮院長期間為2000至2004年。

特別問起，因為我曾經送過李總統一份當年西德總統夏德·馮·
魏茨澤克（Richard von Weizsäcker）[*4]於1985年5月8日在其聯邦
議會，就德國敗戰40周年，向猶太人暨全世界受害人道歉的一篇
演講，不但極具世界觀，其格調之高，人人敬佩。

　　為了能趕上草擬「李總統二二八道歉講稿」時參考，我特別
託台北火車站前新光三越大樓的總設計師郭茂林先生攜返台北，
由蘇志誠（李登輝時代總統府祕書室主任）轉呈層峰。郭先生是
我老友，亦是李總統任台北市長以來，熟稔的信義計畫創議的熟
人。我主觀的願望在於若能以魏茨澤克總統的高格調，由李總統
向被害關係人道歉，並代表國府官方向歷史有所交代，不知有多
好！

　　我不諱言，讀到講稿內容，覺得李總統對世界史、中國史、
台灣史的認知不夠深，有點可惜，我因為中文書寫不流暢，遑論
我獨個兒所做的「單思病」，李先生根本不曾找過我幫忙。杜正
勝相當自負，據我讀他的論文，仍感其局限性頗大。

　　我還提到王部長一直都在擁護李總統之改革，站在外省人大
老的立場，你的道德勇氣令人敬佩。王部長發表支持李總統的言
論，使得甚多外省人對你不大諒解，甚至在國父紀念館，還有老
兵撞了你一下（註：相關情節，王作榮曾為文〈我要向「正統國
民黨」說幾句話〉，對所謂正統國民黨行止留在校場口打手時
代，表示遺憾）。我認為你的發言既公正又超越族群的「小格
局」。你不是從狹隘的族群立場說話，而是愛國，從國民黨改革

_____

[*4] 魏茨澤克（1920～）為第6任德國聯邦總統，在任期間為1984～1994年。

使台灣走上真正的民主政治憲政的角度出發。

　　至於我這個小蘿蔔頭寫的小文章，也有不少本省朋友對我不諒解，我們都是所屬族群中一般人士「討厭」的「孤傲」（自己認為）人士，但基於對歷史有交代並存真的信念，卻是一無二致，故而提議，由我們兩人在台灣歷史轉折過程中做一對談，把台灣當前面對的問題和李總統的時代性，徹底做一番解析，相信可以對「李登輝時代」，以及台灣民主歷程的回顧、概括與前瞻，能有些許貢獻。

　　提議不久，王部長就轉任監察院長，而我也進入總統府國安會（時任國安會諮詢委員），兩個人都進入另一個公務階段。王院長不多久又住院開刀，我則顧慮王院長的復健，這件事就這麼擱下來了。時隔四年，李總統也卸任了，他在位時的爭議是非，不斷有人討論，但我覺得還是缺乏全面性的觀照，我們兩人各自從公職上退休，這個計畫終於到了可以付諸實行的時候。

　　王作榮（以下簡稱王）：我是記得當年提過共同寫出個東西，以後就沒下文了（笑），我還想戴教授怎麼搞的，我又不好意思追問，你是學者，寫東西是比較嚴謹的。你的構想非常好，李總統不論他人怎麼樣，他對台灣影響是非常大，是應該徹底地分析清楚。我非常高興有這個機會，能把各種真實的事象解析出來，這對歷史也是一樁貢獻。

　　戴：在整個台灣的發展進程中，王院長是一位具有實際經驗、學官兩棲正派權威的人士，現場經驗往往會涉入比較多的感情因素；但王院長又是一位學者，對事理據我觀察，一直以公平嚴謹的態度立論，並不斷做好理性背景分析。這在中國官場上，

是非常難得的。我有許多做官的朋友，不要說送書給他們看，他們大概連報紙都不一定用心讀的，他們只看公文，看多了書反而不容易做官，書讀多了官就做不好。所以，王院長以現場經驗結合學者風範，可以更客觀，不致流入俗見。

　　李登輝總統從全中國歷史、全人類歷史角度來觀察，他大概難列入大政治家之林，但是，他即使卸任，影響力在台灣有限的格局，可能還會持續二、三年。在這種狀況下，功利主義頗重又不願得罪人的惰性使然，本土派企業家、蛋頭學者們，大概還是難脫李先生的影響，未必能客觀分析「李登輝時代」對台灣歷史進程具有何種意義，及他的真實影響在哪兒？

　　我們一方面肯定他，一方面也要批判他，批判不是為反對而反對，批判是為了相互提升，實事求是。海峽兩岸，目前的大陸新聞自由還不夠，表面文章頗不求是，台灣還好，走的是現代化的路子，可以實事求是並存真。

　　分析「李登輝時代」，可以從了解他個人、了解他所處的時代、社會背景，如此更能深入透視李登輝12年風雲。最近我收到一些奇怪的信（透露李登輝加入共產黨和其他同志涉案落難的文件），但是，我很遺憾地說，這樣的東西，如果缺乏事實佐證，甚至連事實部分都引述錯誤，這樣的反對，不過是口水之戰，我們要避免落入非理性批判的窠臼。我們老一輩的人，希望能把原理性的、本質性的東西整理出來，這才符合理性批判、相互提升的意義。

　　王：我非常贊同你的想法。李總統這十數年對台灣的影響，非常重大，不論是政治、社會的情況都有巨幅翻轉，其中最重要

的就是「去中國化」，甚至激起情緒對立。陳水扁的當選，實際上是李總統的力量使然，李自稱台灣在政治上已走上第二共和，也就是台灣共和國的路子了，下面我們可以更深入來談這方面的問題。

社會上同樣有去中國化、反中國的情緒，這些情緒絕非短期能消除，問題的嚴重性還不只在台灣內部的情緒，更重要的是也激起了中共的情緒，加緊對台灣施壓。我是大陸長大的，以我對大陸的了解，對中國的了解，他們根本不把台灣當一回事，只要台灣不搞獨立、分離，混個數十年相安無事不是問題。現在搞成大問題，激起對抗情緒，中共不會善罷干休，未來會是個什麼結果，尚難逆料。但是，不可否認，如果中、美因台海問題起戰事，兩岸玉石俱焚，李總統就是大罪人了！

我們希望雙方都能冷靜下來，和解、和解、再和解，平靜下來，在模糊中再過個十幾年。李總統到現在想不清楚自己到底做了什麼錯事，他自己沒有自覺，這是很麻煩的。這些問題，我們透過對談和深入的分析，應該可以釐清。

第二章　回首前塵話初識

　　個性決定人的一切，事件只是加註記號而已。回溯人的成長歷程，才恍然許多歷史形成的偶然，其實都具有其必然性。

　　做為蔣經國擇定的接班人，李登輝繼掌大權，即使身處主流、非主流的險惡政爭中，許多人相信，最初的他並非爾後的他。從台灣優先路線的確立，到當選首任民選總統之後的兩國論，李登輝的「變化」（如果有變化），出乎許多人的意外，包括他許許多多舊識，王作榮與戴國煇可謂其中代表。

　　即使李登輝在民選總統之前，接受日本作家司馬遼太郎訪問，吐露「身為台灣人的悲哀」，招致國民黨內異議之聲，王作榮與戴國煇其時都更願意相信，那是李登輝從日據時代、白色恐怖時期，潛隱於內心、極其壓抑的陰霾，積壓經年所致。

　　李登輝在其個人著作中，曾經透露他從左派進步青年，以至於信仰三民主義的成熟中年。成長於動亂歲月的人，幾乎不分省籍，都有過類似的經驗，年輕時候不讀馬克思，不叫進步，中年以後還信仰馬克思，那叫愚蠢。王作榮與戴國煇都曾經歷那樣的板蕩歲月，細數身邊好友，幾乎無一不是曾經嚮往左派思潮。白色恐怖時期，情治單位的檔案可以滴水不漏形容，包括嚴家淦，都有類似紀錄，直到他出任副總統，全部的檔案才得以銷毀。

　　台籍人士，特別是在菁英階層的知識分子，接觸左派思潮更不落人後，但真正台獨運動的興起，則是到1960年代白色恐怖巔峰期之事。早期的台灣左派，泰半心嚮往「祖國」，這也是為什麼李登輝的左派老友們，曾經對他寄予「統一厚望」之故。

　　國民黨政權靠著高壓，使台灣成為半世紀政治噤聲的特殊境域，從二二八至爾後的戒嚴時期不當審判，讓這個政權付出慘痛的代價，終至徹底本土化，甚至政權輪替後，依舊被所謂「外來政權」的陰影壓得喘不過氣來。

　　特殊的是，李登輝在日據時期，較諸一般台灣知識青年，更早改名「岩里政男」，對其父祖輩在日據時期販賣鴉片、擔任日警等「特權」，非但毫不隱諱，甚至頗有津津樂道之態。對比其同輩，諸如撰寫「台灣自救宣言」賈禍的彭明敏，非但不曾改名，甚至為了逃避充當日本兵夫被炸斷手臂，李登輝對殖民歲月的懷念，確實格外突出。

　　王、戴對談花了相當篇幅，從他們的時代背景和結識李登輝的經過，追溯李登輝的過往，包括李登輝二次進出共產黨的事實，基本上更深刻地了解李登輝性格特質中的矛盾。

　　戴國煇教授詮釋李登輝走上「岔路」，源於他對歷史的錯誤認知。更細密地分析其成長背景，他自許是日據時期的「特權」基層；國民黨統治期間，儘管二二八得幸躲過劫難，在王作榮的引介下，他進入體制，成為躍升之星，但政治陰影無一日不潛藏於心底。林洋港擔任黨主席期間，廣泛結交民間人士，厚植人脈，因為訪日私下接觸台獨運動者，被蔣經國刻意貶抑，李登輝謹守分際、不露聲色地逐步邁入權力核心，以如履薄冰形容，絲毫不為過。他對國民黨政權的疏離，並未因為得權勢而有所不同，至多埋得更深罷了。

　　往事在回憶中，往往強化當時並不具備的意義。念舊情懷，在一

般人，是浪漫；對走過肅殺歲月的人而言，國民黨政權的惡，強化他們對日本統治的懷念；對日本殖民政權的感念，又強化他們痛恨國民黨威權統治的正當性。

　　然而，李登輝畢竟是國民黨政權培植下的國家領導者，他的懷舊情結，乃至對歷史的錯誤認知，無可避免地，使他個人的痛苦成為全民的情感割裂，不論兩岸終局走向的歸趨，台灣主體意識的建立，終究不能築基於對殖民統治的依戀。李登輝的時代畢竟過去了，而台灣還要走下去，把歷史拉回應在的軌道上，只是第一步。

日據滄桑

　　戴：從初識李先生時開始談吧。這個部分，可以分成幾個階段，包括他從政、入黨，乃至王、李連袂赴日、韓考察開始，我可以補充他年輕時代的一些思想脈絡。

　　李總統不像一般政治人物，這麼奸巧（笑），隱藏自己。他毫不設防地把自己公開出來，不論是自己的口述，或者接受各色各樣日本媒體的訪問，甚至上班族不看的雜誌，他都不吝於與之訪談，真正自愛、考慮自尊及身分的政治人物不會做這樣隨便的事。當然，他還是有所隱諱的，比方說，他有個日本名字：岩里政男，從他暴露的更名時間，和當時一般台灣人改日本名字的年代相比，早了點。到底怎麼回事？他似乎並未吐實。日據時期，台人改日本名是有一個制度的，有民族自尊心者，是不願改的。

　　當時有名望的家族會受到壓力並被強制改名，為的是藉其立為標竿。但他們都會想盡辦法留下中國姓的「尾巴」。例如戴家

有人改名為「泰山」（當然所指者是以山東的泰山為本，取泰與戴有同音之「誼」），彭改為吉川（意在取其本字來打馬虎眼），湯亦可改為湯本（原本即湯之意）……。林獻堂先生一直堅持不改名，又不說日語，則是典範。李登輝卻不然，不但早改名，為何改為岩里？頗值得我們揣測。

　　王：那個年代，日本急於皇民化，台灣人肯改名字，應該可以受到若干優待吧。他很有趣的是，身材、長相都和他父親李金龍先生不同。

　　戴：李總統的母親身材滿高的，對於他私人身世，坊間揣測很多，不過，這是私人事務，倒毋需多做聯想。值得我們注目的是，他自述李金龍老先生是警察學校畢業，與當年的師範學校畢業生一樣是屬於社會菁英階層（見李登輝，《台灣的主張》，日文版，頁18），這個說法是錯誤的。當年的台灣沒有警察學校，那時的台灣人除非就業有困難，萬不得已才去當日本警察；日本的大正年代（1912～1927年），一般台灣人只能當到巡查補。

　　李先生，你說他老實、率直都可以，甚至可以說是不提防恣意地「亂說話」也何嘗不可。他還在近作《亞洲的智略》〔《アジアの知略》〕（日文版，頁178）中，道出祖父時代李家還賣過鴉片。日據時期，能從總督府專賣局（今公賣局）批發販賣鴉片的台灣人小零售商，是何種人家？只要知悉台灣史實者都非常清楚的，雖然子孫不必為其先人之一切負上責任，但也不必誇言宣示其並不光榮的事蹟吧！當然為了反省，概括歸納史鑑，把自己祖先既往的謬誤做好批判，是值得社會稱讚的。

　　李先生年輕時代，最為人樂道的即是他兩次進出共產黨的事

蹟，最近不少左派老人紛紛透露往事，終於解密。我哥哥和他同輩，對他們當年的心性，可以做些補充。他的問題是，他對日據時期的台灣史和中國史，認識不深，是他的問題。那麼，就請院長談談如何結識他的吧！

農復會初識李登輝

　　王：我在自傳《壯志未酬》中，也描寫過這段過程。我記得是1960年，我在行政院美援會擔任參事兼經濟研究中心主任，我的主要工作之一是負責設計中華民國第四次的四年經濟建設計畫。當時，我想要把設計方法現代化，用計量經濟學的模型來設計，得搜羅許多資料、表格、精確的國民所得和金融統計數據。這些資料綜合之外，得建立一個模型，全台灣還找不出這樣的人才，可以做這個事。後來有人告訴我，農復會農經組有一位叫李登輝的，懂點數學，可以用在經濟計畫上，找他問問，看他能否做這個事。

　　我當時位子已經相當高，李登輝的職位還是技士，比科員稍高，相當於行政機關的專員。他們說，這個人不大得意，為什麼不大得意，我也弄不清楚。但既聽聞此人，就決定試試。李登輝在農復會的直屬長官農經組長，即前央行總裁謝森中。謝和我是中央大學同學，他是農經系，我是經濟系，同年畢業，彼此相當熟悉。我倒沒找謝森中，直接就到農復會去找李登輝。

　　我還記得是一個夏天的午後，我穿著一件香港衫去看他。他坐在辦公室靠窗的一個小桌子前，我自己介紹是王作榮，其時我

在政壇已有點名氣，一說，他就知道我是誰。我坦率告知來意：
「我正負責一個經建計畫，要做一個模型，聽說你是這方面的專
家，是否能借調你到我的單位？先做一段時期，做做看，日後你
若願意，可以到我這個單位做事。」李登輝聽了，相當開心，沒
有多說什麼，就滿口答應。

　　當時，農復會的薪資比一般行政機關高出大概五倍，美援會
則是普通公務員的四倍，李登輝為什麼肯不計薪資高低，立刻同
意？日後和他熟悉，我直率問他：「農復會這麼高的待遇，為什
麼你肯到美援會？」他也誠實告訴我：「你們美援會的工作具有
發展前景。」確實也是，農復會工作範疇畢竟比較窄，不論是美
援運用、經建計畫，甚至農復會的美援工作計畫，都在美援會先
期規劃。

　　他答應之後，我沒向謝森中提，直接回到美援會向祕書長李
國鼎提出借調之意，同時，也請李國鼎直接找農復會實際負責的
委員沈宗瀚（前政務委員沈君山之父），商調李登輝。李國鼎
第二天就回話給我說：「沈宗瀚同意了。」我立刻辦理借調程
序，沒隔多久，沈宗瀚打電話給李國鼎說：「不行，謝森中不同
意。」為什麼不同意？我也沒多問，我和謝太熟了，不希望因為
一個人事案，搞複雜了。結果沒有調成，但就這麼認識了李登
輝，後來，和李登輝也沒多往來，就是彼此認識罷了。

　　再過一段時間，我到聯合國亞遠經委會（亞洲暨遠東經濟委
員會，Commission for Asia and Far East，ECAFE），在泰國曼谷
工作，他則前往康乃爾大學攻讀博士。直到1968年（民國57年左
右），他博士念完，返回台灣，途經曼谷，曼谷有他農經組的老

組長崔永楫（接任謝森中），當時崔在聯合國糧農組織（Food and Agriculture Orgnization of the United Nations，FAO）任職，崔邀宴李登輝，我應邀做陪，異國再遇，格外高興，李夫人曾文惠女士也在場。

1970年1月間，我奉經國先生之命，辭掉聯合國的事，返回台灣。經國先生指派我全台灣考察考察，他說：「你離開台灣已經三年，台灣什麼個情況，你去幫我看看。」我以經合會顧問身分，一路從台北看到屏東。我向經合會祕書長費驊提出，要求找農復會的李登輝和我一起前往考察，他管農業，我管一般經濟，我也把情況報告行政院祕書長蔣彥士。當時經國先生是行政院副院長，院長是由副總統嚴家淦兼任。

蔣彥士是農復會出身，影響力比沈宗瀚還大，蔣彥士聽聞我的意思，滿緊張地問我：「你要找李登輝，那你和沈宗瀚提了沒？」我說：「講了，沒問題，他同意。」於是和李登輝一路從北到南，工業、農業、社會生活，無所不看，同行者還有一位經合會的祕書。報紙上常報導王作榮到哪兒考察，隨行者有李登輝云云。去之前，當然也簽報給經國先生，因此，經國先生知道了李登輝這麼個人。

一路走的過程中，就有經合會的安全人員對我提出警告說：「你和李登輝這麼親近，帶著他到處跑，你知不知道此人的背景？他以前是共產黨，現在是台獨，你帶著他跑，將來得負責任，不能讓他到我們單位來。」我笑著說：「沒問題，我負責，我曉得他不是台獨。」

這一趟考察結果，經國先生又要我去日、韓考察一番，我

說，沒問題。於是構想以三個月為期，選上約二十個隨員，從各方面把日本戰後復興的景況，從經濟、貿易、社會福利等各方面，從制度面，好好地做一番了解，弄清楚這個rising sun到底是什麼原因可以在戰後這麼快復興，重新站起來。我還要搜羅日本所有的相關資料，請專家全部譯出，逐次研究個徹底。

結果，簽呈送上去好久，經國先生不批。隔一段時間，傳出有人打了小報告，說我王作榮野心很大，準備要接行政院長，這次出國考察帶了一大群人，就是他內定的閣員。我知道這麼回事，又上了個簽呈給經國先生，意指如果政府有困難，規模不必這麼大，就我和李登輝兩人一起去好了，一樣，他管農業，我管一般經濟；為時兩週，韓國待四、五天，日本待十天。這個簽呈立刻被批准。另外，還有一位自費隨團考察的陳清治先生，他只到日本，沒去韓國，他是麻省理工學院的博士，後來成為很成功的企業家。

出國前，我們要先辦手續，既為官派，奉經國先生之命出國考察，手續理應便捷，沒想到我的出境證很快下來，李登輝的簽證老是下不來，一拖就是一個星期，再拖又是一個星期，搞得我莫名其妙。後來又是別人告訴我，李是台獨，根本管制出境，證件當然下不來。

我一聽就火了，這不是很無聊嗎？他是個文弱書生，什麼台獨呢？文人哪有不罵政府的呢？頂多愛講話罷了，這樣就要整他，太過分了，於是我寫了一封措辭強硬的信給經國先生。信中內容大概是李登輝其人品學兼優，博士論文更被選為當年美國農業經濟學會優良博士論文，是本省籍難得的人才，國際上也小有

學術聲名。這樣的人才，應該延攬至政府工作，你擺著不用，坐冷板凳不說，還不讓他出境，這是什麼意思？有不同意見者，發發牢騷，在國外的，你不讓他回來，在國外製造一堆敵人；在國內的，你又不讓他出去，國內也製造一堆敵人，這樣搞法，你將來要怎麼做呢？這些人都不是普通人，都是菁英分子，你得罪光了，有什麼好處？我還講，以前皇帝碰到好人才，作法就是二種：一是殺掉，一是用他，你既不用又不殺，留著造反，不是太笨了嗎？

　　這封信寫了之後不到一星期，李登輝的出境證下來了。說到這裡，我要插句話，他到底是不是台獨？他在康乃爾大學的時候，確實和獨派人士來往密切，像刺蔣案的黃文雄。他又是藏不住話的人，罵政府的話從不隱藏。康乃爾學生中，他一直懷疑有人打他的小報告，他在康乃爾的言行，國內一清二楚，就不讓他回台，他被迫留在國外找工作。但他當時已是年近半百之人，英文又不夠流利，加以專業學門終究比較狹窄，連教職都難找，向聯合國糧農組織申請都被拒，只好寫信給老長官蔣彥士求助，希望能回到農復會工作，蔣彥士已是當紅的行政院祕書長，蔣保他回來擔任技正，回來又出不去了，沒人敢用他，只得坐冷板凳。匪諜和台獨兩種人，誰敢碰呢？就我不在乎，管別人怎麼說。

　　他一直懷疑是誰打報告的？外界從不知道，後來他吐露過，他懷疑的人是劉泰英（前國民黨投管會主委，台灣綜合研究院院長）。這是後來他談起來，對梁國樹伉儷談起劉泰英都還咬牙切齒。李登輝日後漸漸嶄露頭角，擔任政務委員、台北市長，劉泰英還來找過我，解釋這樁事，他很無辜地說：「李登輝在康乃爾

的事，一直懷疑是我打的報告，其實，哪裡是我呢？誰打的報
告，我也不知道，請王老師代為向李登輝解釋一番。」

　　劉泰英的請託，我必須誠實地說，我從沒向李登輝提起過。
因為我想，李登輝根本不知道我知曉他過去背景的種種，我若當
面提起，豈不尷尬？實際上，我和他這麼近，安全人員都是通
的，他們豈會不告訴我？後來，不知道是誰為劉泰英解釋清楚，
劉泰英反倒變成他手底下第一號紅人，世事難料，可見一斑，我
猜後來解釋的人大概是梁國樹，但也有可能他當了總統，有權調
閱相關檔案。這是後話不表。

東京初會

　　我們朝夕相處兩個星期，從韓國到日本，李登輝知道我是沒
有省籍觀念的人，也不會去做告狀的事，一路上他毫無防備，兩
人天天罵政府，罵得不亦快哉。我說：「政府實在很差，國民黨
也真該罵，不過，你老在旁邊罵，有個什麼用？你又搞不成革
命，真搞革命，一不能成功，二來犧牲太大，沒開始革，命就沒
了，就算搞成了，一團亂，也不是辦法，台灣承受不了，外頭還
有個共產黨。我看你加入國民黨吧，多幾個好人加入國民黨，國
民黨可以變好，國民黨內都是壞人，愈變愈壞，誰吃虧？還是台
灣的老百姓。國民黨搞好了，豈不也和革命一樣？」經我一分
析，他點頭同意了。

　　在東京的時候，有一天，他興致勃勃地告訴我：「我想去看
個朋友，他有點問題哦，是黑名單中的人。」我問：「他叫什麼

名字？」他說：「戴國煇！」我說：「好啊！」他又說：「那你
得陪我去。」我點頭說：「沒問題。」為什麼他要我陪呢？因為
我陪他去，沒問題，東京監視我們的人，知道我不搞台獨，也不
會造反，我不陪他去，他麻煩更多。

　　我們就到千葉拜訪戴家，這是我和戴教授第一次見面，那一
天，戴先生還找了好多人一起吃飯，其中有個人：殷章甫。

　　戴：殷章甫日後還說就是這次聚會，李登輝認識了他，才被
提拔出任監察委員。

　　王：戴夫人的菜做得真好，我到今日還記憶猶新。一群人吃
得好痛快。我還記得到樓上參觀戴家的藏書。哦！那真是滿牆壁
的書籍，我挺擔心樓板能否承受得住這個重量，戴先生告訴我，
建築已經強化設計，沒有問題。

李登輝加入國民黨

　　考察回國後，我立刻跑到中央黨部去，拿入黨申請表格。
1970年的6月，天氣好熱，因為表格有許多資料得李登輝填，我
又親自跑到農復會，要李登輝自己去填。李登輝擺了一段時間，
沒給我，我又去催他說：「你填好了，就給我吧，我和太太（范
馨香）一起當你的介紹人。」我相信李登輝的入黨申請，經國先
生是親自看過的。

　　入黨宣誓在中央黨部舊樓底下一間小辦公室，又熱又悶，除
了我們幾位，還有一位經辦人林傲秋，他看了表格說：「你們夫
妻倆都是介紹人，不好，我來當吧！」他就把我太太的名字范馨

香塗掉，另外寫上他的名字，所以李登輝的入黨介紹人兩個：一是我，一是林傲秋。汗流浹背地，李登輝就宣誓加入了國民黨。

　　戴：我想補充問幾個問題，最初你找李登輝幫你設計經建模型，謝森中反對，你知道原因何在嗎？

　　王：這我倒沒深問，據我理解，似乎是謝有好幾個研究計畫，得李登輝來寫。

　　戴：不是要他寫論文或計畫，而是謝森中不通日文，但是日據時期有許多基本農業統計資料，謝森中需要懂日文的李登輝來協助和配合。有件趣事，有一回謝找李登輝代課，謝還嫌李登輝的國語說得不好，我看謝的客家國語也好不到哪裡（笑）。謝在美國拿到博士，返台路過東京時還是我招待他的，我和謝一直有往來，滿熟的。李登輝對謝未必滿意，但還是給他出任央行總裁。

　　至於李登輝懷疑劉泰英打小報告，倒是有合理推測的理由。劉泰英太太娘家係大陸來台的黨政要員（註：劉泰英妻洪燕父親，係故國民大會祕書長洪蘭友胞弟洪子固；洪蘭友次女洪娟，係蔣經國國防部長辦公室主任，前駐美採購團團長溫哈熊之妻）。當年，台灣人和外省人通婚不甚普遍，何況又是黨政要員之後，故視劉為特務。其實特務何必一定是外省人？本省人做特務又多且兇呢。此外，李登輝怎麼能去得成康乃爾也是一個謎。他第一次出國念書（註：1952～1953年），到愛荷華大學，沒拿到學位，但是身處海外，倒是避開了最肅殺的白色恐怖年代，可說是白色恐怖的「漏網之魚」，他如果人在台灣，未必逃得了這一劫。

兩次加入共產黨

他青年時代，兩次進出共產黨，現在都被他老友們解密了，最初還弄不清楚，他的入黨介紹人怎麼說法不一，原來是兩次入黨退黨，介紹人分別是吳克泰和李薰山。藍博洲的《共產青年李登輝》敘述得很清楚。李登輝這個背景，情治單位該都掌握的吧，中間隔了好長一段時間，不能再出國攻讀博士，為什麼後來他還能二度出國？李敖一直咬定他出賣同志，不過，那段時間他人根本不在台灣，即使有意出賣同志，也沒有機會。

最近我又拜訪過去的老朋友，包括李登輝第二次加入共產黨的介紹人李薰山。李薰山當年在戒嚴令未發布前被釋放，所以沒被槍斃，他一直庇護李登輝，警總後來還找他問話，問他的小組到底有沒有李登輝？李薰山始終沒有吐實。後來李薰山到日本找我，還狐疑地問：「奇怪，我們一直保護他，難道是他自己交代的嗎？」

李薰山的說法，他的小組只剩三人：陳炳基（人逃到大陸）、李登輝，還有他本人，其他人都被槍斃。李薰山肯定李登輝絕對沒出賣同志，因為同志都不在了。他問我知不知道怎麼回事，我告訴他，完全不知，我只知道李登輝搞過學運，卻不知道他還加入過小組。李薰山一直維護李登輝，直到數年前發覺李登輝連民族主義都不要了，於是決定接受中央研究院近史所的口述歷史計畫，敘述了這段過程，但他要求在李登輝任期結束後再公布，這份訪談原稿，他也拿給我看了。

李薰山吐露，當年根本不認得李登輝，是組織交代他去找。

他還記得李登輝第一次參加小組，非常積極，還帶了一本書來，這本書是日文版的《中國蘇維埃運動的研究》，這本書很客觀，從太平天國寫起，寫到國共對立和共產黨現狀，包括國民黨剿匪、井岡山等，很有意思的一本書。

後來，李登輝在康乃爾期間，和刺蔣案的主角黃文雄過從甚密，刺蔣案發生後，有關當局自然嚴查。李登輝為什麼能到農復會？除了專業背景，當年農復會的主持人之一湯惠蓀是CC派，等於國民黨內的反對派，有點硬脾氣，很認真的一個人，早期因此農復會拒絕進用國民黨員。另外兩人就是蔣彥士和沈宗瀚。早年經國先生要蔣彥士出任中興大學校長，蔣不就，才又要湯接任。湯當年訪問羅馬，回程路過東京，我正好主持台灣農業相關一項研究計畫，手邊有點預算可以運用，特別請湯演講，以支付演講費的名義，資助他五萬日幣，會計主任為此還和我吵了一架，我以湯為國立大學校長，身分不一樣硬是送了。

湯回國後告訴蔣、沈，提及日本政府根本不理我們的大使館。沈宗瀚後來到東京，大使館派車給他，沈要來看我，大使館相關人員一臉狐疑，幹嘛看一個黑名單中的人？我介紹了東京大學我所屬的研究所所長，並在家中接待他，殷章甫也在座。提一椿趣事，沈宗瀚來的時候，夫人隨行，我都忘了，1991年，我返台，沈君山來看我，出門前，老太太問他到哪兒？沈君山說去看戴國煇教授，老太太很開心說，她認得我，要沈君山問候我，還說我家書庫與庭院的實況，教沈君山不得不相信，我是先認得他雙親才認得他的。我有時會消遣沈，說我是他父親的朋友哪！

蔣彥士來東京的時候，也來看我，當時他是香蕉組的組長。

戴國輝夫婦（前排右、後排右一）與沈君山（前排左）等友人合影。後排左起：陳忠信、翁松燃、丘近思，1997年5月10日（林彩美提供）

我建議他兩件事，後來都實現了。第一，貿易是互惠的，逼日本人以高價購買台灣香蕉，不是辦法，其實並非我們逼日方高價購買，問題出在我們用香蕉變相收買日本政客，拿香蕉做我們對日外交的工具；第二，僅靠香蕉是沒前途的，要另外發展養殖漁業，並引進新品種，發展更多新品種的蔬果，如哈密瓜等。

　　1969年，我第一次回台，包括蔣彥士、沈宗瀚、李崇道請我吃飯，李登輝只是陪賓。1972年，蔣經國出任行政院長，我回來參加第一屆國建會，住在旅館裡，蔣彥士送了一籃哈密瓜等水果，後來我去看他，我很訝異地問他，台灣哪來的哈密瓜？蔣笑

嬉嬉地說：「這不是你建議的嗎？」事隔三年，我第一次回國時，李登輝還在坐冷板凳，第二次參加國建會回日本不久，李登輝即被拔擢入閣出任政務委員了。

李登輝怎麼能再去康乃爾？還是一個謎，是否蔣彥士和沈宗瀚報告後，得到蔣經國的首肯？

王：那個時候他還沒被管制這麼嚴，他的案子弄清楚後，從愛荷華回來，還是很自由的。

他是台獨？

戴：李登輝當了官之後，沈宗瀚還老是透過沈君山來問我，你的朋友李登輝到底是不是台獨？我總是說，他不至於是台獨吧。他在康乃爾拿博士，聽說是很辛苦的，差點想放棄，還是劉大中和費景漢的鼓勵，他為了報答，費回台，特別讓費接任中華經濟研究院的董事長，斯時于宗先是院長。

費景漢年輕出國，不知官場習氣，空降到中華經濟研究院之後，很吃舊人的虧，一天到晚打電話給李登輝，抱怨連連，說他做不下去。李登輝看看不是辦法，才準備安排他出任台綜院董事長。當時台綜院的董事長是羅吉煊，李登輝還花了點工夫勸羅卸下董事長職，羅是李登輝京都大學後期的同學，彰化商銀董事長卸任後即轉任台綜院。台綜院表面是做研究，實質做的是美國遊說工作。羅吉煊提醒李登輝：「我這個位子沒薪水哦！」李登輝一聽，轉念另外安排費景漢出任有給職的國策顧問，費專程到日本的美國大使館，宣誓放棄美國國籍，沒想到自日返台不久，卻

病發猝死。又是一樁世事難料。

王：費景漢是我在華盛頓大學的同班同學，我們交誼很深厚。李登輝讀博士，是讀得相當辛苦，費的確幫了他很大的忙。費景漢來頭很大，他的祖父和孔祥熙是同由傳教士攜帶赴美的小留學生，孔家本來沒錢，回國後一路發，費的父親也是做生意，一家念的都是教會學校聖約翰大學。費本人似乎念的是燕京，出國後他的哥哥也都在華盛頓大學念書。費拿到碩士又轉到麻省攻讀博士。

李登輝找費景漢回來擔任中華經濟研究院董事長，不完全因為費在康乃爾幫他的忙，主因是費景漢在耶魯待了一段時間，美國政界耶魯人不少，李登輝有意藉費的人脈關係，發揮若干影響力。後來費景漢確實也邀請耶魯校長來台訪問。中華經濟研究院于宗先一派，多屬外省反李派人士，一直排斥費景漢，費確實很難做。至於安排他出任國策顧問，唉！還沒正式發表，他就過世了，無福享受。

台綜院的事，我也有段軼事，台綜院創辦時的董事長是誰？王作榮！（笑）我真去了，也看了辦公室，不過，一見董事名單，如尹衍樑等企業界人士，我看看不對，就說謝謝了，結果我沒接董事長。找我到台綜院，也是李登輝的意思。那個時候，是我在考選部長任內的事情，由於考試院人事變動，我無意再任考選部長，李登輝就安排了兩個地方讓我選擇，一是國安會諮詢委員，一是台綜院董事長。出任監察院長，那是後話了。

是歷史的錯誤？還是錯誤的認知？

　　戴：認識一個人，了解他身處的時代背景，是很重要的，李登輝年輕時代的深遠影響，在李登輝歷次談話和著作中，至為彰顯。一般說來，不管是有意或無意，記憶是常常會說謊的（參見John Kotre，*White gloves: how we create ourselves through memory*）李登輝的健談是有名的，不過他好像對言多必失，將損及他做為國家領導人之威信毫無自覺。

　　他在《台灣的主張》一書中，指他父親李金龍畢業於警察學校，這是不可能的。因為日本人在台灣不曾設立過「警察學校」，當時所設是「警察官及司獄官練習所」，開始時只准日本人念，一直要等到1920年後，才讓台人應考，考取後也只以乙科生錄取，怎麼能如李在書中所述，可與師範畢業的教師比為台灣菁英階層呢？

　　另李最近在《亞洲的智略》（日文版，頁178）說，李家在其祖父時持有販賣鴉片的許可牌照，研究台灣史的朋友都知道，斯時能獲得販賣鴉片許可牌照的台灣人家不僅是少數，其家庭成分更是非同小可的。漢人的傳統文化是，好男不當兵，好鐵不打釘，遑論有可能扮演異族統治者的「打手」，變成鎮壓自己人的警察；除了找不到好職業的情況下，萬不得已才會選擇當警察，當然稱不上所謂的菁英。

　　大正時代後半期（1918～1926年），第一次世界大戰結束，俄羅斯革命成功，全球經濟不景氣。日本治台，先壓制平地漢人，平地漢人搞社會文化運動，不再武力對抗，日本當局把壓制

武力轉移到山地原住民，加上經濟不景氣，總督府財政收縮，為了省錢開始改變，大量錄取台人為乙種警察（自1920年改正，表面上取消了日、台間的身分差別，在此之前，台人身分為巡查補，或判任官待遇），但給台人的薪給為日人的一半，也就是說，用台人二人只需要用日人一人之經費，方便增額警察人員，因應社會治安。李金龍任職日警的時代背景應該是離上述不遠。總督府補上台灣漢人做警察，也不稱為警察，只稱之為警察補。拿歷史事實和李登輝的自述對照，只能說他在心理上愈說愈相信，不符歷史事實的事為實了。

再者，他不但沒有念「小學」，考台北二中兩次都考不取，據傳連台北二師範也沒考取，他考取的是日本人經營的私立國民中學，如果他祖父與父親是所謂的日據時期台灣菁英，可說是轉型未成功的典型之一。沒有聽說他大哥李登欽念過中學，被日軍徵召時仍任下級警察，更讓人質疑李登輝的發言缺乏一貫性。

日本殖民統治不歡迎基督教勢力，基督教在台灣力量彼時有二：台南長老教會屬英國系統，淡水長老教會屬加拿大系統。淡水辦的學校是淡水中學，台南辦的是長榮中學。不過台灣的教會學校規模與「權威」，遠不若大陸的教會學校，李登輝從三芝遠赴台北國民中學念書，有一段路途。總督府正式承認淡水中學後，李登輝才轉學到淡水中學。就當年北部應考生之選擇順位排序分別是：國民中學、淡水中學、台北中學（日本佛教辦的），吊車尾的是夜校成淵中學（一小部分人是家窮只好半工半讀的資優生）。他從淡水中學跳班考進高等學校，是不容易的，他大概是淡中第一個。

　　淡中未被公認前，有門路或教會有關係人士之子弟，則在淡中念完三至四年時，再轉至京都的教會私校插班，資優生因得日本的中學畢業證書，才能考舊制的日本高等學校，繼而升學念帝大。

　　當年念大學，選擇職業的順位是醫、法，至於教書，以公校為主，大專畢業生能在中等學校找到教席者甚少，同時，日人、台人有別，日本人當教師有60%的加薪，台灣人則沒有，台人日常生活又難免有差別待遇。後來台民向「滿洲國」及「汪精衛南京政府」找出路是有其理由的，甚至還有轉到黃埔軍校參加辛亥革命的。抗日戰爭期間，又有人奔赴重慶或延安，參加抗日暨革命事業者。

　　2000年6月，我赴日演講時與一些認得李登輝的日本朋友聊天，他們說，李登輝在《台灣的主張》（日文版，頁24）中，提到他在日制台北高校時代（1941～1943年），岩波文庫的相關藏書即有700冊，這顯非事實。岩波文庫要私藏七百多本，連東京帝大的一流學者都很困難，彼時岩波文庫是否已出版那麼多種類的書，還是一個疑問，何況是光復前的台灣高校生李登輝？他又說1981年親自翻譯過歌德（J. W. Goethe）的《浮士德》〔*Faust*〕，這也是個問題，歌德作品的原文是德文哪！日本高等學校重訓練語文，第一外文選擇德文者是「理乙」與「文乙」，李登輝是「文甲」生，應該是主修英文。

　　有位認識李登輝的前輩問我，究竟李登輝自何種版本（德、英、日）翻為何種語文的呢？我只能笑而不答。此人繼而說，難道李翻成「歌仔戲」來上演？他的中文程度哪能把《浮士德》譯

成中文呢？我只能回答他：「別忘了，張漢裕教授生前的叮嚀，好歹李登輝是我們台灣人的第一位總統，不管如何，我們應該徹底地支持他！」

　　既然這裡提到了張漢裕教授，我想再添一些註解。張是台灣人，日據時代在東京帝大唯一被任命為「文部教官」（東京帝大經濟學院講師）的好學之士。他的授業恩師兼媒人，就是《日本帝國主義下之台灣》〔《帝國主義下の台湾》〕的作者矢內原忠雄。矢內原在第一高等學校的恩師暨校長是新渡戶稻造。在此之前，新渡戶是後藤新平轉請來台搞糖業政策的，新渡戶被一高學生排斥後，轉進東京帝大經濟學科，專任「殖民政策」講座。矢內原可以說是新渡戶的學生及學問的繼承人。卸任後的李登輝，突然談起新渡戶稻造的相關話題，但不曾聽過他談及矢內原或張漢裕二人之事。

　　當年所謂的進步學生，是主張反殖抗日、具有社會正義感的台灣人（有時還包括日本人）學生，最風靡的書是矢內原忠雄的《日本帝國主義下之台灣》，這本書，李登輝並未列入他青年書單之中。另外還有一本《貧乏物語》，算是中學高班生的通俗讀物，馬克思主義經濟的入門書，作者是京都帝大經濟學科的著名教授河上肇。河上是對彼時留日的大陸學生亦有過極大啟蒙的馬克思經濟學家。李登輝也不提這些書，反而說他熟讀《資本論》，他的進步左傾，似乎是日本戰敗後，受風潮所及，視中國為四大強國，倒未必是對共產主義有何認識。

　　有關李登輝熟讀《資本論》，李是如此敘述的：「大學時期，我遍讀馬克思的主要著作，《資本論》也曾深加鑽研，反覆

讀過好幾遍（《台灣的主張》中文版，頁45）。」李所云「大學時期」，應該是1946年春至1949年8月，此時的後半段，該是中共地下組織在台灣最活躍的時期。台大圖書館與日本人所遺留的馬克思相關出版物，成為左傾學生（只能讀懂日文者）的最愛，是不難想像的。隨著自日本復員返鄉的左傾學生亦攜帶一些馬、恩相關出版物，尤其介紹中共活動者（主要由日本調查機關所編譯的祕密文獻），更是搶手貨。

李登輝的左派老友們質疑的是，李熟讀的《資本論》究竟是哪個版本？他們質疑彼時念或念過醫學院、懂德文者在「輪讀」（輪流講讀）德文本，英文本不曾見過，至於日文唯一的完譯本只有國家社會主義者高畠素之（1886～1928）之譯本。李登輝的誇口叫我們甘拜下風，畢竟《資本論》可不是易懂。

李登輝於1946年初，自日本返台不久，又碰上二二八，那段時間前後，他還和曾文惠一起學過國語（彼時亦稱為北京話），可見當時他還是有中國情的，不然就是投機，認為日本挨兩顆原子彈，不易再起，中國將是世界四強之一，不應景學好國語，怎麼趕得上時代？成年後，他對中國的認識，應是來自魏特夫（K. A. Wittfogel）的《東方專制主義》〔*Oriental despotism: a comparative study of total power*〕。魏特夫曾實地考察中國，他認為，中國的集權建構基於水利體系，中國的時代循環，到共產黨的革命終止，共產黨先搶政權，卻沒想到共產黨上層的本質還是未能揚棄封建框架。

1950年代後半，我留學時的日本青年，和我東大同班的十個有八個是共產黨員，風氣如此。李登輝對中國的認識，僅止於

此，視中國為亞洲停滯的社會，他卻沒想過，中國是如此龐然大
物，一旦起來，其擴散力、影響力相當驚人，以其分母之大，只
要能充分釋放出民間能量，被看好是必然的。當今以美國為中心
的西方進步國家有識之士，雖然尚認為大陸的制度問題重重，但
對其潛能之無可限量，是眾所承認的。人皆云中國已成為「體育
大國」（雪梨世運為例）、「感性大國」（大陸電影獲得多項
國際獎項、李雲迪獲得蕭邦大賽獎、高行健獲得諾貝爾文學獎
等），不久的將來成為「科技大國」，亦可期待。

　　李登輝曾經對我說過，大陸就讓他們自己去管吧，我們是管
不了的。我卻認為，海峽太窄，無視大陸經濟發展及其對台影響
力，有一天台灣的島國經濟必會破滅。記得1990年代初，我去大
陸開會考察回台，謝森中找我到央行八樓吃飯，但天下沒有白吃
的午餐，餐前要我先做「大陸行」的報告。我就說，大陸的問題
是不少，既往你摸到長江頭或長江尾，以為是長江，其實不然，
因為沒有任何人看到長江的全貌，但現在則有衛星照相可以運
用；其土木工程的進步，亦很驚人。全世界資金都在找投資機
會，一部分已往大陸市場前進，包括日本，許多閒置資金都盯著
大陸，如此大陸的發展會比我們想像得更快，若能把黃河、長
江、珠江等三大河治好，農業就可改觀，農業能進步，農村經濟
當然亦可隨之成長。

　　事後，我向李登輝報告，李登輝卻認為，大陸問題很複雜，
要轉變，很難。但不論如何，我是盡其可能地提供我的資訊及看
法。但是，李登輝年輕時代對中國的認知，使他後來的視野一直
受到限制，後來，與反主流的政爭，更使他「恨死了大陸人的政

治文化」。

　　其次，李登輝對台灣史的見解，也有他的局限性。比方說，他看重日帝留下來的產業基礎建設，但歷史的大是大非他並沒有搞清楚。從社會科學的立場而言，殖民統治是應該分為三個層次來討論：第一，殖民的動機；第二，殖民統治的過程；第三，殖民統治的結果。

　　就動機論，日帝統治台灣不是為了慈善，更不是為台灣人的利益。就過程論，史實告訴我們，日帝是殘忍無道的，如「西來庵事件」（1915年，引發屠村事件）、「霧社事件」（1930年，日帝用毒瓦斯彈鎮壓原住民）。就結果論，殖民統治留下的「遺產」如何解讀？當前被自我迷失者視為正面價值者主要為產業基礎建設，這些難道是日帝甘願留給我們的嗎？當然不是！日帝戰敗只好捲鋪蓋走路，留下帶不走的基礎建設罷了。這些建設的主要資金，還不是來自台灣的稅金，僅以教育建設為例，台灣人納稅建校，卻限制台灣人入學，李先生不也嘗過苦頭的嗎？對此猶不清楚，豈非可歎！

　　再如嘉南大圳，原本設計是為了日系糖業公司確保原料甘蔗供需所做，當年多少台籍蔗農受其苦遭其辱，這個大是大非若都能忘記，還能面對自己的祖先嗎？我真不敢相信嘉南平原老百姓的後裔，會那麼沒有骨氣地健忘。企業家為活學活用的後藤新平塑像，是個人的事，但若以國政顧問的層次發言，顯然不當，遑論有些學界人士竟與之共舞。

　　如何評價某個人在某種體制內發揮其「才華或技能」，可說是一門大學問。我們後人高度評價後藤新平為日帝鐵腕殖民統治

的高級官僚，與正面肯定日本在台殖民統治，是兩碼子事。我們可以肯定嘉南大圳設計師八田與一的灌溉水道設計等成績，並同情其妻的殉死（日本敗戰後投水於嘉南大圳的源頭烏山頭水庫），但不能以個人層次的諸多行為，掩蓋日帝在殖民台灣時所行體制屬性的惡行，不然將等同視希特勒納粹主導製造出的名牌車福斯汽車（Volkswagen），因而可以免責納粹罪行。

　　權力（power）可以靠「人頭」獲得，但個人威信（authority）只能靠一點一滴的誠信逐步樹立，隨興的饒舌既欠缺一貫性的宣示，難免損及其身分之尊嚴。理智上，我們知道政治人物有其多重性，所謂「伴君如伴虎」，政治領導者的想法與實際作法之間，的確時常有其恣意性、分裂性和矛盾性，周圍無人說實話且無人監督時猶甚。

彭明敏與李登輝

　　光復後，我哥哥曾自東京回來過，他與李登輝差不多時期，被迫志願參加了所謂的「學徒出陣」。我二哥因為「提前畢業」，加上他有些資產在東京，生活有著落，所以沒回來。

　　所謂「學徒出陣」是日本當局為了增補兵源，發布敕令，全面停止「大專」學生緩召特例（1943年10月1日），把非醫、理、工系在校學生一概縮短肄業年限，提早畢業，或提前徵兵年齡，使相關的日本青年從軍。台灣彼時尚未實施徵兵制，當局只好利用強迫性志願來代替徵兵制。彭明敏在「逃避」行途中，遭遇美軍空襲，而失了一隻手臂。王育德則巧妙地返回台南，逃過

一劫。李登輝、劉慶瑞（郭婉容前任早故丈夫）卻與我二哥一樣，被逼迫入日本軍營（1943年12月1日）。

我有位表哥，年齡比二哥小些，日本敗戰時尚在第三高等學校（京都）念書，還未進入帝大，所以返台。他們一批自日本返來的資優生（多數肄業於各帝大及各舊制高等學校者），除了對台北帝大（現台灣大學）醫科外，大多目中根本無台大。因台北帝大為殖民地大學，加上在日本學界中的學術地位不高，他們便尋找機會準備轉進大陸念名校。他們臨時的「梁山泊」，即在今日泰順街一帶。鄰近於舊制台北高校的泰順街中間有個池塘，圍著池塘的則是台北高校教職員及日本高級官僚宿舍，有一部分日人已經返回日本，空出房子，我們遂各自分成幾群，分居在空屋中。

彼時學制正在改制中，中學校改為初中部，與高中部各念三年，然考大學者念四年。中國因沒有舊制高等學校學制，一方面創辦台灣省立師範學院，另外，準備廢止台北高校，但有需要讓尚肄業的學生念完書，故新招進一批自外地或島內的插班生，補滿後繼辦台北高級中學（1949年7月，俟第三屆畢業生為止），因此，舊制台北高校那時變為校長同一人，但校舍為雙校兼用。

1947年2月，我因為學齡未屆（高我一班者才有資格應考），我只好插班念建中的初中部三年級。不多久，即發生二二八事件。

早於二二八事件發生前，1946年11月6日，台灣省行政長官公署教育處（處長為范壽康，副處長為宋斐如），公布了考選「升學內地專科以上學校公費生各校名單」（共92名，分發8

所大學），同月18日成立了台灣省升學內地大學公費生「同學會」，月底三批搭船出發，前赴各校報到，此為第一批公費大陸的留學生。記得1949年曾經再辦過一次。

他們考取公費生前後，我已有意自新竹中學轉到台北學習的念頭，一有空，即到泰順街走動，找我尊敬的學長們，聆聽日本學界、台灣與大陸的政情。他們中間有位竹中的前輩，經過一高再考進東京帝大醫學院的劉沼光，他品格及學術都非凡，很自然地被擁護為領導人。周圍所釀成的氛圍，讓小蘿蔔頭的我，五體投地地欽佩他，不，欽佩那一幫人們。多次聽他們的言論，自然而然地排出我所欽佩的三個人：第一當然是劉沼光；第二是劉慶瑞；第三則為彭明敏。

彭在二二八事件後，還到我們建中高二B班補過國文，因為他是隻手英雄（由於他逃避日帝兵役，我由衷欽佩他的勇氣），故我記得特別清楚。本來就很尊敬的表哥，念的又是第三高等學校，初三時，我讀過河上肇的《貧乏物語》，因而非常嚮往京都的第三高等學校及京都帝國大學經濟學部（河上是該學部的名教授）。早熟又稚嫩，年少輕狂，不知天高地厚的小鬼，只在幻想及單相思，學長們是不可能察覺我的存在，但他們的隻字片語已在感染著我，尤其是我對二二八的看法。

對於京都帝大，我所在意的只有經濟學部和哲學系，那裡出了兩位哲學家，一為《善的研究》〔《善の研究》〕的作者西田幾多郎，另一位是死於日本法西斯監獄的三木清（西田的弟子）。其他科系和台籍校友們都不曾在我視野內占過一席之地。

「沈崇事件」（1946年12月24日，北京發生美兵強暴北大女

學生）時，台北學生遊行聲援（1947年1月9日），我也北上湊過熱鬧，當天大家先集合新公園（今二二八和平紀念公園），人高馬大的李登輝也在場。我有位在台大農學院念書的學長告訴我，那人是京大回來的李登輝，他在農經系。印象裡，我眼中的李登輝就是他那出奇的「扁頭」。

在建中三年多，除了打球外，我有空就到古亭町（現南昌街一帶）的舊書攤逛，購進一些日本人留下來的人文社會科學類書籍，因痛逝家母，衍生家變。「四六事件」（1949年）發生後，學校的氣氛突變為凝重，三天兩頭不是老師不見了，就是高班學長不見了，是非日多。我於是想溜到日本去（這段小插曲，請參考戴國煇著《愛憎二二八》之自序，遠流出版）〔參見《全集》3〕但沒有成功。為了離開討厭的老家，遂南下台中念台灣省立農學院（今中興大學）。

在農學院念到三、四年級時，農經系的同學被農復會動員去幫忙農村調查，報酬相當高，但同學們拿錢卻不甚敬業，苦了當班代的我，還得為之善後。拿了錢又不愛做事的同學倒罵我投靠學校當局，出賣台灣同學等無聊話，其中，內情很簡單，二二八之後，台籍同學對學國語（北京話）有抗拒心理，看我國語（僅僅是客家腔的蹩腳國語）說得比他們好些，對外省朋友不具偏見，甚至有時還發些正論傷了他們的感情而已。斯時再次聽到李登輝之名，說是台灣第一位農學博士徐慶鐘（農林廳長）手下一員大將，但未曾謀面：第三次聽聞李登輝之名，則是由徐慶鐘先生親口述及，當時的情況是，我已到日本留學，徐到日本勸我返台服務，因當時我對台灣民主化進程缺乏信心，對徐之勸說，敬

謝不敏。徐彼時為國民黨中央黨部副祕書長，受命來日安撫日益
增長、以留日學生為核心的新型台獨運動（有別於廖文毅、邱
永漢等老台獨運動），在日本東京準備辦一份雜誌《今日之中
國》，再次找我深談，徐的說法概要如下：「第一，你參加國民
黨，在黨內做批判，經國先生是有容納異議的雅量的；第二，政
治是一個綜合性的最高藝術，是值得你挑戰的；第三，我（徐慶
鐘）準備辦一份日文學術刊物，在東京請你負責編務兼撰述，在
台北則找李登輝幫忙。」

　　記得徐老還領我到靠近新橋的該雜誌社社址（後來才知道是
劉天祿處所，劉天祿之子為劉介宙，其孫女劉伶君日後曾經擔任
李登輝在總統府的英文翻譯）。雜誌社的資料櫃上，排著鍾理和
與龍瑛宗等客籍小說家的作品。我早知悉徐係客家底福佬人，故
意逗他，為何選的都是客家作品？他答腔：「我也是客家人。你
知道自己是客家人就夠了，不要老在福佬人面前主張自己是客家
人，福佬人會討厭你的。」我立即反駁說：「我只主張人人有主
張自己出生的尊嚴，我並不主張客家人該與福佬人爭鬥的啊！客
家人裡頭，頗多欠缺back bone（脊樑、毅力、志氣），若有條件
的客家人都不敢主張自己客家出身的尊嚴，那還能談什麼？」

　　後來，我瀏覽《今日之中國》雜誌，不曾見過李登輝在刊物
上有過名（記憶是如此，若有誤，尚祈讀者見諒）*5，究竟徐、
李之間發生什麼事？我還是一頭霧水。不過，我為了答謝徐老的
關照，在《今日之中國》第1卷第6號（1963年11月），寫了一篇

---

*5　《今日之中國》1963年7月～1972年6月，經清查確無李登輝的文章。

〈糖業在台灣經濟的地位〉論文〔參見《全集》10〕。倒是彭明敏、謝聰敏等人的「台灣人自救運動宣言事件」（1964年中秋節）發生，曾有一種說法傳到東京，指謝為了「減刑暨自救」，反咬徐一口，說徐也與案情有關。彭等人被判刑後，有一日徐來訪，面晤時我提起這段情節，徐只答覆：「好險嘿！我怎麼知道彭謝他們會搞出這種事？」大約是1986年吧，謝聰敏訪日，我與他有短暫的聊天機會，我直接問謝：「你真的反咬徐先生？」謝說：「沒有啦！彭先生派我到《今日之中國》社打工倒是事實。」

　　高中時代學長們、同學們，常常有人出事。家父開始禁止我寫日記，也不讓我把相片隨便送朋友。雖然現在我是搞歷史研究，但常常只能靠記憶及周邊相關的資料，才能確認清楚事情發生的日期等。

李登輝東京演講

　　我正式與李登輝見面談話，應該是1961年7月1日，彼時我任東京大學中國同學會的創會總幹事（當時並無會長）。我們請李學長到東大農學院為中國同學會農學院分會演講，題目定為「台灣農業發展現況與展望」。演講前，他先到郊外國立市的一橋大學造訪大川一司教授，不知為什麼遲到一個多小時，演講會場上遲遲不見他出現，有些同學頗發了點牢騷，我還低聲安慰他們：「大概是學長路不熟，再等一會兒。」沒有想到，他人到會場，一句歉意的話都沒說，教很多人不滿。

　　演講結束後，我送他返回鄰近三丁目東大赤門對面的日式旅館，李招呼我進去，問我的博士論文題目為何？我說準備以中國大陸的農村和農業問題為題目，李登輝問我：「為何不以台灣農業為題目呢？」我回答：「區區台灣，未免太小兒科了吧。」他說：「大陸人才濟濟，我們台灣人不是應該對台灣多下一點工夫嗎？」當時為什麼請李來日演講，我已不復記憶了。

　　談到這裡，我得粗略敘述1961年的時代背景。第一，日本處於反美運動的最高峰，反對日美安保運動拉下岸信介（註：前日本首相）不久；第二，台獨運動由主編《台灣青年》雜誌的王育德領導，王的哥哥王育霖在二二八時被暗殺，王育霖是我建中的英文老師。李登輝赴京都念書時，王育霖自東京帝大法學院畢業，考上司法官，戰敗前被派到京都擔任檢察官。幾年前李登輝開始處理二二八道歉補償事宜時，李登輝還特別到台南拜訪王育霖夫人（1994年3月6日）。

　　據《台高會名錄》（1982年10月）可以知悉，王育霖在台北高校比李登輝高四屆，王育德比李高一屆，與邱永漢（本名為邱炳南）同屆。據傳王育德本來親左，1950年代後半期自大陸傳來謝雪紅挨批失勢，使他逐漸走上台獨運動之路。王聚合了一批來自台南為核心的留學生，創辦《台灣青年》（1960年4月1日創刊，初期為日文的雙月刊）。王以此為基礎展開運動，在他招兵買馬的過程中，我也被看中，他或他的組織派了一位與我們夫婦私誼甚篤的R兄〔廖春榮〕來遊說，但我回絕了他們的美意。

　　國民黨當局知曉他們的企圖和想法，除了派徐慶鐘，於1965年初夏，又派了丘念台來日做安撫的工作。有關丘老的軼事，在

此就省略了。至於先前談及李登輝特別前往拜訪的大川一司教
授，倒值得一提，大川本是我恩師東畑精一的第一代弟子，雖然
出身於東京帝大農經系，但他所採用的方法與眾有異，為了日本
經濟的實證分析，他著手研究明治以降的長期經濟統計之整理與
推計，利用這個成果把理論與實證研究結合，獨樹一格，學風被
譽為「日本之顧志耐」（S. S. Kuznets, 1901～1985，計量經濟學
家，俄裔美籍諾貝爾經濟獎得主）。

　　李登輝拜訪大川教授時，有一位馬乾意先生在一橋大學念經
濟，好像想搞出台灣的「產業關聯表」。馬著手相當早，在《今
日之中國》創刊號發表了〈日華貿易結構之分析〉，他念完碩士
即返回台灣。不過，李登輝不大提他認識馬乾意的事，或許不大
願意別人知道太多自己青年時期的背景吧。英雄不問出身低，不
過，英雄往往不喜歡熟悉他過去歷史的人在身旁逍遙，卻彷彿是
古今中外的定律。

　　回溯李登輝在1960年代，再次被調查局約談，也是日本台獨
運動興起之際，可以說當時經國先生已經看到台灣社會氣氛的變
化，才有催台青政策的出現。

　　王：馬乾意最早在美援會我那個經研中心做事，後來駐過日
韓，職銜大概比經濟參事低一點的位子，又去過菲律賓，幾年前
剛自東京駐日副代表退休返台定居。

　　戴：徐來找我，應該是得到經國先生的默許。徐也對我說
過，他推薦戴炎輝到日本擔任文化參事，聯繫並安撫台灣留學
生，後來為何戴沒來？我就不清楚了。戴拿了東大法學博士回
國，沒想到被李敖揪住說他論文涉嫌抄襲他師兄東大教授仁井田

陸之著作，鬧得風風雨雨則是後話。

　　真正有政治動作的是丘念台，本來老總統懷疑他，不讓他出國，因為他曾經到過延安和毛澤東握過手。丘的父親是丘逢甲，他的母親出自閩南家庭，和林獻堂有親戚關係，就政治脈絡上屬於孫科系的廣東派。丘的太太很不喜歡蔣宋美齡，他的弟弟又留在大陸，成為福建省人民代表，常對台灣做些統戰性的廣播，但丘實際上是沒有多大政治力量的。老總統可能判斷丘逢甲還有剩餘價值而留下給丘念台，其實不是那麼一回事，丘念台根本不是共產黨，也不是台獨，1960年代中期以後多次訪日，1967年1月12日傍晚因中風昏倒在東京青山一丁目地下鐵出口不遠處。

　　我祖父和丘逢甲一起抗日過，從小聽祖父講，丘領導義勇軍抗日，他有錢所以可以跑回大陸，我們留下來坐日本的牢，所以反覆告誡，念醫念農都可以，就是不能搞政治、讀政治。丘到日本，我也常幫他小忙。李登輝1961年到日本，是否有意申請論文博士學位（不經過念學分，以論文獲得博士學位），則不得而知。但不論如何，我們是請了他演講。印象中，當時大家也不認為他是非常敏銳之人，他的文章也寫得硬梆梆的，不見文采。

　　那個時候，我約略知道李登輝曾經屬於進步一類學生，但不知道他曾經加入過地下黨，也知道他的老師是王益滔。王益滔是台大農學院教授，據傳一個兒子在台灣被槍斃，一個兒子在大陸也死於非命，非常悲情的一個人。

　　王：王益滔擔任過系主任，前兩三年才過世，夫婦倆都活了一百多歲，是農經系深受敬重的學者。

白色恐怖的冤屈者

戴：這裡我還補充一下，其實，陳儀第一批請來台的學者，
多屬進步老師，最起碼也屬於國民黨左派或自由派人士，他們大
多非常優秀。如許壽裳，本來要當台大校長，但當時的教育部長
是CC派的陳立夫，根本不讓他做，許壽裳不得已只有到國立編譯
館，後來小偷闖入門把許殺了，這是當局的說法，我們都相信是
被暗殺的。還有一位是臺靜農，北大時期他是地下黨人，一直是
被政府監視的，根本出不了國門。

再如留法的黎烈文，始終站在左派立場，但至死都沒再回大
陸過。陳儀的最高智囊沈仲九（沈銘訓，為陳儀正室沈蕙的堂
弟），本身是無主義屬性的左派，倒不是共產黨，因為他的影
響，讓陳儀找了一群左派學者，他們視台灣為三民主義左派的實
驗基地，可以和蔣介石的右派分庭抗禮，沒想到共產黨在大陸發
展這麼快。他們為了拒絕台灣的皇民化分子，拒絕林獻堂一夥的
台灣士紳，不和台灣地主階層合作，這也影響二二八事件前後台
灣政局的走向。這個論點，李登輝初期也是同意的，沒想到後來
他竟然會視國民黨為「外來政權」。

早期這批學者是用過心的，所以為什麼光復不久，就整理
台灣統計11年計要，就是為了要搞計畫經濟，陳儀之前還來過台
灣，考察公賣局的制度。二二八後，這批對國民黨失望者，投共
回到大陸，還是被共產黨整得慘兮兮。

後來再來一批如傅斯年等自由派人士，都是蔣先生派飛機從
北京接過來的。其中很有名的如傅聰的父親傅雷，留在香港觀

望，看國民黨不行，又回大陸去，結果自殺。胡適之對國民黨也不看好的，滯留美國，其實境遇也是不太好的，他的名氣太大，在美的中國學者排斥他，反倒沒有學校聘他，只好由普林斯頓大學東方圖書館安頓，一個月給500美金，根本不夠開銷，蔣再派人每月補貼他500美金。這段傳記文學作家唐德剛都有記錄下來。

最近有出版社重新印製當年白色恐怖時期的老照片（註：徐宗懋編，《1950仲夏的馬場町》，聯合文學出版，2000年），人權基金會也做了不少老照片的檔案整理，舊素材大量問市，包括陳儀當年被槍決行刑的現場照片、台灣電力公司總經理伏法的照片。

王：台電總經理的事我很清楚，他是清華大學畢業，留美，非常優秀的人才，槍決時很瀟灑，但案情是非常冤枉的。中共要解放台灣，先派了人到台灣來，告訴國營事業的董事長、總經理，要把財產保管好，等中共來接收，萬一被破壞了，一定找他們算帳。這位仁兄是個老實人，把話也轉給底下的人，這是笨得很，他被槍決的罪名是知匪不報，形同通匪。其實與他根本沒什麼關係，不敢報案，這也算了，竟然吩咐別人，結果來台的共謀被抓到之後，和盤托出，一杆子國營事業主管都被槍斃，真冤枉，也真可惜。

他是副總統！

問：徐慶鐘當年在推薦本土菁英上，扮演非常重要的角色？

戴：徐慶鐘也有他的複雜性，他不是左派，但有個侄兒徐瓊二（筆名，本名為徐淵琛），台北二中畢業，光復後未再念大學，徐慶鐘念大學還是辜顯榮出的錢。儘管他屢勸我不回，1969年回台灣去見他，徐還是對我很好。那個時候我對二二八已經有相當深度的認知，發現一本日文小冊子，談台灣的現況，相當高水平，正是他侄兒寫的。那天我送了些日本蘋果給他，他很高興，我談到這本冊子，他一楞，立刻流下兩行清淚說：「被槍斃了。」當時徐擔任行政院副院長，他一方面高興經國先生提拔他，一方面卻又難以揮去白色恐怖的陰影，這就是他們那一代人的心情和辛酸。

1972年，李登輝剛就任政務委員，徐慶鐘用日文說：「李登輝君已經當上政務委員囉，你當時若能回來多好，不過，你開始著書立論，也是很好的。要批判，別在外面鋒芒太露，在黨裡面批判，經國先生是會接受的。」

1985年，時隔13年，我回來台灣，還是登門拜訪徐慶鐘，他夫人甫去世，他閉在家裡，或許太苦悶，沒想到他第一句話就罵李登輝，我總覺得言詞中，難免有一點酸味。李登輝已經出任副總統，徐大概認為他自己的資歷更完整吧，他罵李登輝在省主席提出的「八萬農業大軍」，指為「講瘋話，荒唐，都是從日本農業基本法抄來的，也不考慮日本和台灣的情況根本不同。」當時自認是副總統人選的還有一個：戴炎輝，他後來當到司法院長，日本台獨運動者就有人罵，他們海外台獨運動氣焰愈高，台灣島內政客升官愈快，豈有此理。這也是政治現實吧。據傳戴炎輝還特別訂做一套長袍馬褂備用，以為副總統提名揭曉必會是他。

　　王：這是真的，沒想到結果不是他。徐慶鐘我熟，戴炎輝我更熟，這兩人晚年頭腦都不太清楚，講話不大靈光，戴炎輝更糟，台大請他擔任法學院教務主任，多半還是省籍之故。戴確實自認是副總統人選，連提名確定的演講稿都準備好，放在口袋裡，提名揭曉是李登輝，他還以為是自己，拿了稿子就要念，是旁邊的人把他壓下來的。

　　當時的副總統謝東閔，一直以為可能連任，據說提名前一星期經國先生都沒告訴他準備提名李登輝。另一位競爭者，就是林洋港，但他自己搞砸了，本來排名在李登輝之前，但太大膽，沉不住氣，經國先生培養他的國際聲望，讓他出國到美日訪問，他卻和台獨人士往來，往來沒關係，要報備，先報告說明情況，他不但沒報告，還祕密約見。尤其在日本，小報告就這麼傳回來。他在國內又培植自己的人脈，像宋楚瑜一樣走透透，這還得了，就這樣引起蔣經國的注意和提防。再一位是邱創煥，他的傑出比諸上述幾人也弱了點，這麼挑挑，還是李登輝。經國先生沒想到李登輝比林洋港還厲害。

　　經國先生確實想把政權移交給本省人，外省人裡頭，也沒有太多像樣的。孫運璿很好，但生病；李煥搞黨務，企圖心頂大，經國先生不完全信任他；王昇也是政治企圖心大，經國先生就把他放出去了。經國先生用人很重視人的本性，而且，絕對不讓軍方和黨務的人捲入行政系統，除了國防部和退輔會，他絕不用軍人。李國鼎也有強烈企圖心，偏偏經國先生最怕的就是企圖心，最好是能力強而又是乖乖牌。

　　戴：王院長說得很清楚，林洋港到日本訪問，排場確實不

小，很活躍又能喝酒，被稱為「台灣王」，我在東京看到他的舉動，就覺得他要遭殃，果然回台灣就被冷凍。我有一個長輩，是謝東閔在台中一中的同學，後來反日流亡到大陸，這位世伯晚年過世前告訴我，林洋港的想法是，跟隨謝東閔的路子，就可以順理成章地從省主席一路做到副總統。其實，他的過去一直被調查，每次到地方視察，都有特務跟到，林太大意，經國先生很注意林、謝是否結合地方勢力，反對國民黨。郵包炸藥案倒是救了謝東閔，並給他升為副總統的機會，經國先生就用副總統的位子補償他。李國鼎不是一直想接行政院長的嗎？不也沒接成。

王：李國鼎也是企圖心旺盛，到財經部門都搞自己的人馬，經國先生最怕小組織、搞派系，所以，李國鼎就是出不了頭。

蔣經國的用人術

戴：經國先生這套用人哲學是從哪兒學來的？從他父親嗎？

王：（笑）他從蘇聯共產黨學的囉！他很懂觀察人、操縱人，深沉不露，很懂中國治術，也懂人性，默默觀察，一旦知道你搞小組織，立刻拔掉。他不讓軍人、特務、黨務進入行政系統，他晚年真正的親信就是黃少谷。李煥出任教育部長，是俞國華力保才成的，還連保他三次才獲准。第一次提出，經國先生一句話：「此人不適當。」第二次提出，經國先生淡淡說：「你再多考慮考慮。」第三次再報上去，經國先生歎口氣說：「你實在要用他，我也沒辦法。」就同意了。俞保李煥，因為李煥在黨內力量很大，想用他以提高自己內閣的聲望。

　　俞國華深獲經國先生信任，為人操守也好，但不是做大事之材。外省人找不出人來，大勢所趨，政權是要慢慢轉移到本省人手中，至於什麼人呢？當然不能台獨的。

　　戴：經國先生當年用蔣彥士，是否也是把他當作跑腿？還是利用他和美方的關係？

　　王：蔣彥士和美國人的往來並不多，他的英文不太好，主要還是在農復會業務範圍內的關係，其他的事不太找蔣彥士。經國先生和美國打交道，不一定找蔣彥士，可以找的人不少。

　　戴：江南案、十信案發生，拉垮蔣彥士，馬樹禮回台上任中央黨部祕書長，背後原因到底是什麼？

　　王：經國先生病重時，好幾次醫生都診斷病危，王昇有意繼承經國先生，王是一個系統，孫運璿、馬紀壯、張寶樹等是另一個北方系統。當時黨部在張寶樹（黨祕書長）手中，王昇沒辦法掌握，另外搞了一個劉少康辦公室，把蔣彥士拉了進去，經國先生知道了，非常生氣，他病重可還沒有過去，豈可此時打這種算盤？火大了一個都不用。

　　戴：有一個說法指王昇訪美，見到美國CIA的人，美方很關注經國先生的病情，擔心萬一有狀況，台灣政局不知如何，王昇說，有我來負責。結果被打了報告回來，這是真是假？

　　王：他是否對CIA講了這話，不得而知，未必可信，但從他在國內的部署可以看得到，當時中央黨部通過的人事都要經過劉少康辦公室，形同小中央黨部，經國先生如何知道他們搞這些事，不知道，但實在是搞過頭了，幾乎要架空中央黨部，經國先生非常氣憤。別的原因倒未必相干。

　　戴：那段時間，江南案才發生不多久，沈君山和魏火曜以自強協會透過鍾榮吉找我回台灣，大概是江南在《蔣經國傳》提到我，他要找我沖淡些政治爭議。當時我校的棒球隊訪台，東京有六個名大學組織的學生棒球聯盟，其中唯一不曾訪台的就是我立教大學的棒球隊，他們計畫得真周延，就利用我幫忙牽線。立大答應了，我卻不知道自己能否入境，我不好對學校當局講我大概拿不到簽證，於是透過管道去問馬樹禮（駐日代表）。馬樹禮說：「真是冤枉，我們很希望戴教授回來，就怕他不肯。」馬樹禮就說要在東京請我吃飯，隔沒幾天，馬樹禮的祕書來電話，說馬樹禮準備要回台北接黨祕書長了，不便在東京請我，改在我回台北後見面。後來我回台北，13年沒回來，我特別到國科會（當時在廣州路）去看下了台的蔣彥士。那個時候圍繞著蔣彥士的風言風語就很多了。

有想法沒教法

　　王：我心目中的李登輝，嚴格說，智商不是很高的，要我給分大概只有B＋，他書念得普通，甚至偶失膚淺。書教得也尋常，甚至失敗。他在政大東亞所教書，學生選課的不多；在台大農經所教書，也是一樣，因為很少學生選課，農經系就不開他的課，華嚴就請他到經濟研究所和梁國樹合開了一門課，很給他面子，所以，李登輝對華嚴也很感謝。

　　他在農復會工作，和謝森中配合，李寫中文不太流暢，謝森中就幫他整整稿，順順句。謝卻老是把自己的名字擺在前面，李

登輝氣得要死，他認為日文資料多，相對他的貢獻應該比較大，每次名字都在謝之後，李登輝常抱怨這個事。他到農復會之前在農林廳，卻老是提拔不上來，待不下去，才到合作金庫。我聽說在農林廳的時期，有一個人和他搶位置，李登輝搶輸了，幾年過去，那個人還在農林廳，李登輝已經是省主席了。李到省政府，還問那個人在不在（笑），君子報仇，豈止三年。

戴：李登輝在經濟所的課有四位學生，包括孫震，還有一位蕭聖鐵，他父親後來在台大教華僑論，姑丈是很有名的台共蘇新，伯父蕭瑞麟也是老台共。李登輝做學問是普通的，我記得，當時台糖總經理郁英彪，為了糖米競爭問題，李登輝把日本人教授一篇老題目做為自己的論文，郁又把李的論文挪為台糖政策，李登輝碰到我，也罵郁英彪。李登輝對外省朋友反彈的情緒很難超脫，總覺得自己貢獻大，卻被壓抑，沒反省到自己的舉止想法以及學術研究的深度，也是搶表面功。

王：農林廳談不上政策，處理的都是技術面的問題；農復會做的是研究分析，但對政策研析貢獻也不多。我們在美援會很少聽說農復會拿出什麼好的政策方案，如果有，一定會送到美援會，我主管政策研究部門，尹仲容任何案子都會問我的意見，我印象中只有一個肥料換穀問題，美援會由我提意見，農復會是張憲秋（後任職世界銀行，翁文灝的女婿）簽意見，這個方案也沒落實。討論農業政策，我們腦筋裡，是沒有過李登輝這號人物的。

戴：國民黨對農業問題是很花心力的，解決糧食問題是第一要務，所以重用李連春，徐慶鐘和李連春都找過我。李連春在日

本找我當他的科長，我覺得很奇怪，不是有李登輝嗎？他們搖搖頭，大概李登輝不好相處，抑或是沒發揮過什麼作用。

　　王：他對政治有興趣，對研究是沒什麼興趣的，早期只是時代把他逼上研究這條路。

　　戴：回溯李登輝先生年輕時代的背景，先不論他思想的深度，倒是可以看出他人生觀和世界觀形成的脈絡。做為台灣12年轉型的國家元首，從1972年經國先生請他出任政務委員開始，一路拉拔他出任台北市長、省政府主席到副總統，他始終認為自己的政治地位並不穩固。一直到他赴美於康乃爾演講、總統直選，則是他權力的巔峰時期，到他確知不能連任「第十任」，或延任而不一定就任之修憲案行不通時，即拋出「兩國論」。

　　有趣的是，他總是透過日本友人訪談或合著中，透露他的政治主張和內心世界，《台灣的主張》如此，《亞洲的智略》等亦復如是。從他的著作中，大致可以了解他的想法或他主張的一些內容，包括中學生涯、舊制高校時期，乃至大學時代主要閱讀的書籍等，據他的年譜可知，他在京都帝大僅讀半年即被徵召當兵，敘述相當模糊。1946年8月15日，日本戰敗，次年春，他返國插班台大，到白色恐怖之間，具體而言是1949年4月6日（四六事件）前後，是最重要的。

　　日本政學界主流者，1970年代前後多趨向右派，讀書的法門先搞好語文，包括德文、英文等；至於願意訪台之政客，因忙於選區經營，根本無暇看書，即使看書，閱讀的深度又不夠。這一類日本人到台灣，碰到李登輝，格外有自卑感，李登輝知其弱點，更愛在日本人面前炫耀他讀的書既廣又博，僅僅談到西田哲

學《善的研究》，日本人對他就服服貼貼，更讓他窩心。其實，言多必失，他就常在與日本朋友的對話中，捅出紕漏，全世界找，真的很難找到第二個曾經身為被統治者，卻對過去的統治母國如此讚許的人。

不過，我對李登輝的敘述一直持保留態度。第一，他說當時看《資本論》，1943年，日本都快戰敗了，他到哪裡找《資本論》？當時日本只有一套右派國家社會主義者高畠素之翻譯的《資本論》，左派翻譯的《資本論》，根本還沒有完成，至於英文版，大概也沒有進來，德文版，他懂多少？我很懷疑。白色恐怖時期，看《資本論》是要坐牢的，有左派書籍，燒都來不及，他怎麼看？很可能是在戰後復員回台後（1945年8月到1946年4月）及白色恐怖前，這段時間在日台兩地看了一些有關解讀《資本論》及左派的小冊子罷了。

第二，他並未完全了解東方專制主義全面權力（total power）的比較研究，更遺憾的是，他沒有能夠把蘇聯、東歐解體與魏特夫的戰前有關東方專制主義的分析連起來，把問題釐清，僅看其表象，讓他輕易地採用了王世榕提出的「七塊論」（參考王文山著，《和平七雄論》，月旦出版社，1996年10月）。李登輝沒真正看過中國大陸，他講去過，其實是他自台趕赴日本陸軍高射砲幹部學校時，經過青島幾天而已（參考蔡焜燦著，《台灣人與日本精神》〔《台湾人と日本精神》〕，日文版，頁98～102，日本教文社，1999年7月）。我還記得有一次李請我和張光直（中研院院士）等人在總統官邸吃飯，問到魏特夫是否第三國際的人？我回答：「是！」最近還有最新的

魏特夫傳記問世（G. L. Ulmen, *The Science of Society, Toward an Understanding of the Life and Work of Karl August Wittfogel, Mouton, The Hague, 1978*, printed in Germany），我也買了日文版送他。書中指出二次大戰前魏即視大陸為停滯未進步的社會，這個觀念仍然影響到李登輝。我告訴李登輝，亞洲四條龍已經起飛，魏特夫對亞洲停滯論證的理論，似乎不足我們去解讀了！

殖民統治的美麗與哀愁

　　李登輝和大陸的緊張，從司馬遼太郎的對話開始。司馬最大的問題是他對台灣的理解全部來自日文，以及台獨相關的文獻，後者主要是邱永漢主張台灣是無主之地：「台灣地位未定論」，司馬拿來運用，李總統也未加以否認。李登輝可能並非出於故意，而是他們那一代人受日本統治影響，對台灣和中國的關係，缺乏正確的認知。台灣果若是無主之地，當年日本首相伊藤博文需要與中國清朝的全權大臣李鴻章簽下《馬關條約》嗎？日本直接占領台灣就是了，搶來就算了，這不是開玩笑嗎？李登輝無此認知，身為中華民國元首是不應該的，為何他反國民黨或國民政府的封建體質，卻忽視反殖民呢？這種錯誤認知連台灣老百姓都不能接受，是非常嚴重的。

　　此外，他對於二二八和白色恐怖時期，國民黨政府為了鞏固政權做了嚴厲的處罰對策，他跟著台獨主張者，有時甚至會無限誇張，但對日本殖民政權卻表示寬容，甚至主張日本不必一再為侵華之舉道歉，這也是他的局限性。既然要否定白色恐怖的威權

統治，就得一起反帝、反殖民，否則「西來庵事件」、「霧社事件」的屠村殘忍事件，怎麼對台灣百姓交代？

　　第三，李登輝講他父親在日據時期擔任刑警，是菁英。警察是殖民國家執行統治最重要的公權力，怎麼會讓台籍人士進入公權力核心？這顯示他對殖民主義的社會科學研究也不夠深入。包括先前談到的王育霖被任命為京都地方法院檢察官，還是近於二戰末期，全日據時期有幾個裁判官、檢察官、高級警察，都是屈指可數的。李金龍是最下層的警察，若也能算進菁英之列，台民不會一直抗日到底的。1930年「霧社事件」爆發，原住民青年花岡一郎自師範畢業，被派駐山地擔任警官兼老師，花岡非常苦悶，不願為殖民政權服務，鎮壓自己的族人；李父當日本的地方小刑警，是為了生活不得已，他卻自視其父為「菁英」。

　　第四，如前所述，自稱李登輝的朋友們稱許後藤新平為台灣留下產業基本設施，但是我們必須了解，日本殖民統治的動機和過程，殖民者的動機不是做慈善事業，留下嘉南大圳等產業基本設施是結果，後藤早期殺了不少台灣人哪！嘉南大圳也是為了統治台灣及振興日本在台糖米產業之所需而全盤設計，農民氣死了，自己種的甘蔗不能自己吃，得賣給日本公司製糖，蔗價決定權完全掌握在有關的日本人手裡。包括嘉南大圳、台大醫院、縱貫鐵路等留下來，都是用台民的血汗錢「稅金」所建造，因為敗戰不能攜返日本，並非出於自願，是想帶都帶不走，那些台籍「日本教」信徒們卻由衷感謝，讓日本正派學者都驚奇於其歪論。

　　第五，我曾經向李登輝說過，「出埃及」和〈出埃及記〉是不同的，他表面同意。馬克思主義是階級權力論，魏特夫階級權

力論不夠完整，是智識權力論，遊牧民族控制水利所以無法統治務農的漢民族。我反覆思索，李登輝自視其權力基礎究竟何在？他若主張階級權力論，就不該把外省人排得這麼開；他若以台灣福佬沙文主義的民粹為主要依靠，做為其權力基礎，局限性就太大了。政治悲情未消褪前，或許可逞強一時，一旦悲情被沖淡，物質上的功利主義（牛肉主義）一上桌，局面即可能驟變。談到這裡，我衷心希望陳水扁能認清楚這點，不能再重蹈李先生以民粹的、省籍分化的福佬沙文主義的權力基礎路線。

王：李登輝當兵，是當什麼兵？

戴：嚴格講，不能說是正式的兵，是「學徒出陣」，李登輝講成「學徒動員」。日本當時本來還沒徵台灣兵，是兵源不足之後，才讓文科生「自願」出征。雖說是自願，實際是半強制性的，彭明敏為避風頭，跑到九州被炸壞了手，劉慶瑞乖乖地和李登輝一道從軍。徐慶鐘就是被徵到南京淪陷區，他原本是台北一中、台北高校、台北帝大的第一屆資優生，日本當局的差別待遇，不但不讓他升任副教授，還動員他帶著台灣青年農民種菜供應日軍，所以徐慶鐘很氣，他告訴過我這一段不愉快的往事。

王：台灣農業協助大陸，我沒聽李登輝提過，我倒是聽蔣彥士談到過。我知道大陸的農業技術還是有一定水準，新疆沙漠地帶都搞得不錯，大陸對此不是太感興趣，後來他也不積極了。

戴：早期，李登輝倒也沒反對統一企業的高清愿到新疆搞番茄生產的吧，態度還是正面的。

王：李登輝是否左派，有沒有加入共產黨？我不清楚。但那個時代，李總統二十二、三歲，我二十多歲，正念大學，左傾風

潮，日本、中國都是如此，大家都左傾，講兩句共產黨的話。我也看看共產黨的雜誌和書籍，表示我很進步，但不表示真有此信仰，真了解共產主義，還差太遠了。

戴：現在年輕人也是，彷彿支持民進黨就是進步，支持國民黨就是落伍、不光彩的。

王：《資本論》我也看了，看的是中文版，翻譯得一塌糊塗，我還是經濟系的，根本看不懂，他（李登輝）也看不懂的。台大圖書館裡，還有部分馬克思主義有關的書，沒被政府禁掉，他大概是回到台大後又看了些，但我想他興趣沒那麼大，畢竟風潮過去了。年輕時候，膚淺的幾個名詞朗朗上口，是流行，真要說看懂，確實不大可能。他不是真正的共產黨，即使加入過共產黨，也不是真正的共產黨，如果真正信仰共產主義，不會加入又退出，加入又退出，表示是趕時髦，沒有真正的信仰。

李對中國的文化歷史完全不了解，他也向我說過，去過大陸的青島，路過上岸望了一下，就去日本了。他對中國的接觸，就這麼點，其他的沒有了。他的中文程度不是太好，看中文書比較吃力，看日文方便，他對中國有一點知識，都是從日文版得到理解的，真正好的中國經典，他可能完全看不懂。

問：李總統不是還學過《易經》嗎？

王：他是很迷信的，他學《易經》，不在修習哲學，而是要算命卜卦。他和南懷瑾打交道，其實也在問前途。過去他在省政府，有一個下屬也懂算命卜卦，李很信他，他也很靈，很早就說李未來了不起，一定會做總統。一般學者以哲學思想的角度學習《易經》，不會搞算命卜卦這一套。

加入國民黨成為「催台青」

　　他和我去日本考察的時候，在農復會的職務是技正，相當於一般行政機關的專門委員，大概是簡任十職等，不是太高的位子。他的組長前後有謝森中、崔永楫和王友釗。他從台大農經系畢業，有一段時間留在學校當助教，王友釗還是學生，結果，王友釗當了他的組長，偏偏他升不上去，多半就是因為有老檔案的問題，稍早是不是共產黨，我不清楚，後來就是台獨的嫌疑。

　　1970年初，我回國後，就拉著他到處跑，向經國先生推薦他。年底農復會成立新的農業發展處，王友釗出任處長，農經組長空缺，輪也該輪到李登輝，結果還是沒給他，讓王友釗兼做兩個位子，就是因為台獨因素，也因此同事泰半不敢多搭理他。當時，他已經加入國民黨，資歷深又是博士，有一天，有個人打電話給我，為李登輝打抱不平，大罵欺負本省人。其實，不給李登輝擔任組長，不為省籍，為的是台獨疑慮。

　　我記得，當天晚上，我也忿忿不平，告訴太太，這太不像話了，才介紹他入黨，國民黨還歧視他，我立刻找了經國先生極信任的楊家麟，楊聽了也支持我的看法，他打了通電話給經國先生辦公室主任，請主任報告經國先生。一週後，經國先生親自下條子，要升他出任農經組長，年底，就發表了。

　　兩年後，1972年，經國先生組閣，內閣缺了農經人才，就用了他。這段過程，後來不少人都說是他們推薦李登輝，其實，我知道經國先生早已準備要用他，經國先生自己下條子升他當組長的時候，就表示在他心目中已經有了李登輝這個人。發表政務委

員的時候，他自己都不知道，人還在紐西蘭開會。以後青雲直上，做了六年政務委員，有關農業政策的問題，都是他在處理。孫運璿接任行政院長，經國先生也叫孫運璿注意李登輝的表現，觀察他可不可用。

嚴家淦、黃少谷、孫運璿是影響李登輝出任副總統最關鍵的三個人，他們才有決定性的影響力，其他人都沾不上邊，更不可能找馬紀壯去問南懷瑾的意見。經國先生是很精明的人，他自己觀察多少年，再讓孫運璿觀察他，台北市和省政府主席期間，都是在考驗他。

1972年，經國先生出任行政院長，在此之前，中央政府的人事權大概都在他手上了，他開始用本省才俊。約莫1950年代後半期，周至柔當省主席的時候，當時的省政府祕書長是郭澄，老總統要郭澄到省政府多找些本省青年，培養200人，這是郭澄親口和我說的，一點不假。可以說，1950年代，大陸開始發展原子彈，老總統明白他已經回不了大陸了，政權要在台灣生根，只有本土化一途。不過，這個任務是失敗的，找200人，真是難。郭澄是老於世故，敷衍罷了。但兩蔣對局面確實看得很早，也看得很遠。

經國先生組閣，就大量晉用本省人才，有的做首長，有的做副手，以為磨鍊與養望，為未來接棒鋪路。經國先生第一任找的副總統是謝東閔，年紀比他還大，被批評為無誠意交棒，所以第二任副總統人選就要找比他年輕的，李登輝是老早決定的，但沒告訴謝東閔。

戴：據我所知，王友釗先在台中的農學院讀書，正碰上白色

恐怖被抓進去，交代清楚，沒事出來之後，再轉學台大念書。李登輝應該也是把老案子交代清楚的吧，後半段在康乃爾時與黃文雄過從甚密，又成為一個陰影。我記得沈君山和蔣彥士當年有時會問我：「你的老朋友到底是不是台獨？」這部分，他倒是一直沒交代清楚。但我知道，入黨初期還升不上去，讓他很悶。康乃爾畢業，他其實不想回台的，一直在美國和聯合國相關機構找事，但不順利。

　　王：實際上，准他加入國民黨，該查清楚的，應該都查清楚了，沒查清楚，不會隨便讓他入黨的。我不相信他是台獨，我知道他有這個問題，但我不相信，他兩次告訴我，他不是台獨，我相信李沒對我說謊。他當總統，確實有意與大陸和解，是後來搞翻掉了。

　　問：奇美董事長許文龍曾當面問李登輝：「你到底還要不要搞台灣共和國？」

　　王：這是真的，許文龍問他要不要搞台獨，李總統後來也走上台獨的路線，但李是否從一開始就是台獨？我持保留意見。

第三章　密使兼及兩岸

　　李登輝主政初期，適逢開放大陸探親，兩岸接觸開始，透過南懷瑾的穿針引線，時任總統府祕書室主任的李登輝親信蘇志誠，親自在港台扮演密使角色，這段過程經南懷瑾的口述，弟子整理後披露，引起政壇側目。其時，王、戴與李關係正密，亦耳聞一、二。兩岸關係可謂台灣民主開放進程中，最重要的課題之一。

　　1990年開春，國民黨內為總統選舉提名爆發激烈政爭，主流、非主流政潮襲捲政壇。6月底、7月初，國是會議召開，10月6日國統會正式成立。隔年2月23日，國統會頒布《國家統一綱領》，明確揭櫫「中國的統一，其時機與方式，首應顧及台灣地區人民的權益、安全與福祉」。

　　李登輝成立國統會究竟是為安撫黨內對其獨台疑慮？亦或真心為兩岸統一大業擘畫遠景？在李登輝主政末期「兩國論」出爐後，幾成公案。即使如此，事後回溯，王、戴依舊相信，當年的李登輝確乎有意加速、擴大兩岸交流，不論是合作開發海南島，甚至鼓勵統一企業前往新疆墾殖，李登輝都以實際行動推展兩岸對話與協商。

　　在此之前，1989年5月，李登輝不顧黨內大老的反對，毅然派遣財政部長郭婉容前往北京出席亞銀年會，成為兩岸隔絕40年來第一個踏上中國大陸的官方代表團；在此之後，1993年3月，兩岸兩會（海基、海

協）就文書驗證達成協議草案，4月，兩會負責人辜振甫與汪道涵在新加坡首度會談。揆諸這段歷程，似乎很難否定李登輝對兩岸歷史進程的用心。

　　然而，好景不長，1994年3月底，浙江千島湖發生台灣旅遊團遭集體搶劫殺害的悲劇，全台震動。出訪中南美的李登輝脫口直指中共為「土匪政權」；5月，與日本作家司馬遼太郎的訪談紀錄發表，論及「生為台灣人的悲哀」，並首次公開說出「國民黨是外來政權」，再次引起國內政壇爭議，這兩次事件，也強化中共對李登輝的批判。隔年初有江澤民宣示的「江八點」，乃至對應而生的「李六條」，但兩岸關係似乎進入冷凝；6月，李登輝訪美，赴母校康乃爾大學發表「民之所欲，長在我心」演講，中共強烈反彈，三波文攻武嚇至隔年（1996）的總統直選前。

　　在中共飛彈演習聲中，李登輝輕易當選第九任也是中華民國首任民選總統，志得意滿的李登輝進入政治歷程的最高峰。某種程度分析，李登輝主政前期，推進兩岸交流與務實外交雙頭並進。不論他承認與否，這經緯兩軸確乎有其衝突的因素，中共對他積極擴展國際能見度耿耿於懷，並以此為他獨台趨向的印證。中共的認知與台灣內部民眾對長期「隱於國際」的壓抑、一夕解放雀躍不已的情緒，顯然差距甚遠。

　　李登輝的務實外交，讓他成為國際媒體的封面人物，卻也讓他付出相當代價。外交系統不諱言，即使是到東南亞非邦交國的「渡假外交」，都讓日後的外交工作遭逢更大阻力和挑戰。李登輝的訪美，更讓中共對李之不滿達於頂點，不再遮掩。

　　李登輝訪美之後，「中」（共）美關係陷入緊張，李登輝當選總統隔年（1997）10月，中共國家主席江澤民訪美，與美國總統柯林頓（Bill Clinton）會談，美中台關係進入重建期，美國顯然是向中共稍微

傾斜的。再隔一年（1998）6月，柯林頓訪問中國大陸，於上海一場座談會上，正式以口頭宣示「不支持台獨，不支持兩個中國與一中一台，不支持台灣加入以主權國家為成員的國際組織」，至此，美國的兩岸政策明確轉向接受中共的「一個中國」邏輯，直接壓縮台灣的國際空間。

　　這對台灣而言，是立即而明顯的衝擊，更直接地說，已經造成傷害。李登輝沒有停下腳步，他開始要求相關單位和幕僚研究如何破解「三不」迷咒。約莫又是一年，李登輝接受「德國之聲」訪問，正式拋出「兩岸是特殊的國與國關係」。中共大表忿怒，柯林頓甚至公開聲明對此說法「不表支持」；另一方面，面對台海成為世界火藥庫之一，美國開始強化對台軍事交流合作，相應之下，則以永久正常貿易待遇，回饋中共。美國智庫學者，乃至國務院私下不諱言，李登輝這位「民主先生」，如今成了「麻煩製造者」。

　　「兩國論」的影響，是顯而易見的。李登輝於任期最後一年甚至動念修憲，讓他精心研議的「兩國論」入憲。儘管此一企圖並未成功，卻形同為台灣未來的兩岸政策走向定下基調。台灣與大陸，從兩蔣時代的「統」到李登輝時代的「不統」，為兩岸的終局走向埋下變數，其影響讓後繼者陳水扁不得不在選舉期間即宣示，民進黨執政不宣布台獨、不改國旗等立場，以化解民進黨執政的台獨疑慮，爭取美國的支持。陳水扁當選後，新加坡資政李光耀穿梭美、中、台，以緩和兩岸可能因此升高的緊張。這一章，在王、戴的對談中，即以李登輝到陳水扁的兩岸政策與走向為主題。

還有未曝光的密使？

　　王：蘇志誠和江澤民打交道的時候，正是中共內部權力鬥爭

的高峰期，喬石在旁虎視眈眈。我記得，江八點發表之後，有一回和李登輝談到兩岸問題，我特別提醒他，中共領導人都是土包子，江澤民不然，他是上海幫，具有國際觀，也有彈性。他在位對台灣不會採取硬碰硬的手段，他在位愈久，對台灣愈有利，你若不退讓，把江澤民搞垮了更糟，我們要和中共打交道更困難了，你應該與江和解才對。

　　李登輝聽了我的話，竟然透露一段，他說：「你別擔心，你別擔心，我對中共的情形了解得很，喬石也與我有聯絡，中共內部什麼情形，喬石都會透過管道告訴我。」李登輝竟然這麼說，我儘管訝異，卻不好追問，畢竟這不干我的事，此等國家機密，不該我知道。我很懷疑喬石會做這樣的事，傳話的人是否真是喬石的代表？或者有人邀功冒名、胡說？都有可能。這部分的「密使」，到現在還沒解禁。不過，李登輝對中共是把握十足，他對中共的管道絕對不只一個，至少兩個以上。千島湖事件發生，所有的情報他都清清楚楚，包括哪些人被通緝，在四川被抓起來，機密通緝令我們都收到的。

　　戴：是陳師孟嗎？我印象裡，《時代》雜誌介紹過，陳師孟應該叫喬石姑丈，他們之間有親戚關係，這是被披露過的（按：1994年喬石為人大常務委員）。

　　王：陳師孟不是密使的料。

李登輝與李光耀

　　戴：我記得李登輝在我面前談到你，約莫在江澤民的「江八

點」（註：1995年1月30日）提出後不久。李知道我準備提早一年回台灣，他說要安排我到中華文化復興運動總會掛個名，後來改變看法，把我放在國統會研究委員。順便聊聊，我第一次聽到他對你的評價說：「王作榮很奇怪，怎麼這麼怕中共？怕成那個樣子，老是勸我（李登輝）不要刺激他（指對岸）。」

　　後來我發現他和李光耀間也有歧見。當時李光耀的言論在日本相當有影響力，300萬人口不到的小國領導人，在東北亞和東南亞卻有一言九鼎的效應。我想他可能沒有時間看李光耀的政論資料，李光耀當時的言論被翻譯為日文者少之又少，大多是英文或中文，恰好我認識的日本女教授翻譯了一本李光耀的政論集（《李光耀論中國和香港》〔《中国‧香港を語る》〕，穗高書店，1993年7月，書名為引用者譯），我便購進一本，呈送給李登輝，他收是收了，但沒意料到，他一開口就批判李光耀，說李光耀最近老是為中共說好話。我心裡頭想，他初訪外國就是新加坡（1989年3月6日），第一次辜汪會談（1993年4月26日）又是李光耀提供場所，為何沒有多久，兩人就翻臉了呢？

　　我的研究還有一個課題是東南亞的「華僑」問題，因而我一直關注大馬（包括新加坡）的動態，我知悉李光耀反共，但他是民主社會主義者，他常批判舊華僑及華僑社會的陋習，但又是反英、反殖民主義，馬共解決不了大馬的問題，而他是唯一利用共產黨取得政權，又能控制並終於打敗共產黨的社會主義派領袖。李光耀和蔣經國的關係不用多言，新加坡的星光部隊都仍是台灣代訓。李登輝很好強，一直認為李光耀不夠民主，還幫中共講話。

　　持平地說，李光耀對李登輝的認識也有些偏差，他始終認為李登輝太狹窄，他自認對日本人及日本的認識，應該比李登輝還透徹。兩蔣對日本的認識也深，利用日本保住中華民國在台灣的政權，但絕對不會忘記日本帝國主義曾經對中華民族的侵略，李光耀也深深記得日本在新加坡幹了什麼惡事。比起兩蔣與李光耀，不知李登輝為何那麼偏愛日本的「過去」。歷史的大是大非與務實外交應該是不同層次的問題，更不應該混淆不清才對。

　　王：李登輝對中國的態度，一路轉變。開始的時候，他對中國並無惡感，蘇志誠扮密使時，曾拿出一份六人決策核心的會議紀錄，指政府積極改善兩岸關係，在中共對台敵意消除前，推動對大陸關係要說得少、做得多，並注意不讓外國人支持台獨人士，這是真的。國統會成立，發布《國統綱領》，都是很正面的，遺憾的是，中共姿態實在太高。

　　另外，還有一個原因，我想戴教授也清楚。美國阻止台灣與大陸過於親近，CIA曾問過李登輝：「你是認真的？」美國不希望兩岸統一，甚至也不願意兩岸建立和平共存的關係，最好是不戰不和不統不獨。兩岸統一，對美國沒有利益；台獨，台海要啟戰端，美國得捲入。最好是維持現狀，你衝過頭，他就抓你一把。

　　戴：李登輝一直希望借美國的力量和中共對抗，這是非常錯誤的，美國反而視他為麻煩製造者，這是他對全球戰略視野的局限性使然。

引美國之力制中國

　　王：兩蔣時代，我很坦率地說，也很清楚美國在兩岸之間的角色，老總統知道美國不會讓中共吃掉台灣，老總統既要維護台灣安全，也要維持中華民國的獨立國格，中美間要維持平等的交往，有些事有求於美國，或者讓步遷就，但是基本國格和尊嚴，一定得維持住。經國先生時代，即使與美國斷交，風雨飄搖中，還是維持這個立場。

　　李登輝時代一開始，他還是走經國先生的路子，後來慢慢傾向美國，我推測美國對台力量趨大，李登輝不知不覺中也陷入CIA的戰略思維框架中。李總統對美依賴愈深，美國控制力愈大，偶爾反彈一下，也沒有太大作用。美國慣例是拿台灣當棋子，用台灣制衡和封鎖中共，但你不能挑起戰爭，真挑起戰爭，又不合美國利益，他不會允許的，但中共老要恫嚇台灣，美國也會幫你。陳水扁的路子，大概還是李登輝這一套，但比起來，阿扁可能要被控制得更厲害，不但表面上聽美國的話，實際上也聽美國的話，老實講，這會讓中華民國國格盡失的。

　　兩韓的關係也是如此，中共是堅定決心，不讓美國勢力到北韓，美國勢力若進入北韓，形同直逼大陸邊疆。當初韓戰爆發，本身是北韓打南韓，中共為何肯做這麼大犧牲協助北韓，就是因為美軍打到鴨綠江邊，這不就等於打到中國邊界，直接威脅到中國了嗎？再大的犧牲，大陸都要打。美國也不希望兩韓這麼快統一，一旦統一，美軍得撤，即使不完全撤退，美國在亞洲的防線就缺了一角。

344 ◆ 戴國煇全集 18 ◆ 採訪與對談卷一

　　美國的戰略思維，看得很遠，不是一朝一夕，而是50年、100年。有北韓存在，南韓就要靠美國；有個台灣，就能剋住中共。

　　我是希望中國大陸能起來的，我也預期中國可以發展出來。中國傳統是沒有侵略性的，中國疆域大，不是中國人打下來的，而是外族入侵打下的江山，中國人沒有侵略性，也沒有殖民觀念，所以能接納外族，五胡亂華，結果是融入中國。這和日本的旺盛的侵略性，大不相同。

　　台灣的問題，和南北韓一樣，如果主動和中共談條件，基本原則很簡單，台灣管台灣的事，選自己的總統、立委、縣市長，但對外是一致的：未來的一個中國，不論是邦聯或其他的名義都可以，這對台灣沒有什麼損害，而這個條件，中共會接受的。台灣自以為了不起，中共根本不在乎你這個小台灣，有台灣，對中國領土增加不了多少，唯一就是面子問題，不能容忍台灣搞獨立，否則如何對歷史交代，對老百姓交代？台灣搞獨立，西藏、新疆也要搞獨立，中國豈不瓦解掉了？中共不會肯。台灣現在國防預算這麼龐大，不但浪費，還弊案重重，都是消耗。

　　中共對台灣開戰，美國幫忙，可以撐久一點，否則台灣無力因應，買多少武器都是一樣。我如果是陳水扁，不會考慮民進黨反對不反對，既是總統，就主動與中共談，談出好的條件，基本教義派有不同意見，就辦公投，多數人贊成，就去做，不贊成，再和中共談判，直到人民接受為止，實在不必耗費時間和資源在無謂的對抗上。

　　戴：美國有一部分力量，吃定台灣，包括搞軍售的，但其內

部也是有衝突的，期待柯林頓政府為求留下完美的句點，繼續推展交往政策。李登輝提出「兩國論」，就否定了柯林頓的交往政策，交往政策不表示不賣武器給台灣，所以對美國而言，不矛盾的。

　　王：李登輝的個性，他想做的事，你不能阻止他，愈擋反彈愈大。他要做元首外交，中共老是打壓，他反彈愈強，愈恨中共，他知道美國不讓中共打台灣，中共恫嚇，只嘴巴講實際不打，所以李的膽子愈來愈大，終於搞出「兩國論」。李的心態如此，但個性也非堅決冒險者，他是搞不通會轉彎，甚至回頭都可以的，他的務實外交一路推進，主要是美國在背後支持。

　　局面至此，對台灣是很不利的，中共擴充軍備搞現代化，其實不是衝著台灣，而是針對美國，中共想成為國際大國，一定要有足夠的軍事力量，就算趕不上美國，也要有一個平衡，當他的軍事力量可以與美抗衡，他會對台灣動手的。中共以美國為標準搞軍備，台灣怎麼和他競爭？台灣的策略應該是對內不台獨，對外不論稱邦聯、聯邦，參加NGO（非政府組織，Non-Governmental Orgnization）等國際組織，循亞銀或奧會模式，兩岸和平50年，減少軍備、搞好內政，做出一個現代化國家的樣子，才是對的。

外交部不獲信賴

　　戴：李登輝主政期間，對外交部始終有掌控不了的遺憾，這使他愈趨多疑，對任何人不敢信賴。李先生其實也該反省，對外

交領域的專業官僚，有必要予以適當的尊嚴和尊重，坐穩總統，就要求所有的人都得聽他的，不尊重別人的專業和尊嚴，這會出問題的。他留下來的問題，直到陳水扁當政，都沒辦法改善並妥善處理。

問：六年前，新加坡內閣資政李光耀來台，當時的外交部長錢復曾經回憶，他坐在兩李之間，眼見他們當場話不投機，幾乎吵開來，讓他尷尬不已。

王：這基本反應了李登輝的個性。李總統講話要順著他，如果你的意見與他不同，當場就變臉，讓你下不了台；李光耀終究是一國重要領導人，又具有國際聲望，要談兩岸問題，總有自己的想法，李登輝不容異議，自然鬧得不愉快。李總統這個毛病不好，一國元首，總要有點風度，不同意來客的觀點，好歹容忍些。我和李總統過去是老朋友了，他對我是還客氣的，但講到兩人意見不同，我就不作聲，我是沒有能力和他對抗，但要我遷就並同意他，我也是不幹的。

這次李光耀來訪（2000年9月25～28日），無論如何兩李總是老朋友抑或是舊識，李光耀來台訪問，李總統大可前嫌盡釋，去接接機，至少請來家中做做客，找幾個朋友一起聚聚，何必躲起來？（註：李光耀來台期間，下榻鴻禧別館，與李卸任後宅邸，近在咫尺，李登輝則前往宜蘭縣迴避）這就小兒科了。

戴：我不懂的是連戰的宅邸也在鴻禧，就在李家的對門，連戰在鴻禧別墅自宅作東，請李光耀吃飯，是否也有報復李登輝的心情？

王：這我想不會，他（李光耀）搞不清楚這些事。六年前他

來，也住在鴻禧。

戴：我指的是連戰，而非李光耀。

王：嘿！當年，李登輝繼任總統，第一次出國訪問就是到新加坡，李光耀對李登輝非常禮遇，雖然兩國並無邦交，但仍以元首之禮相待。李登輝避走宜蘭，有點鬧孩子脾氣了。

戴：張富美（前國代，現任僑委會委員長）好像說過，有一回，李登輝問她：「你覺得李光耀獨裁，還是我獨裁？」張富美回答：「你們兩個人都獨裁。」這個答覆很有意思。

李登輝和李光耀的關係，完全是繼承蔣經國與李光耀的關係，不是李登輝自己建立的關係。

王：我的理解是，李光耀是中國舊式家庭成長的人，受儒家文化薰陶甚深，對中國有兩分特殊的民族感情：他不希望中國和台灣對抗發生戰爭，中國人打中國人，他是不願見的；而新加坡的利益還是擺在首位，如果只考量新加坡的利益，自然和中國是關係更密的。

當初他來找蔣經國，也是基於都是中國人。當時新加坡剛獨立，希望能找個國家協助訓練他們的軍隊，這個國家必須可靠，經費又是新加坡負擔得起，就找上台灣。經國先生這個人，很懂得搞人際關係，套交情，格外拉攏李光耀，李光耀對經國先生印象也好，兩人建立了點真正的私誼。李光耀每次前來，因為經國先生培養李登輝，大場面總會要李登輝做陪，和李光耀打交道的機會也就多了。經國先生會把李登輝拉在身邊，除了培養他的國際視野，也有點考察之意。李登輝自己的局面當時尚未打開，在場恭謹得不得了，也讓李光耀留下好印象。經國先生過世，在李

光耀的直覺中，李登輝必然是繼承經國先生的路線，沒有想到李登輝的個性和經國先生迥然不同，後來的演變，想是出乎他的想像之外。

李光耀對中共政權態度的轉變

　　戴：王院長提到李光耀的中國人意識，可能還有另一層解釋，獨立之初，李光耀非常忌憚馬共，後來他漸漸發覺馬共與中共之間，並不是他所想像鐵板一塊地那麼一回事。李光耀基本上反對英國帝國主義，但不認為馬共的作法在大馬行得通，他們搞馬來人的馬來西亞，李光耀決定華人也要自主，所以他把南洋大學解體。李光耀政府中可以分為兩個系統的人馬：一是受英文教育的華人，少部分受中國教育的班底，如曾歷任東南亞七國大使的李炯才。

　　李炯才此人極有才華，能書能畫還能詩，他在台灣出版自傳，也是我介紹給遠流的。李炯才從印尼大使轉調駐日本兼韓國大使，他是客家人；《南洋商報》也有一位記者，在早稻田大學留學過，也是客家人，所以他把我介紹給李大使，新加坡的國慶日，我都會受到招待，是這麼建立起交情的。

　　李炯才告訴過我，有一回他從東京陪李光耀初訪大陸。開始時李光耀怕中共怕得要死，李炯才的哥哥在大陸，是老左派，於新中國成立時回北京參與社會主義建設。李炯才要李光耀別怕，陪著他訪問一趟，就知道中國沒有什麼可怕的，他們的問題太大了，何況東南亞諸國都和中共建交了，新加坡是準備最後一個與

中共建交的。中、星緣自同一祖先，應該了解他，而非怕他。

　　在北京的最後一晚，李炯才大哥、大嫂到旅館來看他，當時文革尚未結束，他大哥不敢講話，他大嫂進洗手間，用草紙寫了幾個字，揉成紙團，握手告別的時候交給李炯才。事後打開來看，上頭寫著：「炯才，我們已經無法在北京生存下去，請想辦法把我們弄出去。」後來，李炯才花了好大的工夫，因為沒法子讓他們到新加坡或他們的原住地大馬的檳榔城，結果送他們到澳洲。李光耀全程觀察，就了解中共並不可怕，毛澤東路線終究走不下去。考察中共後，他也到了台灣，向經國先生通報了。

　　有趣的是，李光耀從未回過他的原鄉，但很喜歡去山東曲阜。他對儒家文化格外重視，所以找了一批學者，如杜維明、余英時等人到新加坡用英文講新儒學，用英文重新詮釋儒家，所以新加坡有一段時間，新儒學相當興盛。那段時間，中國大陸有趙紫陽等人也想搞威權式經濟開發，經濟上要學四小龍，慢慢地，李光耀才建立起對中國大陸的信心，及目前的看法。

　　經國先生也透過李光耀的眼睛，理解中國大陸的情況，思考大陸的變化。李光耀對大陸的認知，有其國際觀，李登輝卻完全是日本那一套。李光耀也是左派，但不同於中國共產黨的左派，而是反帝非馬列左派，中共讓馬共解體之後，也影響李光耀的華人政策，李登輝卻愈走愈偏。

　　兩李不但同庚又都是客裔人士，個性上有其相近之處。但是李光耀對自己的定位搞得很清楚，明確地知道要把新加坡帶往何處，如何求生存，但絕不和帝國主義和殖民主義餘緒妥協，殖民主義就是殖民主義；李登輝不然，他竟然認為日本帝國主義的殖

民統治對台灣大有功勞，還幫助台灣的現代化，這種看法當然是不對的。殖民主義、帝國主義的侵略者若還可以肯定的話，那希特勒也是可以肯定的了。歷史的大是大非擺一邊，搞貌似務實外交的玩意兒，是經不起考驗的。

　　王：李總統不信任外交部，外交部也和李總統搗蛋，一方面是職業性的，因為李總統不尊重專業，老要走偏鋒，外交系統自然也不依；另一種因素，還是涉及族群，過去在大陸只有政大和燕京有外交系，外省人加政大搞成一個系統，李總統拿他們確實沒有辦法。他們只聽兩位蔣總統、老夫人、沈昌煥的，不大買李總統的帳，李總統也了解這個情形，相互不信任，這是李總統親口告訴我的，有一點外交上的祕密，總是被透露出去，試了幾次，他就再不敢信賴外交部，於是找國安系統，如丁懋時。丁不是政大的，搞習慣了，連錢復都很惱火，和現在的田弘茂一樣，都是在狀況外。

　　李總統想刻意培養本省籍的人才，但屈指可數，找不出幾個人，連戰是在這個思維下去做外交部長的。黃秀日是一個，但是他夫人張麟徵一天到晚罵李總統，也不行，李總統三天兩頭要更換掉黃，黃是常次，是常任文官，換不掉，錢復沒辦法，李總統也沒辦法。

　　戴：這是真的，或許老一派外交系統的專業官僚，確實還有門戶之見。早期，本省籍外交官根本派不到他們認為好的國家，如進步的英、美等國家。此外，李登輝曾經用心想過合作開發海南島，沒有想到發展卻完全不是這麼回事。李光耀曾經派了人去洽談這個事，李登輝交代蔣彥士研究。新加坡考察後覺得海南島

基礎建設不夠，計畫不易成功，於是轉到蘇州工業區的投資。

　　王：我的了解是，李登輝確實想大力提拔省籍外交官，但拉不上來，陳水扁上來，情況看來沒有改變太多。李光耀來訪，不透過外交部，不是不信任田弘茂，而是不信任外交部。

　　戴：李光耀這次來，見了不少人，包括李遠哲、殷琪等，邱義仁都見了兩次。邱義仁是很幹練細膩的人，為什麼後來被放出去擔任行政院祕書長，是不是關係疏遠了？高英茂（國安會諮詢委員），會逐漸在對美事務上加重分量，這是新動態。

　　王：我知道李登輝時代，就有人力薦高英茂，但我聽朋友轉述李總統說的話：「他是台獨，不能用，不能用。」（笑）李登輝自己到現在都不承認他才是搞台獨。

　　戴：高英茂和立委高育仁是堂兄弟，比諸其他留美學人，他在美國學界的發展順利。本來想當國關中心主任吧，沒成功，又想到台綜院，卻沒料到給劉泰英擋住。高英茂搞台獨的說法，應該只是李登輝婉拒他的藉口，國關中心的後台老闆就是國安局，他們應該非常熟稔高才對。

　　王：沒錯，國關中心是國安局的。我從民國68、69年，一直擔任國安局的研究委員長達十年，直到我接任考選部長，所以我和國安局幾任局長都很熟。不過，我不過問國安局的事，我只負責為他們寫大陸經濟情勢分析，一個月有4萬元的津貼，相當高的待遇，但評論起事情，我照罵，照樣批判。

　　戴：外交、國防、兩岸事務，一直是李登輝想掌握、卻不能完全掌控的領域，這使李總統變得多疑，對任何人不敢信賴，他卸任後出訪捷克，對兩岸密使說，就親口表白，沒有人可以信

任，才派了蘇志誠和鄭淑敏。李先生或許也該反省，不給專業外交官僚足夠的尊重和尊嚴，如何服人？切忌以力制人，該用的是以理服人，才能運作順暢。麻煩的是，這個包袱似乎也留給陳水扁了。

穿梭美中台的李光耀

問：李光耀在台灣政黨輪替之後，再訪台灣，對兩岸關係的發展會有具體影響力嗎？

戴：這次李光耀來，安排見了許多人，包括李遠哲和殷琪，是否要進一步了解國政顧問團、跨黨派小組，乃至未來與國統會的關係？

王：我的分析是，李光耀準備得相當充分，他約殷琪是要了解具有大陸背景的企業主為什麼要支持陳水扁，她是具有代表性的人物，要了解他們的意見，萬一陳水扁真搞台獨的話，他們如何看待。他來之前，據信應該是取得大陸方面的了解，甚至包括美國都有所理解，否則不會有這麼大的聲勢，雖然低調，但備受重視。

他的任務是非常非常重要的，大概真正會影響未來兩岸關係的走向。陳水扁以為他把兩岸關係搞穩定了，其實正好相反，中共沒有動作，和美國大選、他本身的部署都有關係，中共是不可能信賴陳水扁的，明年一定會有很大的壓力。外界以為中共一再讓步，是自掀底牌，到此為止，再不聽，免不了會動武，所以現在是非常緊要的關頭。值此關鍵時刻，或出於中共的主動，或美

國的策動，讓李光耀出面做這個事，他自動出面的可能性不大，因為他明白此刻自動扮演這個角色，分量不夠，假如中共和美國不支持，台灣又不歡迎他，根本沒有作用，何必碰這個釘子？

換言之，中共和美國都把他們的底線告訴李光耀，要他傳達重要訊息，陳水扁塑造一個兩岸和緩的氣氛，我看正好相反，兩岸十分緊張。阿扁順著李登輝路線的思維框架，就犯了大錯誤，中共太清楚，兩岸拖愈久，愈難收拾，李光耀來，表示兩岸關係到了非常緊張的時候，否則他不必來。他要了解台獨到底是怎麼回事，到底有沒有堅強的社會基礎。我也相信，陳水扁的就職演說定稿前，中共和美國都有默契了，根本是他們認可的。李光耀年紀也滿大了，身體也不是很好，何必跑這趟台灣，而且慎重其事，準備齊全，可見任務是異常嚴肅的。

我相信，這是一次真正的談判，弄清楚彼此的底線，美國和中共都會利用李訪台後的結果，做出重大決策，他一定會把此行詳細回報託付他任務的人，談後的和戰，明年應該要見真章。中共和美國不會隨便打仗，一定經過縝密的談判，仔細的思考和討論，當中共和美國得到共同的底線，台灣除了接受，別無他法。

戴：我補充一點，21世紀WTO（世界貿易組織，World Trade Orgnization）體制完成前夕，李光耀應該也會思考新加坡在東南亞的戰略形勢。南北韓已經開始談判了，就剩海峽兩岸，這個部分也是美國最關切的一環，如何確保遠東的安全保障，相信李光耀有其使命感，加上美、中默契，促成他的來訪。

我的分析是，台獨基本教義派大概占10%，消滅不了，也說服不了，但還是要保持一個期待，讓阿扁的可塑性充分地發揮，

他們可以理解李光耀的看法，阿扁可以用閩南語直接和李光耀交談，同時兩人都有相當程度的功利主義（utilitarianism）傾向，加上開放民間能量，帶著陳水扁邁向新階段。陳總統有中南部草根選民的支持，由他來開展兩岸和談，條件是更充分的，記得他在辜汪會談前到過大陸，沒有公開，相信比李登輝對大陸有更深的認識才對。

民進黨人不少人去過大陸，包括陳水扁本人，再如陳菊（勞委會主委），還有過在中共的國宴上，被美籍台人教授目擊的尷尬場面。擔任監委後即淡化民進黨活動的康寧祥，也去過大陸。民進黨系人物到過大陸參訪者委實不少，包括新潮流中人。到過大陸不等同於變成「統派」，我的意思是，多認知大陸，正視大陸為「客觀的存在」是必要的，鴕鳥心態是絕對要不得的，躲躲閃閃解決不了問題。

1991年夏天，我在北京台研所上了幾堂課，讓他們了解台灣草根性情結的實況。最後一次，從柏林圍牆倒塌談起，台研所還怕我談兩德先加入聯合國再談統一的理論。其實，我要講的是，大陸不要自以為大，就可以吞掉台灣。創建東德國家的大老們，雖然有了史達林（Joseph Stalin）坦克車的支援，但我們不能忘記他們是真正與希特勒納粹拚過命的一群人，結果等到統一時，東德的大老們連自己道德正當性之主張依據都歸為零，這不是悲劇是什麼？

問：李光耀對國家定位是非常明確清楚的，李登輝在台灣則被視為民主先生，但在國家定位上，卻有相當爭議？

戴：我不認為他（李登輝）是民主先生，他誤認為形式上、

口水上的本土化、台灣化就是民主，但他卻走進沒有出口、沒有前瞻性、挑起族群矛盾的狹窄路子，最多是解放威權體制被壓制的人們的部分能量罷了。他對日本帝國主義和日本殖民統治的觀點，與李光耀迥然不同，他的錯誤認知，連基本的社會科學基礎都蕩然無存，這也是我對他的學術素養產生質疑主因。

眾人皆知，政治為眾人之事，最高的境界應該是「最高的藝術」，不該是前立委朱高正所稱「最高明的騙術」。那麼，努力目標便必須設定於「化敵為友」增加支持者，並非以「化友為敵」做為常態對應之道。逐漸走向成熟的政治家對其主張應具有一貫性，對知性（intellectual）的真誠（honesty），更需要呈現在日常言論之上，隨興多言，則言多必失，言行不一致的事頻生，則誠信必然流失。

台灣老百姓有一天醒過來，會了解李登輝的局限性的。台灣福佬沙文主義及「外來政權論」，成為李登輝的剩餘價值，如果再與陳水扁背後負面因素結合，台灣的前途會更不可測。反共不等於反中國，反台獨不等於反台灣，宋楚瑜陣營已有張昭雄、劉松藩、廖正豪、鍾榮吉，以及客家、原住民和閩南族群選民在選舉過程中的支持，李先生怎麼還能貼標籤於宋的「親民黨」，指其為「外來政權」？李若繼續發表上述言論，他被一般老百姓唾棄是可以意料的，這種帶有「人種歧視」尾巴的狹窄政治主張，哪能稱呼他為民主先生？

我的主張夠明確了，提醒他「出埃及」和〈出埃及記〉是不同的，並透過報紙〔此文參見《全集》6・〈台灣人出埃及是一條民主轉型之路〉）分析兩者差異，及摩西為何需要帶族人在荒

野自我流浪的理由。遺憾的是，他與司馬遼太郎會面、訪問康乃爾大學、當選直選總統後自視為超人，耳朵愈來愈軟，逆耳忠言就不再聽得進去了。

當初他找李遠哲回來，李遠哲根本不想回來，因為他不是很想搞政治的人，李遠哲是非常純潔的人，李登輝要靠他的諾貝爾獎光環撐出氣勢，第一句就說：「外省人欺負我，回來幫忙。」李遠哲對這種說法是不以為然的。然後李登輝對李遠哲談了近一個多小時的TMD（戰區飛彈防禦系統），剩下十五、六分鐘，主人才問李院長，你有什麼意見？李院長只好一笑告辭，或許是李總統的好強，或許是他的「不敏」，李遠哲在美國根本是屬於反戰並反對美國搞TMD的科學家。即使兩李最後鬧得不愉快，但李院長終究未對李登輝口出惡言，保持他的風度。

在此，我還得補述一位知悉李登輝第一次與美國微軟龍頭比爾·蓋茲（Bill Gates）會晤時的內情。李見了比爾，一瀉千里地大談電腦，叫比爾驚奇不已，班門弄斧至此，堪稱奇景，比爾只好搖頭不語。我客觀地說，李登輝後期已不再是改革派了，頂多前期還有這個情懷。

我當初對李登輝的期待，是希望他能成為具有世界觀的改革派領袖，所以我送他第二次世界大戰中的英國名將蒙哥馬利元帥（Bernard Montgomery）的名著《領袖之道》（*Path to Leadership*）的日譯本，書中有一章討論〈預言者摩西〉。另外，我也託摯友張昭鼎教授的二小姐，現在史丹福大學念博士的張瑛芝給李寄一本沃爾澤（Michael Walzer）所著的《出埃及及革命》（*Exodus and Revolution*）。更盼望他能以大陸為腹地，開

展兩岸經濟交流關係，把國民黨威權保守的封建體質部分加以改革，走上真正的自由民主，建構出對大陸有所正面刺激的典範。遺憾的是，他卻愈走愈窄，遂有傾向走上日本極右派的不歸路，並間接地鼓勵了「摩西在荒野40年的自我流浪中企圖等待凋零」的媚日派之囂張與自我迷失。著實可歎。

王：李登輝的背景，有幾個因素促成他的發展。第一，從小，他的家庭和日本統治階層有來往，受到相當深刻的影響，認為日本是偉大的，他青年時期是日本軍國主義的高峰，在教育上貶抑中國人，我們在大陸上也是如此，日本人將中國人貶抑得一文不值；第二，他一直到22歲，日本對台殖民政策相當嚴格（英國殖民好得多），階層分明，學校也分日籍和本省籍，公務員也有差別，中上階層都是日本人，微末的職務才有本地人的機會，大企業都掌握在日本人手中，台灣只有一些小企業。

李登輝的個性非常好強，日本人高壓統治，讓他的性格表現不出來，所以產生濃厚的自卑感，容易被激怒，一點小事就跳腳。一般人吵架，過去就過去了，他不是如此，小事也很記恨；相對地，也不能捧他，他也有強烈的優越感，他的矛盾性格，多拜日本高壓統治之賜。國府遷台，領導階層是沒有省籍觀念的，他則會為點小事就自覺被壓迫。後來赴美念書，卻沒有學會美國的民主政治，年紀太大了，應付論文都很辛苦，他走的是務實派。他信教，卻又缺乏基督教精神。他看不懂中文書，有點舊文氣的文章也不理解，所以他對中國文化沒有感情，甚至可說是討厭。

前面說過，即使他請老師學《易經》，都不是從學術、文化

或哲學思想著眼，而是為了算命、風水等，他非常迷信算命卜卦，他早年和南懷瑾打交道，也是為著算命。當年台灣黨政軍要員都和南懷瑾交往，拜他為師，都不是為了學問，而是看相算命，得不到文化學術的成長。

　　這樣複雜的性格交織在一起，就走了這麼一條怪路。他在《亞洲的智略》書中，對中國的批評，完全是當年軍國主義的語言。李光耀則是深受中國儒家文化影響，自小家學淵源，生活習慣也是深受中國文化薰陶的，這很重要；長大後又受英國教育，比較開放，統治者和被統治者的基層區分不那麼嚴格；英國又是民主的發源地，建立現代化國家的要件，他看得很清楚，所以當政後，就走西方國家管理的路線；他也走民主的政黨政治，只是管得比較嚴，但稱不上獨裁，他又遵守法治。他希望調和中國和西方文化，結合東西方。兩李是非常不相同的。

第四章　大權在握的李登輝

　　權力，或許未必一定使人腐化，卻一定讓人迷失。因為權力操作的便利，權力者往往疏忽外在變數，非一己之念可以完全操控，於是不再有如履薄冰的謹慎，不再有戒慎恐懼的謙卑，甚至誤信手中權柄具有點石成金的魔力，足堪化解一切阻力和艱險。危機，往往由此而生。

　　沒有人懷疑1996年3月的李登輝，其國際聲望、國內民望，達於頂點。他是第一位台灣人總統，更是一位經過直接民意考驗的領導者。他的勝利，印證中共文攻武嚇之無效，印證台灣人當家做主的強烈動機，印證過去數年，國民黨內所謂主流、非主流政爭的是非成敗，強烈質疑他獨台路線的林郝，黯然落敗；以宗教道德做為選舉訴求的陳王，毫無票房；與他同輩，出身正統反對運動的彭謝，幾無招架之力。他是台灣人總統，他是——台灣。

　　李登輝意興昂然地擘畫未來，第九任總統選舉前，他是具有強烈改革意念，紮根本土的國家領袖。他所厭惡的國民黨，在他領導下逐步洗去老店形象，儘管為了厚實基層實力，這個蔣經國時代要求最大可能弊絕風清的黨，沾染超乎想像的黑金色彩，但在民主的大前提下，被多數民眾容忍了。

　　當選之後，李登輝著意思考第二階段的政治改革工程。他思考是否辭卸國民黨主席，做一個名正言順、名副其實的「全民總統」，這個

意念，被所謂黨內中生代給否決了。擁有黨政大權、已經習慣權力的李登輝，對中生代的「忠誠」欣然接受。

　　他思考是否敦聘具有國際學術聲望的中研院長李遠哲組閣，這個想法，據總統府的說法，還是被中生代否決了，因為這群為李登輝打前鋒的黨政要員們，競相卡位，沒有人願意頂著諾貝爾光環的李遠哲出任最高行政首長，削減其逐鹿大位的機會。然而，事實是包括李登輝本人也猶疑了，他同樣欣然接受中生代的分析：學者從政，未必適應政治現實；他擺在心底沒說的，則是他與李遠哲之間，對兩岸走向的看法，顯有落差。

　　李登輝幾乎每週就和中生代聚會一次，號稱「圓桌會議」，就在這樣的聚會裡，李登輝決定了連戰副總統兼行政院長，李連體制更趨穩固，圓桌會議卻在中生代卡位心結下，無疾而終；李登輝有意延攬民進黨人士入閣的想法，同樣只聞樓梯響，未見人下來。或許是為了彌補民進黨支持者對他的支持，或許更想大刀闊斧地透過憲改，強化民選總統「應有的職權」。這一年10月，李登輝召開「國家發展會議」，這是繼李登輝主政前期的「國是會議」之後，影響台灣政局走向最巨的政黨協商會議，政黨協商的意味更濃厚，學者幾無建言空間，而被統獨兩端的學者譏評為「政黨分贓會議」。

　　不論如何，國民兩黨簽字協商，確定修憲凍省、取消閣揆同意權等重大憲法變革。讓李登輝當選的第一年，政局即陷入激烈的鬥爭風潮。隔年，就在國民黨通過修憲方案的同時，爆發白曉燕命案，社會治安敗壞，政局無一日歇息，李登輝才攀上高峰的民意支持度，竟然就從高點開始滑落。

　　國發會伊始，第九任總統任內，李登輝連修三次憲法。第一次，凍省、取消立法院的閣揆同意權；第二次，國民大會擴權延任，這次即

在「兩國論」之後，李登輝有意將「兩國論」進一步入憲，猶有甚者，竟動念總統伴隨國代延任，以確保憲改畢其功，但終究在輿論強大壓力下未果。國代擴權的結果，也讓國民大會在第十任總統選舉後，再次修憲一舉凍廢國大，將這幾年修憲不斷擴增的國民大會人事同意權，全數移轉至立法院。

這部李登輝謂之可以長治久安30年的憲法增修條文，終至面目全非。以致第十任總統選舉，政黨輪替之後，讓民進黨少數政府幾乎寸步難行。回顧這段歷程，不禁讓人不勝唏噓。

政治改革工程落到這步田地，大概亦非李登輝所能逆料。也因為百孔千瘡的修憲，讓曾經是李登輝「好友」的王作榮和戴國煇，與之漸行漸遠，從挺李一轉為批李。回首前塵，他們依舊不可置信，李登輝為什麼會走上這樣的局面。

非主流種種

戴：1996年總統大選前後，李登輝的民意聲望達到頂點。1994年4月30日，他接受司馬遼太郎的訪問，談及所謂台灣人的悲哀；以及在此之前的4月8日，對千島湖事件大罵中共為土匪，都引起爭議。那段時間，李總統身邊的中共問題專家，主要關注點在於中共內部的權力鬥爭，特別指向江澤民與軍方的矛盾，來解讀大陸對台政策在中共內部的分歧，使得李登輝赴美訪問，江澤民系統原來說「OK」，但軍方不依，並藉此打擊江澤民，才引爆後來的文攻武嚇。

大選前，我尚未退休回台，但每次回台灣，李登輝都會找我

談談，當時即知李登輝對王院長有了異見，即江八點發表後，王院長曾經提醒李不要過度刺激中共，避免鷹派抬頭云云，李登輝感慨，王作榮怎麼這麼怕中共？此外，他又告訴我，將透過蔣彥士支援大陸的農業開發，同時，也有意與大陸商談核子廢料置放大陸西北等，這些計畫，李登輝都還沒有正式解密。

　　大選之後不多久，王院長即從考選部轉任監察院長。我記得王院長在部長任內處理過一件很重要的案子，即李煥之女李慶珠特考論文涉及抄襲。事件發展到後來，除取消李慶珠資格，考試院也決策廢了甲等特考，算是李登輝與李煥政治鬥爭的餘緒吧。

　　王：廢特考和李慶珠的案子是無關的。廢特考是我自己的意思，沒有人給我任何暗示。李慶珠的案子是舊案，在我手上也壓下來。後來民進黨立委拚命追，包括陳水扁，同時也發動考試委員追查，這是考試院的職權，非我考選部的職權。我的作法，只是把實情報告考試院院會，如何處理得考試院會決定，結果院會決定取消她的資格，李家為此對我很不諒解。其實，她早一點辭去僑委會的職務，沒有這麼多事，當社會有所爭議，即使她是我的女兒，我都沒辦法幫她的忙。

　　戴：有趣的是，李登輝對李煥還是留了情面，並沒有如對其他「政敵」般那麼狠，似乎還有所妥協，諸如李煥一直留在黨內擔任中常委以及總統府資政。

　　王：李煥在國民黨內是實權派，他出身中央幹部學校，中央幹部學校有一批人很得勢，包括王昇；李煥又是救國團的創團核心幹部，轉任黨務，擔任過省黨部主委、中央黨部祕書長，李登輝多少還是得買他的帳。

戴：當時，宋楚瑜算不算是出賣了李煥？

王：不能講出賣，只能說宋楚瑜當時一腦袋想幫李登輝，眼中沒有別人。李登輝要李煥下來，實在也是因為他的力量太大，又想當副總統，李登輝不可能放心，結果找了個沒聲音的李元簇。李登輝想法也很簡單，你有力量，我打你不倒，但得防著你。

戴：李登輝是否也有意引王昇一派之力量來制李煥？聽說經國先生過世，不讓王昇回來奔喪的主力就是李煥？

王：李登輝是否引王昇制李煥？看不出來！王昇在政戰系統太有力量，經國先生放他出去，李登輝希望他最好也別回來，不必李煥多講，不讓他回來也是對的，所以過了很久，才准他回台。

李登輝和王昇也是很熟的。他們倆第一次見面應該就是在我家中。當年，李登輝擔任政務委員的時候，王昇有一回告訴我，經國先生想找本省菁英出任大學校長，這麼多大學沒有一個本省人當校長，也不像話。我於是請了一桌客，包括王昇夫婦、李登輝夫婦、梁國樹夫婦、許文富，還有孫震，但許當天沒來。在座都是留學拿到博士，有資格出任大學校長的，除孫震是外省籍，其他都是本省人。我當面向王昇推薦。後來，政府也徵求李登輝的意見，請他擔任中興大學校長，他沒點頭，或許自認續任政務委員的政治前途比較看好吧。

催台青政策之成敗

政府遷台，一直想培養本省人擔任大學校長，這在國際宣傳

也有利。第一位想培養的對象就是彭明敏，先請他擔任政治系主任，再請他擔任教務長，形同副校長，聘書都寫好了，送到校長錢思亮處蓋章。錢講聘教務長是很嚴肅的事，聘書得自己送，不過，今天沒空，明天再送。沒想到當天下午，政治系就有若干學生助教來找校長，在校長室抗議，且不只一個，這事嚴重了，再過一、二天，連學生家長也來了。當年，大學校長可謂神聖不可侵犯、非同小可的職務，這事只有擱下，家長還不放鬆，只好連系主任都拿掉，如果是外省籍教授，以當年那個社會氣氛，連教授資格都不保了。

　　戴：這個情節，和我聽過的不大一樣。彭確實是政府培養的對象，另一位就是劉慶瑞，劉的老師是薩孟武。表面上，彭是透過胡適之給獎學金，先送到加拿大，再到法國。回國才三十來歲，就讓他擔任政治系主任兼聯合國顧問，繼而準備給他法學院長，事件就是發生在這個時候，結果彭明敏院長做不成，聯合國顧問及政治系主任也被撤銷。那時間彭很落魄，對政府的很多不滿，遂逐漸地表面化了。

　　他的學生謝聰敏，在政大念政治研究所時，受到鄒文海教授的影響，政治意識比一般同輩台籍人士要高許多，對台灣的民主憲政及威權政治既不滿又擔憂。他找彭明敏商量，便擬了「台灣自救運動宣言」，謝很「鬼」，又是點子王，他把宣言原文的「蔣匪」都改成共匪，然後找上一個不識字的印刷廠老闆，等印刷廠鉛字排好了，再找個星期天工人不上班的時候，把共匪全部改回蔣匪，正準備要付印的時候，老闆覺得不對勁，密報上去，才出了事。

　　擬稿過程還有段小插曲。謝、彭的中文都不甚靈光，本來還找「反叛同學」李敖，但李為外省人，斯時本、外省人間的互信感不夠，便轉向找了與李敖同在台大一年級國文同班（當年以程度分班）的魏廷朝潤色及修稿。

　　魏廷朝在成功中學念高二的時候，經國先生為了整頓成功中學，還派了潘振球先生去擔任校長，並率先創辦反共青年救國團。學校要魏廷朝加入救國團，魏指救國團形同希特勒的青年組織，便不願加入，潘說不加入就得退學，魏也無所謂，被退學翌年，再以同等學力考進台大。魏是很用功的人，心高氣傲，考進去的時候，國文課和李敖同班，程度是很不錯的，胡秋原還推薦魏到中研院擔任助理。魏沒有省籍情結，他反對國民黨的法西斯成分，卻不是反外省人，他一直和殷海光保持亦師亦友的關係。

　　王：有關彭的私德問題，我也聽說過，但這不足以構成系主任下台的原因，第一，同事不會追究；第二，兩個成年人的事，自有處置之道。學生的問題，那就嚴重多了，尤其學生家長不肯罷手。

　　當年另外一位想培養的台大校長人選是陳奇祿。孫運璿擔任行政院長的時候，就有意找他，當時陳是教授兼文學院長，差不多快發表他擔任校長（孫任行政院長時，陳奇祿是行政院政務委員）。有一位外省人託大老，找上孫運璿，希望能擔任校長，孫告訴這位大老：「校長已經確定，是經國先生交代的，要陳奇祿擔任，我沒有辦法。」沒想到，臨發表前又變卦了，為什麼變卦呢？原來陳奇祿沉不住氣，還沒發表，就先安排各院院長的調動，安排好不說還好，偏偏他都說了，引起當事人的反彈，大家

全起鬨，最妙的是他準備換上去的都是本省人，被打小報告搞獨
台，結果，也沒接成。

舊誼與疏離

戴：總統選舉之後，王院長接任監察院長，不多久就住院開
刀，似乎就此之後和李總統的關係就漸漸疏遠了？

王：李登輝三月當選，四月份找我到他官邸吃飯，我印象很
深，他心情非常好，講得也好，他說，未來的施政重點就在改革
內政，還要我寫就職演講稿，有關教育、司法改革都是重要的。
他說，四年可能做不了太多事，但要建立制度，讓後來者有所
依循。至於繼承人，他說：「我準備讓他們自由競爭，我不去
管。」他還問我對幾個人的看法，包括：連戰、宋楚瑜、吳伯
雄、許水德、徐立德和蕭萬長。

我也覺得自由競爭滿好，當時，我真是佩服他，覺得他真是
了不起。第一，不必和中共天天鬥，搞內政是對的；第二，讓接
班候補人士們自由競爭，顯示他的氣度。他口中舉的六個人，兩
個外省人，四個本省人，可見其心胸相當開闊。

他就職之後，要我去監察院，坦白說，我還不大願意，我是
想到考試院（任院長）的，可以改革文官制度，到監察院，任期
兩年就結束了，他還說，兩年後可以再來嘛！如果我沒和他搞
翻，監察院長還能做的（笑）。

我到監察院不多久，10月2日就進醫院動手術，月底在病房
裡看報紙，看到他和許信良聯手搞國發會的協議內容，幾個修憲

重點：集中權力到總統手中、總統任命行政院長不必立法院行使同意權，再有就是廢省或省的虛級化。廢省我是很反感的，我認為，這就是徹底走台獨路線，等於把中華民國的根給刨掉了，中華民國就是有個台灣省；此外，如果是虛省另派省長，那就形同廢宋，是衝著宋楚瑜而來，與他曾經說過讓接班者自由競爭的理念及主張不合，當時我在報上也寫了文章。

　　隔年元月，我回院上班，記者來訪問我，我也說了這段話，想來他是不高興的。但是思前想後，覺得還是要當面向他有所諍言，於是透過李登輝的媳婦張月雲，希望能安排與李登輝單獨見面談談，由張月雲做紀錄，不要旁人在場。我準備談廢省和修憲的問題，建議他不能修憲把總統修成皇帝一般，同時希望他任內能建立和中共和平對話的管道，這才是歷史留名之道。我求見的時間是一個鐘點，超過一小時，我的身體也吃不消。但是，張月雲接了電話的態度就有點猶豫，想來李總統已經對我起反感了，過兩天，張月雲再回電，請院長循正式管道，要我向總統府提出，這個意思很清楚，就是回絕了，這是1997年3月的事。至此之後，我和李總統就再沒有往來、接觸了。

位高權重不容異議

　　戴：他為何掌權之後，反而聽不進異議了呢？

　　王：位高權重未遇挫折，使他信心更足，我想我自己也有責任的。他對我基本信任，也聽得進我的話，但我這個人的個性，他是總統，我是部屬，他不問我，我不多言。唯一一次求見，結

果被拒絕了（笑）。我找他，都是公事，沒有私事，好的時候，他一年會找我吃幾次飯，家庭禮拜偶爾也找我去，我是有很多機會講話，但我也沒多講。

戴：他的脾氣是只要他認為你與他有異議，不聽他的，他就要把對方擺開。簡單一句話，非常容易「化友為敵」，把自己的圈圈愈搞愈狹窄。從他擔任省主席時代，其實就有這個傾向，每個階段用的人，都有其階段性的考慮，一腳踢開，就不用了。這種例子不勝枚舉。

王：李總統信任我，蔣彥士知道，蘇志誠也知道的，但我中國書念多了，視彼此間為君臣關係，君不問，臣豈多言哉？

戴：我老早發現李登輝想搞總統制，表面上，暫時只能實踐法國式的雙首長制，骨子裡想的是總統制、單一國會的。我曾經和他談過這個問題，國代增加這麼多人，你不給他們一些權力，擺不平，是會鬧翻的。理想上，他想改革成為單一國會。此外，他對宋楚瑜是有戒心，他以行政效率做為廢省緣由，我始終抱持懷疑。第三，他在培養蕭萬長，大概是看得出來的，只是第一次總統直選完成後，時間和情勢對蕭都不利，他的想法，應該是由連戰過渡，最後要蕭接棒，但整個政治時程，沒讓李做成（註：總統選舉後，連戰以副總統兼行政院長一段時間，直到立法院抗爭，1997年修憲過後，蕭萬長才順利出任行政院長）。

國會朝野共識做得突然，我曾經問過吳伯雄，宋楚瑜到底知不知道李總統要廢省，吳說：「連我總統府祕書長都不知道，宋楚瑜豈會知道？」但我是清楚他要搞單一國會的。

王：蕭萬長一時間接不上來，實在是他資歷太淺，我和他談

話過程中，知道他欣賞蕭萬長。1996年總統大選過後不久，他公開和媒體說過：「第一代的接班人確定了，我連第二代的接班人都確定了。」我當時就想應該是蕭萬長。所以2000年總統選舉，國民黨提名連戰搭檔人選未定時，我就告訴蕭萬長：「是你哦！」

問題是，他那時任期尚有四年，權力橫豎在他手中，所做的事有限，他還搞總統制，做什麼？

修憲公案：總統制和兩國論

戴：合理的推測，他想搞兩個中國，為了這個目標，他需要把總統制法制化，時間不夠用，所以想藉著延任實現理念。延任非選舉，而是配合國代任期，延任期間，他不就任，讓連戰代理總統，主持國政，一方面培養蕭萬長，一方面讓連戰順利接班，他可以完成修憲，如此作法既漂亮又堂皇。

民進黨人有部分人知道他的基本想法，為什麼錢復匆匆忙忙地轉任監察院長，被冷凍多年的蘇南成興高采烈地接任國大議長，都是有原因的。蘇為了開拓個人政治前途第二春，只好全力配合李的修憲企圖，只是最後還是被擋下來。「兩國論」入憲，他是真想的，所有他事後的說詞都是在自圓其說而已。「兩國論」的提出，事前沒和美、日打過招呼，讓兩國都措手不及。「兩國論」安撫了老一輩親日台灣人，卻讓後繼政權者極為尷尬，揹著這個包袱，不知如何處理，還得要表態。

國家大事打馬虎眼是行不通的。李自己在東部自誇大言表

示：「沒有人敢說，就由我來說，大家來『爽』。」當今進步國家的正派政治家，很難找出這一類唐突戲言的元首。我們小老百姓的忍耐度不免再受考驗。

　　王：回溯國發會到1997年的修憲，真是一個謎。1996年4月間，他和我的談話是他自己說的，清清楚楚，我不相信他故意騙我，但1996年10月開國發會，完全轉得不對了，即使他要做單一國會，這和廢省也是兩碼子事，這半年，到底發生了什麼事？他和許信良見面討論召開國發會，理應不會突然生念，一定是想過的了，到底是誰？什麼原因影響他？吳伯雄做為國民黨祕書長都不知道，想來根本沒有什麼影響力的。李總統對憲法一竅不通，到底是誰教他這些事？田弘茂的影響也有限，謝瑞智等人只是幫他擬條文，不是修憲架構的啟動者，讓他這半年走向台獨和獨裁。

　　戴：李總統老說吳伯雄是唱歌的，還要我勸吳，別一天到晚唱歌，我轉告吳伯雄，吳還不太甘願地說：「總統選舉時，拚命要我唱歌幫他拉票，特別在桃竹苗的客家選區，當選後倒嫌我了。」

　　李總統的幕僚中，蔡英文或者是一個，她曾經去過英國、歐洲等地尋找答案，據說是西德有位教授把她的意念引出來的。

凍省是政爭，還是獨台？

　　王：總統大選前後，先有立法院的二月政改，民進黨立委和部分國民黨立委、無黨籍立委串通起來，要拿下立法院正副院

長；後有選舉之後的行政院長任命，立法院要脅之聲不斷，讓李總統對民選總統提名行政院長還要受牽制，深惡痛絕，尤其有部分立委真是獅子大開口，更讓他受不了，於是決定把立法院同意權給廢掉。廢省，結果成了和民進黨談判廢閣揆同意權的籌碼，被犧牲掉了。這個可能性很大，國民黨人不至於動念直接廢省。

　　戴：所以，吳伯雄領著許信良「夜奔敵營」，事後兩位客家人都有被利用之慨。沒多久，許信良也被民進黨人鬥垮了，當時唯一不妥協的是施明德。李登輝這招很厲害，他才當選，聲望正高，中共的文攻武嚇讓他成為台灣人的英雄，選票基礎高達54%，他就是想突破，一直盤算許信良（時任民進黨主席）究竟有多少力量？許信良是有謀略的人，但是，太得意了，許的規劃一直是2004年，而非2000年的選舉，美麗島系核心人士大概認為陳水扁台北市長選垮就沒有機會，沒想到，民進黨為了陳水扁選總統，廢掉黨內限制公職參選的四年條款，比謀略，真是一山還有一山高。

　　王：他拿凍省交換閣揆同意權，是很有可能的，但是交換就不思考後果嗎？

　　戴：1996年底修憲凍省，我正在周遊全島，到台東拜訪原住民委員會的副主委孫大川家。孫是台大中文系的高材生，卑南族，家世不錯，我一直向李登輝推薦這個人。在台東看到修憲凍省的決策，立刻想到李登輝不信任宋楚瑜了，在此之後，我聽江丙坤說過，宋楚瑜在省政府老是罵中央，罵連戰，這話總會傳到台北的。有一段時期，李登輝和我講過兩次，包括副總統搭檔和行政院長人選，都有意找中研院院長李遠哲。李遠哲對行政院長

是沒太大興趣的，但周圍總有些人希望他出任閣揆，他們才有機會做官，敲邊鼓的人可多哪！據說，總統選舉之後，李登輝要找李遠哲出任行政院長，反對最力的是宋楚瑜。

王：李總統的說法是，宋楚瑜自己想當。李總統還說，這行政院長怎麼能給宋楚瑜？我不是幫宋楚瑜講什麼話，竟然有人說宋楚瑜到台北還找我哭訴，根本沒的事，宋沒到過我家。

伴君果若如伴虎

戴：政壇就是有這麼些人，老是放小話，講的都是不實的消息，有關敵人的黑函、中傷、小報告，不勝枚舉。我根本無意為官，最想的是能創辦國際文化會館，做些正派的學術交流工作。李高票當選總統之後，他忙著抓權，根本沒有意願做什麼學術交流等正派事業。

我任職國安會諮詢委員第二年，有一天，我在辦公室裡，突然有人連門都不敲，就打開門，我心想是誰這麼沒禮貌，一抬頭，好高大的一個人，正是李總統，笑嘻嘻說來看看我。他就是這麼一個人，有他可愛的地方。但我一直自視為權力者的棋子，伴君如伴虎，另外我一直把他當成研究觀察的對象。他說過我很難得，別人要權位，我什麼都不要。但是，我慢慢發現包圍在他身邊、和日本有關係的人士們，和我的想法差得太多，漸漸地，他和我也疏遠了。

王：1996年4月官邸見面後，我住院開刀，出院後，他曾經找我到家中談，不到一小時，都是話家常，關心我的身體和病

況。我還沒在報上發表反對他的意見之前，又進總統府一次，大概是1997年3月間，忘記是什麼場合，見面談話時間非常短，我只記得他講了一句話：「宋楚瑜要接行政院長，怎麼能給他？」這句話，我印象太深刻了，到現在都忘不了，但說了這句話，他臉色突變，似乎有所警覺，我一眼看出來，臨告辭時，我問了他一聲：「總統還有什麼要吩咐的？」他臉色沉沉地說：「沒有！」我知道他不大高興了，就退出來了。

2000年初，台綜院董事長羅吉煊來看我，輕描淡寫地說：「王院長，你和李總統是老朋友了，為什麼不去請見一下？」我笑笑沒做聲，沒告訴他，我請見，他沒肯嘛！我不知道羅是自己的意見，還是代表總統，我不想再碰這個釘子了，何須自討沒趣。

不過，有幾次我是很生氣的。至少我監察院長卸任，在公事上他也該召見我的，照慣例院長卸任也該有授勳，他不願意授我勳，連累施啟揚（時任司法院長）也沒授勳。還有一次，國發會鬧出事情的隔年初，農曆年吃春酒，李總統請五院院長、國民黨中評委、中常委及國代們吃飯。我是院長，坐在首桌，主人是總統，他看到我在座，致辭結束就走了，讓連戰代表，這是很反常的現象，我想，他或者不願與我同桌。再一次，1999年下半年，連戰競選總部成立，我們都去道賀，黨部拉我站在台前，和前立法院長梁肅戎等人站一起，李講完話，和前排握手，前排都是部長級以上和大老們，他看到我站在另一邊，眼睛看了看，掉頭就走了，這太明顯了，何必呢？

羅吉煊再說這話，要我請見，還有何好請見的？省也廢了，

台獨的路線也明確了，江山也丟了，他想做的事都做了，再見何益？不過，前些時候，我碰到高育仁，聊起來我們都有同感，李總統講話非常誠懇率真，使你不得不相信他，他每次和我講話，我都非常相信他的，從不認為他會騙我。

好聚好散

　　戴：他就是善變，缺乏一貫性。我是在殷宗文接任國安會祕書長之後，要曾永賢陪著吃告別飯，歡送我，我向殷宗文要求代為安排晉見，總得向李總統致謝及告別的嘛！我一直在打包，準備5月19日傍晚下班時間正滿三年離開得乾乾淨淨。本來約好，結果他到金門視察回來，身體不舒服，發燒，結果取消。《台灣的主張》新書發表會，原來說為了公私分明，不在總統府裡辦，要在官邸草坪舉行，但前一天（18日）下了大雨，只好於19日午後二時開始，改在總統府裡，因而王榮文又找我參加，但被蘇志誠擋下說：「免了吧！」

　　我還是去了，新書發表會後，我向府裡的熟人一一告別，在走廊上見到蘇志誠，我說：「蘇主任，三年來，多謝照顧了。」他沒吭氣。先前曾永賢要我去看劉泰英，談我的出路，我只回了一句話：「就在此向你告辭，多謝曾先生，但我不是乞丐。」曾回了一句話：「我明白你的心情。」2000年總統選舉，吳伯雄差點投宋，連戰勸他並云：「咱們都是同病相憐，把柄都在人家手中，你還是先幫我吧。」這段期間，吳伯雄透露，連我都從諮詢委員位置被拉下來，府裡有人告訴他，戴的事和他無關，我也告

訴吳伯雄：「大概是和你無關的，但你要牢記，我們只是權力者的一顆小棋子而已。」

　　後來，我還是見了李總統（6月2日），他開頭第一句就問：「你要回日本？」我心裡想，你講什麼鬼話！弄得我一頭霧水，我回台北前，在日本已經辦退休，並在文化大學取得教職，未就任國安會諮詢委員前，我就是打定主意回學界的。李登輝又說：「嘿！你的藏書都還搬回來在新店。」他又問我最近研究什麼？我告訴他，正在研究美日新安保指針，包括奈伊（Joseph Nye），他說：「奈伊他們獅子大開口，要我們捐哈佛9,000萬美金，我們不給。」我提醒李，奈伊他們參與美國對東北亞決策甚深，還是需要研究他們的。

矛盾與反覆的李登輝

　　戴：李登輝的《亞洲的智略》中文版上市，裡頭透露不少祕辛。我最近到日本去，特別問了日本外務省已經退休的友人們，你們到底喜歡李登輝哪一點？真的尊敬他嗎？他們相互看一眼，笑說：「他真是可愛的外國元首，什麼事都能用日本話告訴我們，我們還不感謝他嗎？」在這本書的日文版中，李登輝甚至告訴中嶋嶺雄，非主流準備以軍事政變翻掉他和李元簇搭檔，他一早臨時召集軍隊將領，壓制住改變的可能性（註：中文版略去這一段）。我們不怕他出書，但是他什麼都講，也不知道真實性如何。中嶋在外務省和學界都沒有什麼地位，卻是李登輝和日本的管道。

　　1994年，吳敦義選高雄市長期間，釣魚台爭議再起，吳敦義要親自去釣魚台「護土」，就是中嶋打電話給李登輝，李登輝親自壓住的。還有，李登輝也誠實告訴中嶋，他祖父日據時期賣過鴉片。後藤新平未到台灣擔任民政長官前是日本衛生局長，擔心鴉片影響日本，採取絕對禁止論，後來在台灣發現吃鴉片有兩種人：一是富裕人家的有錢有閒人，二是底層勞動階層吃鴉片渣，中產階級根本不吃鴉片。萬一禁鴉片，上層社會就可能和抗日的中產階級統一戰線，抗日難以壓制，故在台灣採取特許制。販賣鴉片的證照多給予日本軍警犧牲者遺族，另一種給線民。史明（《台灣四百年史》作者）的父親，在廈門也是為日本人搞鴉片的，史明投共的原因，也是為了救父親，後來到日本安全無虞，又搞起台獨了。

　　李登輝的日本關係，要徹底弄清楚，否則也會讓日本人對台灣的認知有偏差，司馬遼太郎的《台灣紀行》〔《台湾紀行》〕即是個例子。李登輝為什麼這麼親日？根據李登輝第一次加入共產黨介紹人吳克泰的回憶，李登輝在高等學校就改日本名字岩里政男，為什麼？這其中一定有文章，為什麼這麼早投降日本？彭明敏當時在東大念書都沒改，有一半日本血統的邱永漢也沒改。

　　王：李登輝為什麼親日？我從他的家世背景分析，他的祖父為什麼能有特權賣鴉片？特權從何而來？他的父親還能當警察，至少從祖父開始，就是和日本的統治政權有相當關係，他的腦筋裡，彷彿也成了日本人。

　　談到《亞洲的智略》，我看過全書，裡頭有很多內容都寫得不對，很有問題。我隨便舉例，第一，他講：「與蔣夫人宋美齡

女士交談時，她常是英語和上海話夾雜著講。我也不懂上海話，因此聽不懂時，就只好請她寫字條，當作備忘錄。」這是很奇怪且不禮貌的事，和夫人見面真有聽不懂之處，頂多含蓄婉轉請她再說一遍，豈敢要她寫下來？事實上，蔣夫人經常發表談話，講的都是普通話，她的北京話、上海話、英語都好，夫人也不會拿什麼字條出來。李登輝在書中提了另一個例子，是二月政爭期間，他要用郝柏村出任國防部長，郝透過蔣夫人寫了個條子給他，說是台灣海峽一旦有緊急的事，非有郝柏村不可。這個條子不知道是什麼人寫的，肯定不是出自夫人的手筆。

第二，他寫到出任政務委員時，因為台灣農村凋敝，米價賤又要納重稅，甚至被迫以米糧換肥料，他認為這套制度一定要改，故開始擬定政策，結果頗受經國先生賞識。這也有問題。肥料換穀是民國50年前後討論最熱烈的政策之一，當時農復會積極參與這個討論的是張憲秋，美方的專家堅持要廢除這個制度，我方則認為應該維持下去，於是張提了一個意見，至於美援會由我主稿也提了一個意見，主張應予維持。

風雨飄搖的年代，政府最重視的，一是糧價，二是黃金與美鈔的價格，萬一漲價就不得了。政府控制糧價一在平抑物價，二在保持充足的軍糧。肥料也掌握在政府手中，台肥是國營企業，肥料與穀糧的兌換比，我記得是一比一點二，一個單位的肥料兌換一點二單位的米穀，因為肥料價格偏高，美方和農民都抗議，故改成一比一，後來又改為一比零點九。當時從農復會到美援會研究政策意見者，李登輝還未參加。李登輝又說他提出廢除肥料〔換〕穀，結果老蔣總統反對，沒這事，因為他出任政務委員是

民國60年代的事，根本沒有這個政策爭議了，而且那時候老總統病已嚴重，根本不問事。

　　戴：確實如此，當年糧食問題非常重要，這也是為什麼糧食局長李連春比農林廳長徐慶鐘更紅的原因。說到李連春，還一個笑話，當年李連春到日本賣糧食，換肥料進口，不知怎麼回事，李連春大概算錯了，多輸出日本糧食十萬噸，鬧到米價大漲，老蔣總統氣壞了，找李連春去問怎麼回事？李連春解釋半天，老蔣總統氣憤地說：「你槍斃！」李連春退出辦公室，還嚇得渾身發抖，結果沒事，原來是老蔣總統的寧波口音：「你強辯！」這個故事是徐慶鐘告訴我的，實在有趣。

台獨小兒科

　　最近有一位日本媒體朋友電話問及，是否讀到2000年11月15日，日本《讀賣新聞》所刊〈李登輝前台灣總統〉的相關報導，因為我平日只看《朝日新聞》，於是特別向「讀賣」在台灣的支局長河田卓司兄要了一份，加以詳讀。閱後恍然大悟，莫怪那位朋友會質疑李登輝早些年和司馬遼太郎訪談的一段往事。

　　李：他（指蔣經國）生病後，有時候一個月只會面一次，當時的談話內容，我都做了筆記記錄下來，這些，目前還不能發表。只是，蔣經國先生是否打算讓我當他的接班人，這一點並不明確。
　　司馬：原來如此。

李：他雖然病成那個樣子，但仍沒想到自己就要走完人生旅
程。因此，並沒有像臨終的父親給兒子留下種種話那樣留片言
隻字。

司馬：是曖昧不明確！

李：是曖昧不明。在當時那種政治環境中，假使蔣經國先生稍
露口風，那我可能早就被踩扁了。我也一樣，絕口不提由誰
來接任總統（註：《台灣紀行》中文版，頁536；日文版為頁
500）。

這段訪談紀錄與《讀賣新聞》的專訪所言，完全不一樣。
究竟是怎麼一回事呢？這位日本媒體朋友說，政治家可以「不
言」，最忌言不由誠，「說謊將失信於民，又更失信於國際輿
論。難道自稱敏感於萬事的李民主先生，連這一點基本認識都沒
有？！」

我無法回答，只好搖頭。《讀賣新聞》相關報導是這樣的：

李先生云：「此話除了內子不曾對他人言過……，84年2月15日
上午，國民黨政權的要人們聚於台北郊外之一堂（按：應是陽
明山中山樓），為的是參加國民黨第12屆中央委員會第二次全
體會議。彼時的李先生是省主席。以中央委員之一員坐在前排
以待開會。在開會前20分鐘，蔣經國總統的祕書來通知：總統
待會兒有話告知。李隨即赴蔣休息室，因身體不適而躺在牀上
的蔣徐徐地面告李，將於下一屆的總統、副總統選舉，指名他
為副總統。」

　　或許是因為李登輝將卸任，獲得一時的「解脫感」，於其總統官邸時，李對台籍皈依「日本教」的信仰代表之一蔡焜燦道出他的祕密：《台灣的主張》著者的羅馬拼音，特意從北京語發音的Lee Tung-hui，改成台語發音的Lee Teng-hui。這個改變之意，不外是把中華人民共和國與中華民國分成「二個國家」的一種告別信息（蔡焜燦著，《台灣人與日本精神》，日本教文社，1999年7月15日，頁220）。

　　這真是怪事。據我遍查相關英文人名冊，如《中華民國名人錄》（*Who's Who in ROC*），李在宣示「兩國論」之前，甚至與司馬遼太郎對談前，他都將自己的名字英文拼音表記為Teng-hui Lee或Lee Teng-hui，甚至在李夫人曾文惠女士為其夫婿60大壽所印的三大本《台灣農業經濟論文集》（*Agriculture & Economic Development in Taiwan Volume 1、2*，1983年11月），其中二大本英文本作者名的書寫不是Lee Teng-hui就是Teng-hui Lee。蔡所云的「祕密信息」，究竟從何而來？我寧可相信，李登輝即使想搞「台獨」，也不至於如蔡所轉述地這般「小兒科」才對。

第五章　眺望新政府

　　2000年3月18日，對台灣具有特殊意義的一天，在全球矚目下，號稱「民主先生」的李登輝總統，終圓其夢：政黨輪替。就在這一天，建黨13年的民進黨，拿下政權；就在這一天，李登輝為其12年政權劃下句點。

　　李登輝在國民黨人的忿怒抗議聲中，宣布辭卸黨主席；連戰在個人政治生命最低潮期，接下國民黨主席職務；宋楚瑜在經過國發會後，困頓艱辛的政爭風潮中，以第二高票落選，宣布組織新政黨：親民黨。而陳水扁，這位50歲不到的新世代，在支持者狂熱歡呼下，成為翻代而起的跨世紀國家領導人。

　　不論接受與否，不論喜悅或詫恨，這是蔣經國末期開始加速民主進程結成的果實。對這個結果，李登輝在《亞洲的智略》一書中如此敘述：「代表台灣人的民進黨籍候選人陳水扁獲得497萬票，以205萬票的極大差距，擊敗國民黨候選人連戰，但僅以極小差距險勝代表『外來政權』的候選人而當選。這樣的結果，或許可謂天意（參中文版，頁222）。」

　　李登輝毫不隱諱之言，徹底擊潰國民黨人對他所剩無幾的信心。在李登輝定義中，他正式加入30年的國民黨，依舊是他心目中的「外來政權」，而他親自擇定的「接班人」，竟然算不上「代表台灣人」的候

選人，曾經為他鞏固權力衝鋒陷陣的宋楚瑜，不過是「外來政權」（國民黨）的餘緒，一番真誠告白，否定給他榮耀和權力的國民黨，也否定了連戰承繼這個政黨的正統。

他在與邱永漢的對談中，更進一步指陳，對於國民黨，他已沒有任何任務了，這個龐大的政治機器，對他而言，已經不再是必要的了（日文版刊於《中央公論》，2000年10月號；中文版刊於《今週刊》，9月17日第197期；見《亞洲的智略》附錄，頁232）。

李登輝與國民黨徹底劃清界限，他的決絕，形同主動為連戰卸下選舉期間沉重不堪的包袱，他所厚愛的陳水扁，無可避免地，扛起這個曾經讓連戰痛苦不堪的包袱和陰影。

第一樁，破碎的憲政體制。李登輝主政12年，六次修憲，讓《中華民國憲法》徹底變貌，國民大會與省政府名存實亡，民進黨以凍廢省政府做為取消閣揆同意權的交換，名義是提高行政效率，結果行政效率不但未提高，九二一震災後，政府救災復健工程緩慢。陳水扁到位，先任國民黨籍的前國防部長唐飛組閣，八掌溪事件發生，政府救災體系幾如無政府狀態，唐飛保得一時，陳水扁消耗一位行政院副院長游錫堃，是陳唐心結頓生之源。更不要提陳水扁任命民進黨籍張俊雄組閣後，學校復建發包仍處停頓狀態，讓張俊雄大發雷霆。遑論數千省政府員工，猶在消化員額的漫漫長路中，受盡煎熬。

行政效率事小，憲政體制窒礙難行事大。凍廢國民大會，歷次修憲為國民大會增加行政院之外的各院人事同意權全部移交立法院，閣揆同意權取消，總統不具有主動解散國會權。當年修憲，民進黨人曾聲言：「在這樣的憲政體制下，只有白癡才不提名國會多數黨組閣。」陳水扁以未過半數的得票，民進黨以國會少數席次的執政實力，拒絕與國民黨協商組閣，陳唐體制下的「全民政府」行不通；撤換唐飛後的陳張

體制下「少數政府」，益發寸步難行，張俊雄驟然宣布停建核四後，更促成在野政黨結盟制扁，政局立陷飄搖危境。在野政黨不倒閣，民進黨政府即束手無策。這套李登輝洋洋得意，可以「長治久安三、四十年」的新憲體制，經不起什麼考驗，才半年，民進黨政府又開始倡議修憲。

　　第二樁，大陸政策。李登輝在卸任後的談話中，表明自己提出「特殊的國與國關係」，意在打破國際間「一個中國」即指中華人民共和國的迷思，更為了「駁斥台灣是中國叛離的一省。我們要強調的是，我們已經修正了憲法，台灣省已經不存在了！」自己道破凍廢省意在提高行政效率的謊言。在李登輝的規劃中，新憲體制強化了中華民國在台灣獨立存在的主權事實，「只要在體制上改成新共和，那麼台灣的民主化即可實現。」

　　先不談李登輝的邏輯是否有問題，畢竟總統直選，徹底落實直接民主的政治改革，與凍廢省實在是不相干的。更特異的是，身為國民黨主席兼中華民國總統，李登輝竟接受台獨論者的「台灣地位未定論」，他的認知是這樣的：「（辜振甫與汪道涵於上海第二次會晤）他（辜振甫）提出《波茨坦宣言》和《開羅宣言》，也就是說日本接受了這兩個宣言，在《舊金山和約》中已放棄了台灣，但對於要歸還給誰並未言明。對此，台灣人解釋為台灣主權歸屬不明確。」（李登輝與邱永漢對談）李登輝時代結束前，他企圖為兩岸關係定調的作法，無疑加深陳水扁政府主導大陸政策的困難度。

　　第一，國際壓力升高，美國明確表達不希望台灣再談「兩國論」。陳水扁選前，乃至就職演說，都被迫表態，以爭取美國的支持。陳水扁的壓力，在李登輝卻視之為經驗不足，稍嫌軟弱；第二，李登輝留給陳水扁的大陸政策幕僚，其意識形態，與之相距不遠，當陳水扁意在重開國統會時，即遭遇強大阻力，朝野為「九二共識」之有無，國統

會與跨黨派小組如何調整機制，爭議不休。直至2001年元旦講詞，陳水扁重彈兩岸善意之調，聲明會對國統會與跨黨派小組之召開，做出正面回應，並繼小三通實施後，宣示會對李登輝時代的戒急用忍政策加以調整，加速兩岸經貿往來，態勢才見緩和。

然而，虛耗半年，不唯政局紛亂，政經形勢更趨惡化。股市頻跌，匯市頻貶，政府四大基金虧損連連，國家安全基金護盤無效，從守8,000點，跌到4,000點，較諸1996年總統選舉前後台海飛彈危機更甚。全民資產縮水，連帶影響民眾對民進黨政府的信心，陳水扁總統的民意支持度滑落到四成。

對陳水扁而言，走出自己的領導風格，彷彿成了不可承受之重。本章中，由於先前對李登輝到陳水扁的大陸政策多所著墨，有限的對談時間中，將焦點置諸財經問題，特別是在李登輝時代黑金橫行的後遺症，陳水扁該如何面對與因應。

泡沫經濟

王：當前經濟問題有二：第一，泡沫經濟；第二，轉型經濟。泡沫經濟從何而來的呢？過去台灣經濟發展不錯，百業繁榮，人人有錢，除了銀行存款，就是投資兼投機，途徑有二，一是炒股票，二是炒房地產。投資是本分，投機是人性，所以生意鼎盛。

這兩者大部分都是借錢賺錢，銀行信用過度擴張。炒地皮者，又多非正規營商之人，不少還有黑社會的底子在，這也是為什麼有所謂黑金問題，加以政商掛勾，國民黨多少高官就是靠這個發大財。有黑底的賺了錢，又選舉進入國會，成為堂堂國會議

員，捲入國會議事，連政府預算都免不了牽連在內。

　　李總統最大的問題，就是搞不大清楚這些事，他自己未必會去炒地皮，但是他未能禁止。情況愈趨惡化，地皮財團少有不是李總統好友者，國民黨弄成一個利益共生體，氣泡愈吹愈大，總有一天出狀況，房地產價格拉高，有行無市，終至破滅。炒股票者，也是這麼操作，股票指數炒上8,000點，上萬點，其實不值那麼多，又是一個愈吹愈大的氣泡。

　　經國先生是絕對禁止官員與商界走太近的，連吃頓飯都不准。財團房地產被套牢，一般老百姓不明白，跟著股市走，結果也被套牢。更糟糕的是，官商勾結者，在銀行開放設置後，又常常搞個銀行，自己掏空，把銀行也牽涉在內，弄到騎虎難下，新政府上台，一時間也解決不了。現在的情形是上層商業銀行、保險公司，成了財團的金庫；基層農會信用部、信合社等，成了黑社會的私庫，真正一團糟。

　　至於轉型的問題，也很大。過去搞的是傳統產業，從紡織、機械到塑膠等，這類產業過去發展得很好，但難以迴避經濟轉型的世界趨勢。科技、電子、資訊工業一上來，傳統產業自然沒落，高科技發展是好的現象，但過程中，必然要忍受一段陣痛期。

　　傳統產業關門歇業，有的改良擴大規模，如台塑；有部分轉到大陸市場，如食品、小型紡織等，還能生存下去。至於國內、國外都沒有市場者，就毫無辦法，只有倒閉，失業率自然攀升，而失業者大都年紀偏高，轉型困難，只有淘汰，被犧牲掉了。

　　這兩個病徵，其實都是好現象，泡沫經濟是緣於經濟發展得

好，和日本的情況一樣。1997年，東南亞金融危機也是泡沫，但卻是爆炸性的泡沫，弄到幾乎崩潰，現在慢慢復原。至於日本則是沒爆炸，從1990年開始，沒爆炸也沒好轉，始終拖在那兒，不死不活，就是因為日本政府硬要救，不讓它爆掉或消掉。台灣走到這條路，又不讓它炸，又不讓它消，反而不是辦法，應該記取日本的殷鑑，最好不要讓它爆掉，但要想辦法讓它消掉，不是硬救拖著。特別有黑底的、暴發式的，應該就讓它被淘汰。

戴：日本的泡沫經濟達到最高峰時的股票指數，再對比現在的指數，或者可以做為一個對照，比較精細地計算台灣股市適當的指數基礎。日本經濟不完全自由競爭，而是適度的管理，大公司與大公司間，交叉持股，美國逼著他轉變。未來歐盟市場也可能對美國有壓力。現階段，美國最擔心日本經濟與大陸市場結合在一起，他們希望的是美國價值就是世界價值，要和西方社會接軌，就要符合資本主義市場的法則。

日本當年資金無處去，確實也流向股票和土地，但股票和土地沒有附加價值，泡沫由是而生。我在1996年還講過幾次，李總統一直講大陸經濟不穩，人民幣一定會貶，我講大陸一定不會讓它貶，貶與不貶的兩種主張，你得理解大陸領導人不讓它貶的原因，我們這邊卻只看其負面，這不對的。

此外，台灣幅員有限，市場規模小，怎麼能容納這麼多銀行存在？然而，新銀行開放，卻少有管制，問題愈搞愈大。台灣股票在國際規格上根本不符上市標準，台灣人民也不管，人人搶，這部分，李總統主持的政府要負點責任，哪有文明國家的自由市場股市只准漲不准跌？國安基金表面上做為因應大陸的文攻武

嚇，實則成為政商掛勾、只賺不賠的保護傘。

政商不分

　　王：李總統對國內事務興趣不大，他唯一的興趣是選舉求勝，對外就花心思與大陸搞鬥爭。哪一個財經首長對財團利益有妨礙，就直接向李總統告狀。李總統不明所以，指責政務官，財團得意得很，幾任財政部長如王建煊、郭婉容、林振國都這麼下台，財經專業應該尊重才對。李總統這種領導風格，後繼者誰還敢得罪財團？這個責任他是要負的。他太喜歡與財團交朋友，不論是否正派經營。

　　戴：我還記得有一回，日本三井集團來台灣，我受邀參加宴會，台灣方面包括辜振甫、劉泰英、高島屋和國瑞汽車的負責人。當時，三井社長講了一句話，他對辜振甫說：「你們太好了，可以把一些負面的產業轉移到大陸，我們沒有辦法。」言下之意，他想前進大陸市場，還頂困難的。我退休回台灣時，我知道李總統有意到海南島參與開發，所以也到海南島去一趟。海南島的賓館住的都是台商，海口一帶，蓋的空屋不少，都是國民黨民代向銀行借貸到大陸的建屋，卻賣不出去。三井可能羨慕台商在大陸無入而不自得，日本卻非自救不可。

　　王：最可惡的就是國民黨的官商勾結，黨營事業尤其糟糕。這都是李總統不自覺，更不禁止，財團根本接近不了老總統，經國先生對此深惡痛絕，自己不接近商人，更禁止屬下搞七拈三，過去的政務官平均而言，清廉得多。

戴：持平而論，政黨輪替之後的經濟問題，完全由新政府負責任，說不過去。畢竟新政府就職時間並不長，許多病徵都是李登輝時代遺留下來的問題，新政府要負責的是他應該拿出一套解決辦法，但顯然沒做好，不過陳水扁也沒有太多辦法，財政部長也是國民黨政權的舊人，陳水扁未必能完全信任。最後讓台塑集團董事長王永慶出面，召集企業界重組早餐會，提供新政府財經建言，這也是很有意思的發展。

舊政權時代，王永慶和當紅的辜家，基本上是站在對立面。過去的財經龍頭是辜振甫，但辜振甫一方面身體不好，一方面和民進黨淵源遠不若王永慶，當辜振甫在新政權中失去他的主導權之後，王永慶才會站出來，一方面也是善意，一方面也為著自己的企業發展。李登輝時代的戒急用忍，很大部分因素是衝著台塑而來，台灣對大陸競爭，除開經濟，別無優勢，王永慶希望能強勢影響調整戒急用忍。

關鍵課題：兩岸政策

從經濟延伸到大陸政策，同樣是李登輝留下來的問題，只是陳水扁到底怎麼想？到現在還看不清楚，李登輝的「兩國論」，可說徹底破產，中共不接受，美國還因此視他為麻煩製造者。前瞻21世紀的世界潮流，日本、朝鮮、中共已經形成一個定期會商的機制，馬來西亞總理馬哈迪（Mahathir Mohamad）提倡歐亞鐵路，中華經濟圈加上東南亞的亞太市場，當這個新的大市場開展之際，台灣若掌握不好，真無競爭籌碼可言。民進黨認為時間站

在台灣這一邊，可能並不準確。美國政府改組後，一個中國的政策主軸不會改變，兩岸在2001年可望同時或先後加入WTO，在這個架構下，台灣必須掌握與世界競爭的籌碼。因此，大陸政策在2001年春一定要明朗化，這個大方向，做為國家領導人的陳水扁一定要看清楚。

美中台三角關係，只是表面邏輯，其實美國的思考是自居為東北亞管理者的角色，台美關係根本是不對等的，哪有什麼「關係」可言？陳水扁新政府的智囊，似乎還看不清楚國際政治現實。他不承認是中國人，自居為華人，台灣人不是華僑，怎麼講華人呢？民進黨主席謝長廷主張回歸《中華民國憲法》的一中架構，幸好李登輝「兩國論」沒有入憲，否則如何「回歸憲法一中」？萬一真入憲，台海大概早啟戰端了，在這方面千萬不能低估中共的決心，他飛彈過來，台灣股市跌，企業出走，不必花太多代價，台灣就陷入慘境。王永慶等企業界站出來要求調整戒急用忍，三通應該是會做到的，至於三通之後，怎麼維持現狀？或許回歸中華民國憲法，是唯一的一條路了。

我過去曾經為文主張，中華民國的民選總統一定要以絕對多數當選，且是美國接受的政權，相對多數的權力基礎並不穩固，眼看目前的發展，可謂不幸被料中。李登輝當年真心想法是要走單一國會總統制，偏偏人算不如天算，修憲留下一堆爛攤子。

至於李登輝總統當年成立國統會，應該還善意的，主要是因為《動員戡亂時期臨時條款》的廢止，希望此舉表現出對中共政權的善意，得到中共當局的正面回應。只是中共政權不領情，中共的想法是：要不是美國第七艦隊，根本早就可以解放台灣。此

外，中國大陸老百姓對西方帝國主義的厭恨，超乎李登輝的理
解，中國民族主義情緒的因素，是李登輝當初沒有料到的。李登
輝每次講日本不必對中國過分忌憚，不必理會中國要求日本對其
侵華行為道歉，深深地傷害中國的感情。

王：王永慶對國民黨政權確實沒有好感，經國先生在的時候
就不好，他對國民黨、蔣經國是既厭又懼。李登輝時代，好一
點，他不怕國民黨，但還是沒好感，李登輝不喜歡王永慶，王永
慶也不喜歡李登輝。我聽過王永慶說：「每次和李總統見面，都
是李總統一個人講話，我都不能說話，甚至有一回還聽他大談如
何發展石化業，我沒吭氣，只是心想，到底是你懂石化業，還是
我懂石化業？」

劉泰英也說過，李登輝競選第九任總統的時候，王永慶沒捐
一毛錢，2000年總統大選，王永慶有沒有資助連戰，我不知道，
但肯定是捐助陳水扁的，他自己從不隱諱對國民黨這個「外來政
權」不甚滿意，尤其對國民黨接收台灣，把一干事業全納為國營
事業，不留生機給民間企業，深不以為然。他對陳水扁路線是滿
意的。

談到李登輝留下來有關兩岸政策的包袱，我相信李總統當年
成立國統會，是真心誠意繼承經國先生遺志，解開兩岸的結。李
登輝不是要中國統一台灣，但至少想做到不對抗，這個誠意大抵
是不必懷疑的，他自己都說不是台獨，但後來愈走愈極端，箇中
原因，或者成為一樁政治公案了。

陳水扁要走自己的路

　　陳水扁繼任總統，李登輝確乎幫了大忙，陳對李總統也相當感謝。陳自知是少數總統，猶需李總統那股政治勢力的助力，李總統的人馬也樂於支持他，雙方關係算是契合；李登輝後期趨向台獨的幕僚，也合陳水扁路線之意，彼此合作並無勉強，畢竟意識形態上相近。新政府的大陸政策，關鍵還是在陳水扁，陳水扁策略上是務實的，喊喊口號，但中心思想還是台獨的，絕無可能與中共妥協，民進黨目前的主流派系也是趨向基本教義派。這樣的政治勢力聚合，只要擁有權力，方向大抵不會改變，至多調整姿態，諸如一中有點妥協，是不是中國人，遲早要表態，可以有點妥協，三通壓力大，勢必得做，擋都擋不住，企業界根本不買你政府的帳。

　　戴：我補充一點有關大企業主和權力者的關係。王永慶心目中對辜振甫是不滿的，但從未明講。他們的出身背景太不相同，辜振甫留學日本帝大，有學問，家世背景好；王永慶沒有學歷，但白手起家，是台灣松下級的大人物，有真本事，創業第一代，個個都頭角崢嶸，很有個性。辜振甫和國民黨、李登輝關係深厚，但王永慶的台塑畢竟是紮紮實實的製造業。王永慶又怎麼看李登輝呢？大概是視他為政治上的幸運兒吧，他們那一輩的人，都有點複雜的情緒。

　　還有一個特殊人物：張榮發。李登輝有一段時間和張榮發確實非常近，但漸行漸遠，李登輝任內後期出訪中南美到巴拿馬，張就沒有去。據我的了解，張榮發當年發展海運，是經國先生透

過李登輝，拜託張榮發的。李、張兩人氣味投合，但在李總統當選第九任總統，張榮發反而與李之間出現嫌隙。這個結，就看阿扁如何解了。

第六章　知識分子的抉擇

　　在政治力無所不在的境遇中，知識分子要選擇一種姿態，是困難的，中國知識分子尤然。中國知識階層有「學而優則仕」的傳統，素習以天下為己任之襟懷，在封建威權時代，往往只能是權力者的棋子，甚至統治者的工具；民主開放時代，知識分子理應擁有充裕的個人空間，卻無可避免地在關切時政與捲入政治漩渦間，左右為難。

　　中國大陸百年滄桑，知識分子的處境自不待言，在慘烈的屠戮中，含冤莫白者，難以計數，逃亡（或流亡）竟成為他們最佳狀態。台灣的知識階層，同樣有著辛酸過往。日據時期，殖民政權為籠絡人心，讀書人或無立即而明顯的生命危險，但學術領域卻是受限制的，輾轉於被殖民者的卑屈、懷想祖國的憂思；國民黨政府播遷來台，卻是夢想幻滅的起始，在權力者鞏固政權的主軸思考下，具有獨立思考能力的知識分子，黯然地在第一線被犧牲，在三分之一個世紀裡，台灣，是一個政治噤聲的特殊地帶。

　　知識分子選擇不多，要嘛，不甘無言，只得蹲大牢；要嘛，甘心臣服，以權力者的意志為意志；要嘛，偶有批評，但得表達「體制內批評」的忠誠；要嘛，只有離開，成為無根漂萍，遠遠地在海外關注著島內一舉一動，還得節制心性，以免落入憤世嫉俗或自暴自棄的陷阱。

　　柏楊，是一個典型。他在綠島苦挨多少寒暑，及至耄耋之年，才

得以重回綠島，含淚立下人權紀念碑。即使如此，還要因應權力者的隱諱，只准紀念人權，不能垂淚。

彭明敏，是一個典型。他逃日本的兵役，被炸斷了手；才要成為被培養的政治新星，卻以政治理念，倉皇離島，數十年不得返家。同樣，待得歲月不饒人，才得以成為權力者的座上賓，他的時代，卻早已一去不返。

李登輝，又是一個典型。他曾經是嚮往中國的左傾進步青年，日據時期，因為家庭因素，對殖民政權似無惡感；他改日本名字，照規定赴日讀書從軍；他曾經是激昂地關切時局的熱血青年，但在政治壓力下，他沉默了，小心謹慎地隱藏自己的念頭，不讓傲骨寫在臉上。兩次進出共產黨，使他在白色恐怖的年代，備受威脅，躲過劫難，進入體制，成為服從者，縱有批判，也要表現忠誠。

就像多數催台青時期捧紅的台籍菁英般，李登輝學習服從，以權力者的意志為意志，及至掌握大權，才放手實現抱負。因為擁有權力，所以無忌，愈是權力穩固，愈不隱藏內心真實的想法，即使從年輕時期就隱藏的想法未必符合他做為國家領導者應有之格。

李登輝一路邁向頂峰的過程中，王作榮無疑是他的貴人之一。因為王作榮，他得以從農復會走出世界，從鬱鬱寡歡的失意學者，搖身成為政壇後起之秀，並擺脫白色恐怖檔案的陰影，加入國民黨，成為「維持批判但絕不造反」的一員。王作榮畢生以為實現抱負的理想，在李登輝身上完成，半世紀交誼，也讓王作榮走出因多言不被重用的低潮，出任職司吏治的監察院長。

做為李登輝的老友，戴國煇又是另一種選擇。他和多數經過日據時期的青年一樣，潛心學術赴日留學，靜觀世局之後，對中國大陸曾經寄予厚望，文革後徹底幻滅，直至後期大陸改革開放始拾回信心；對台

灣的國民黨政權曾經疏離，卻因為台灣的逐步成長，重新給予正確的評價。

面對政治，他更像西方知識分子般關切而不捲入。人在日本，他批判日本在台的殖民政權，毫不留情；研究二二八，卻對陳儀有著相對公允的肯定；催台青的年代裡，他儘管名列黑名單，卻是為蔣經國數度透過管道（徐慶鐘與蔣彥士）希望說服返台服務的人，他婉轉拒絕了。

因為對台灣的關心，使他從農業經濟的專業領域（博士論文為《中國甘蔗糖業之發展》），轉而成為台灣史大家。直到李登輝出任政務委員，他才踏上返鄉之旅。當李登輝小心謹慎地在仕途緩步前進之際，他是李登輝「祕密友人」之一；李登輝出任副總統之後，多次要求戴國煇返台一定要與他一敘，兩人暢談日、台政局，他為李登輝引進不少日文資料和叢刊。李登輝當選民選總統之後，戴國煇終於打破「不為官」之例，出任總統府國安會諮詢委員，這個在他眼中「不大像官」的官，即使進入總統府，仍不改學者研究本色。

從王、戴與李的交往，李登輝算是極念舊情之人。王、戴對李登輝主政前期的支持，舊誼遠超過對權力者的服務，或者政治立場的選邊，王作榮說得坦率，於公是長官、部屬的關係；於私，又是多年老友，豈有不支持之理？然而，當政治理念出現裂痕，私誼，終究不敵政見之爭，雖未必到「政見之爭如寇讎」，王、戴對李登輝主政後期的政治路線，卻是嚴厲批判的。

在他們眼中，他們沒變，是李登輝變了；在李登輝心中，卻是他們變了。於是，李登輝《台灣的主張》新書發表會，拒絕邀請戴國煇；王作榮卸任，李登輝既不搭理，連行禮如儀的功績獎章都省略了。王、戴在政治路線上，與李登輝分道揚鑣，同樣付出相當代價，曾經不諒解王作榮支持李登輝的外省大老，沒因此對王作榮正色以對，反而譏評以

早知今日，何必當初；戴國煇更被主流人馬羞辱為「求官未遂」。

　　對於外界爭議種種，王、戴了然於胸，戴國煇言：豈能以憂讒畏譏而無言！王作榮說，知識分子就是要忠於理念，支持他因為相信他；不支持他，因為認識他，沒有什麼好愧悔。選邊，也就選擇了寂寞，寂寞中，只能忠於自己。

　　李遠哲，也是一個典型。赴美留學經年，贏得諾貝爾化學獎之後，只為李登輝一句話：回來幫我。他放棄在美國累積的研究成果，回台主持中研院。對於時政，他關心也批判，卻分寸拿捏地不讓權力者對他翻臉，儘管後期，他同樣不苟同於李登輝路線。

　　然而，第十任總統選舉時，他以黑金體制不能不改，毅然選邊挺扁，成為助扁達陣當選的主要助力，爭議紛杳而至。支持者以他秉持知識分子的良心，支持應該支持的人；反對者以他破壞學術中立的清淨殿堂，濫用諾貝爾光環，玩弄政客手段。李遠哲無言。

　　王作榮對李遠哲的選擇不假辭色，因為他認為陳水扁路線與李登輝路線，相去不遠；戴國煇對李遠哲則別有肯定，他相信不論陳水扁和李登輝路線差距多少，李遠哲會有自己的信念和抉擇。李遠哲盡其在我，要把陳水扁「拉回」應走的路。李遠哲的選擇，只能留待歷史檢驗。

王作榮影響戴國煇

　　戴：和院長初識時，是與李總統一起到東京考察，李登輝見我的藏書中有整套《自由中國》雜誌，說了一句話：「這是好雜誌。」某種方面，表現了他是自由主義的立場。大夥兒一起吃飯時，令我印象最深刻的就是院長說了一段話，大意大概是抗戰勝

利，你聽聞國民政府派陳儀接收台灣，感到非常高興，因為陳儀幹練清廉。這段話，對我後來研究二二八產生莫大的影響。

　　陳儀後來被槍斃，扛下二二八之責，某種程度是在政府穩定政局下的犧牲者，外省朋友對陳儀公平論述與評價者，院長的這番話，還是第一人。李登輝能在王院長面前直率指陳《自由中國》是好雜誌，王院長能在李先生面前直率評價陳儀，我相信正是王、李彼此充分信賴之故。由是，我也才深刻理解孫文主義者也有左右派之別，如何保持知識分子在台灣有一個中立客觀的批判立場，不捲入政治，是非常重要的。當年那頓飯，對我可以說是意義深重。

　　王：謝謝戴教授的溢美之詞。基本上，他（李登輝）信賴我是一個誠實而正直的人，不會做出賣朋友的事。

批判而不造反

　　我自己分析，第一，我是沒有族群壁壘觀念的人，我愛台灣；第二，我有深刻的國家民族觀念，對中華民國非常忠誠；第三，我對組織同樣有高度忠誠感，只要加入組織，就會遵守其規章，這就是為什麼我對國民黨的威權統治沒有好感，但絕對不會造反，而主張緩進改革。我在大陸看多了，造反革命打仗，受苦的都是人民，大陸時期甚至有兩派軍隊在前線打仗，後方兩派軍閥頭子卻在一起打麻將的荒唐事；第四，我是政治系，對自由主義一向嚮往，從不贊成老總統的獨裁統治，我從不喊蔣總統萬歲這類的口號，更不相信權威；第五，我的觀念裡，人民不分地

域，都是吾土吾民，政權要本土化，本土化不是排擠外省人，而是充分反應人口結構於政權結構之中，我相信李總統落實主權在民，推動全面性的直接選舉，也是基於此。

我對李總統的支持，都是出於上述觀念。李總統是本省人，是高級知識分子，當然應該崛起於這個政權之中，不該被埋沒，這就是為什麼早期我願意一路幫他；同樣地，也因為我支持緩進改革，所以介紹他入黨，進入體制內進行改革。

至於我個人在國民黨內不得意，經國先生不用我，主要是我有話直講，不肯壓抑或隱藏，但我不會造反。我講話，他不喜歡聽，容忍但不用我，我也無所謂，一直在大學裡教書。後來主要是我65歲左右，自覺教書教不動了，看書、寫講稿都慢，遑論吸收新知的速度完全趕不上學術的演進，我擔心再教下去，會把名聲教壞了，才會去弄個考試委員，我把考試委員視為餬口的職業，我做六年，70歲退休，滿好。

李總統在省主席、副總統的階段，我從未要他幫我謀關係，找門路，我們就是單純的朋友。他在台北市長任內，曾經主動找我擔任台北市銀行董事長，曾文惠女士都已經告訴了我的太太范馨香，不過，俞國華（時任央行總裁）、張繼正（財政部長）都不同意，此事只得作罷。他擔任省主席的時候，也曾經想安排我到省營金融機構任職，還是遭到反對，也沒成。這段過程，他沒告訴我，還是別人輾轉說的。至於他擔任副總統，因為他的職務都是空的，就談不上為我安排什麼了。

民國79年，我的考試委員任期已滿，也已經71歲了，我心安理得準備退休，他再次主動安排我，原來的想法是邱創煥擔任考

試院長，我擔任副院長，不過，當時邱創煥沒點頭，連帶我的副院長也落空，孔德成續任院長、林金生續任副院長。於是他又動念讓我去接國史館長，想想，國史館太閒了，所以要我去擔任考選部長，這個安排是我沒想到的，我想不過就是個國策顧問，有個收入即可。部長做一、二年，又想要我接任考試院長，不過，考試委員們反對，沒成；有一度他還想過我接司法院長、監察院長，這都是事後別人告訴我的，可見他對我是很好的。

於私，我們兩家素來交誼深厚；於公，我已經是從政主管，不論黨或政，我是他的部屬，而非單純的大學教授，支持他是當然的，沒有道理唱和非主流去反對他，搞對抗，我從來不是造反之人。到現在，即便我對李總統的路線有不同意見，我還是不和非主流為伍，坦白說，他們因為我支持李總統而罵我，罵得實在沒有道理。只要當得好，只要是合法的總統，本省、外省有什麼差別呢？李總統初期是做得不錯的，我的談話對他也是有影響力的，但我有一個基本原則，絕對不干涉他的人事安排，從不推薦任何人事，有事，他問，我談；不問，我也絕不多嘴。現在想想，做為朋友，做為部屬，我有未盡責之處，若干政策走向，若我能直言力諫，或者不會到如今的景況。

他競選第九任總統，我們的關係還是非常好，當選後他請我到官邸吃飯，問這個人、那個人，還講「讓我們一起把內政搞好，進行台灣的現代化」。這也是我的理想。不過，後來他讓我去監察院，我知道，情況就不一樣了，監察院本身就是一個腐化的機關，怎麼搞現代化呢？這中間的轉變是什麼原因，不得而知。不論如何，給我監察院長，也是對我的酬庸，畢竟院長是個

高位，我無所求，真要我擔責任，以七十多歲之人，擔也擔不起的，兩個七十多歲的老人，搞什麼現代化呢？（笑）當然要找年輕人。

我沒感覺他特別排擠外省人，只覺得鬥得太兇了，他的氣度也不夠寬廣，太容易生氣，鬥起來不太留餘地，但是，中國歷史上，鬥爭是常有的事。此外，他老和中共搞對抗，也是我不太贊成的，有機會我總勸他，致力內政，不要動不動鬥這鬥那的。這很難，權力掌握久了，是會有獨裁霸氣的。

修憲凍省生心結

直到他召開國發會，第一，把台灣省給廢了（註：精省），這我是不能接受的。中華民國就是有個台灣省，台灣省是中華民國的根，廢省形同把中華民國的根給刨了，中華民國的招牌隨時可以拆卸，豈不走向台獨了？第二，總統選舉之後，他還修憲，把民選總統的權力修得像皇帝，掌權卻又不必負責，行政院長他隨便派，立法院莫可奈何，這是什麼制度呢？中國皇帝管政權，宰相管治權，宰相對皇帝還有個制衡。修憲之後，總統權力沒有一個制衡；第三，和廢省有關，他把宋楚瑜整垮了。我對宋楚瑜談不上好感或惡感，也沒有交情，但廢省廢宋，排擠外省人的意圖太明顯了，權力接班要自然運作，連戰行，連戰上來；宋楚瑜行，宋楚瑜上來；陳水扁行，他當總統。不要以總統的權力刻意壓抑誰、提拔誰。

這三點歧見，我也不隱瞞，媒體採訪我，我侃侃而談，見報

之後，李總統是很厭恨的，恨到連基本禮貌都不顧了。我先前說過，卸任院長時，他沒見我，更沒問我意見，連勳章都沒有；過年請院長吃飯，見我坐首桌，他講完話，飯都沒吃就走了。後來我卸任，他請資政吃飯，我就沒去了，免得他為難。1999年初，宋楚瑜從美國回來，掀起一陣旋風，宋楚瑜拜訪所有的大老和現任、卸任的院長，就是沒來看我，為什麼沒敢來看我？我想他當時還是想求和的，不敢看我是怕李總統對他更不諒解。連戰當了國民黨主席，同樣是拜訪所有的大老，獨獨漏我，原因大抵不外乎不願讓人打小報告吧。

儘管如此，李總統住院開心導管手術（註：2000年11月間），我還是基於朋友之情去看他，我知道他不會見我，我只想簽個名表示心意。在門口碰到了國民黨前祕書長黃昆輝，黃昆輝客氣邀我一起去，照說，李登輝不會不見黃昆輝的，可是因為我，侍衛從門縫裡瞧了一下，報告之後，硬是不開門，等了好一會兒，害得黃昆輝也沒見著李。在我的想法裡，政見不同是一回事，但朋友私交是一回事，李總統動這麼一個大手術，總要關切，他生小病，我也不會理他的。他連個簽名簿都不擺。

我是公私分得很清楚的人，外頭的人說我一下支持他，一下又反對他，指我如何如何，都是一般見識，不了解我的性格和信仰。台灣要民主化、本土化，不能打壓特定族群，不能講自己不是中國人，不能搞台獨，即使是獨立，都不能把中華民國丟掉。想想，我介紹他加入國民黨，一起投入黨的改造，結果，他把國民黨改造得一塌糊塗（笑）。

自由主義被遺忘了

　　戴：李總統的背景，有三個問題值得深談：第一，他對中國傳統是討厭的，然而，傳統有糟粕，也有菁華，他卻沒看到菁華之處。比較麻煩的是，他把對中國傳統的排斥，糾結了對族群的反感，使他的格局因而受限；第二，他對日本統治的莫名懷舊，使他無法正確地認知國際架構下的局勢；第三，他念舊又拒舊，他對舊情有善意，但若無回饋，就抗拒，他對李光耀亦復如此，這也使他做不到公私分明。

　　最早，他敢於在王院長面前稱許《自由中國》雜誌，顯示他與王院長的交情確乎深厚，彼此信賴度也夠，也顯示他對自由主義有一定程度的認識。遺憾的是，他擔任總統的最後二、三年，似乎忘記了自由主義，在權力之下，要政治人物超越時代，確實是很困難的。任何人在權力面前，都成為一枚棋子，為了權力，他可以轉彎，這使他的政治理念欠缺一貫性。

　　我們提到〈出埃及記〉。摩西到底是誰？照說應該是老蔣總統，他帶著一批人反對共產獨裁，從大陸到台灣，在這個美麗島建設新家園，不能再分族群。李的觀念不是如此，仍舊視國民黨為「外來政權」。他常講〈出埃及記〉，其實，正確的說法是「出埃及」。〈出埃及記〉是《聖經》舊約的故事，「出埃及」則是思想史的問題，是一種革命的原型，其中心概念是脫離奴隸、邁向自由的歷程。對這個概念，我特別從日本帶了資料給他，不過，他倒要我不要在日本為他多做詮釋。

　　李登輝卸任之後，《讀賣新聞》訪問他，他在訪談中提到蔣

經國於3月14日擇定他出任副總統，但是他更早接受司馬遼太郎訪問時，卻又自陳不知道蔣經國究竟要不要找他，這又顯示他言詞缺乏一貫性的例子。

摩西出埃及，花了40年，為什麼？我的解釋是因為從埃及奴隸身分出來，精神上卻仍未確立，必須在荒原徘徊40年，讓老一輩的人凋零，新一代輩出，才能建立新的主體，向自由自主的新身分認同。他在康乃爾以「民之所欲，長在我心」為題演講，這個「民」是變動的，他看到的民是從日本統治時期出來的「民」，沒看到新的部分，這個「新民」，是阿扁代表的也好，「新台灣人」也好，但他提的「新台灣人」卻充滿選舉策略運用的義涵，而非思想上真正的「新台灣人」。

李登輝認同日本右翼保守主義，這是很多人不能接受的。他可以反對國民黨威權統治的部分，但還是得正確總結日本殖民統治之惡，要批判才有超越，才能新生。他記取國民黨所有的惡，卻對日本殖民統治之惡略而不提，甚至視為正確，實在是有失國家元首的身分。日本人怎麼看待他呢？日本學政界朋友說得直率：「全世界領導人，沒有人可以用我們的語言稱許殖民統治，他是唯一的一個，所以他是可愛的領導者，但非可敬的政治人物。」這個評語，對李登輝可謂一語道破。

和他交往過程中，早期，我們的想法大概還是接近的，但後來漸漸有了差異。他要我回來，並非親自問我，都是他周圍的人問我，為何不回來幫忙，說他身邊缺人，我還說：「不會吧？」我在日本，非常小心不捲入政治，堅持走學術的路線，做社會科學的批判。李登輝有一回說我點子很多，看的書也很多，要我在

外面多幫他注意一下相關的人物和書籍，我也覺得很好。他在副
總統任內，要求我回台灣一定要和他聯繫。所以1985年以後，到
經國先生過世，幫他從日本帶了不少書和資料。一直到我立教大
學做滿20年，拿到終身俸才辦退休回台灣。

　　李總統的好勝心強，每次見面都是單獨兩個人，一談總要談
一、二個小時，從不發表。待他準備直選總統，我就向他表明，
隔年（1996年初）可以退休回台灣，他問我想做什麼？我告訴
他，什麼都不想，倒是想埋首書堆，過點自己的日子。李總統笑
說：「這太便宜了你。」於是，先安排我在國統會研究委員一
年。當時錢復擔任外交部長，李總統為錢復主持一個對日工作小
組，也要我參加，我出席幾次會議，我的報告都是以日文寫就，
先送總統。擔任國統會研究委員一年多，才恍然大悟，原來國統
會是擺擺樣子的。那段時期，我為他做了一份報告，大抵是日本
對江八點的看法，就是這個時候，他告訴我，王院長很怕中共。

　　國統會一年結束，他又見我，安排與中研院的朋友見面，那
一天主賓是我，但與會者都不知道，包括院長李遠哲、張光直、
李亦園、杜正勝等人。餐宴上，第一次見到杜正勝，知道杜的中
文不錯，為李總統寫點東西。我還記得，當天正是《亞洲週刊》
封面故事報導李總統參加過共產黨。當時盛傳我可能回來接中研
院台史所的工作，已經引起台獨主張者的反彈，李院長都知道，
我清楚此中利害，所以都沒吭氣。當時在中正大學擔任校長的林
清江，要我到中正歷史研究所；曾志朗在中山大學，也要我去接
歷史研究所。別人告訴我，李總統聽到曾志朗這麼說，他立刻反
應：「戴國煇要留在台北。」顯然，李總統對我確實還是滿念舊

情的。

追憶往事感慨萬千

　　晚宴上，李登輝沒多說什麼，就是簡單介紹一下，「這位是戴國輝教授，大家都認識吧？」非常自然。我坐在張光直旁邊，問他：「你知不知道，我們現在身處何地？」他一臉狐疑。當天我是請吳伯雄幫忙，讓范姜群生（吳伯雄擔任總統府祕書長時期，任職公共事務室主任）開車送我到官邸，我迷迷糊糊頂著夜色進重慶南路官邸，連方向都搞不清楚。進去才知道，官邸正是公賣局旁邊，翻過牆就是建中，正是二二八事件時，咱們丟石頭的地方！二二八事件發生，建中校長陳文彬怕出事，拿著柺杖站在校門口，不讓學生出校門，我們皮得翻牆丟石頭。

　　時光一下子回到從前，太有意思了。光直和我同年同月同日生，他從北京回來，國語講得真好；而我們從日文腦袋轉過來，注音符號都學得辛苦，別提中國歷史多麼繁重。我們都是蔣緯國裝甲兵的部下，他還替我補課。我們一起考留學，因為他有老案子，深怕政府不讓他出國，煩惱得不得了；服役期間，他從不睡午覺，最後是預訓班第一名，真是厲害。

　　餐會舉座，只有我、光直和李總統對這段過程有共同經驗。吃飯時，光直非常直接地問：「李總統，《亞洲週刊》報導你參加過共產黨，到底有沒有？澄清一下吧。」我心中有數，在一旁直笑。李總統沒露什麼神色，一語帶過：「我在北京有很多朋友。」話鋒一轉，「就是不知道為什麼，李敖老要罵我？」李總

統一句話，連李遠哲都丈二金剛摸不著頭腦，只有我們三個人心知肚明。

　　餐桌上，李總統還念念不忘我的藏書，我也提到，希望李總統退休後不要修什麼紀念堂，政治味太重，要嘛就學甘迺迪（J. F. Kennedy），建個圖書館，我願意捐出藏書，大概六萬冊。我知道翁松燃、許遠東都有一大批藏書，沒有地方可以收藏。李總統講：「圖書館不是紀念我，而是紀念你戴國煇的藏書。」他也透露，在淡水三芝故鄉是要準備建一座圖書館，也可以做為學術交流的據點。我真是花了300萬日幣，用18噸貨櫃，硬是將所有藏書帶了回來。

　　我和李總統談話的話題很廣，包括金融的外匯問題、國民黨黨產的問題等。有一回，他還感慨：「如果再年輕點，我會自己組黨。」他看出國民黨的問題。為什麼我會觸及國民黨產？因為在研究二二八過程中，了解國民黨、國家財產的種種問題，李總統不想揹負這些包袱，但又丟不掉。

　　1996年3月23日總統選舉，我帶著太太回來，新居才剛交屋，夫妻倆抱著睡袋過夜。選舉期間，正是中共文攻武嚇的時候，但我已經注意到劉華清赴美，情勢其實已經穩下來了，所以特別寫了文章。總統選舉後，我正式退休回台，丁懋時來找我，說總統交代在國安會安排諮詢委員的位子給我，他還小心謹慎地問我三次：「你有沒有雙重國籍？」問得我都有點奇怪，怎麼是和我過不去嗎？第三次再問我，差點和他翻臉，指他不必以國民黨之心，度我之腹，我儘管在日本這麼多年，真是只有一本中華民國護照。丁就沒有再多講話。

　　李總統安排我這個位子，還說：「這個位子很高哦！」其實，高不高，對我根本不重要。我和朋友聊起來，第一個反對的是南方朔，很有意思；日本的朋友多半也是反對的，因為在日本，學、政界是井水、河水清清楚楚的。我知道李總統是好意，要我可以做做日本研究、看看書。後來中嶋嶺雄為李主持「亞洲論壇」，我除了第一屆沒去，後來年年參加。後來他再修憲，擴權廢省，發現他的政權有了問題，在媒體我也刻意唱唱反調，讓他不太舒服，最後一屆「亞洲論壇」，就沒有邀請我了，但還是寄了錄影帶給我。

　　總結而論，於私，他和我曾經有過深厚的交誼；於公，李登輝是我的研究對象，這一點，我倒是分得很清楚。

　　回溯過去的經歷，我必須誠實地說，抗日戰爭結束，日本對老蔣時代的國民黨政權是冷淡且看不起的，反而看好毛澤東政權。但在1957年大陸開始大躍進、反右、文革之後，日本才對中共政權失望，重新對中華民國在台灣的努力和成就賦予關心，一批一批議員來台觀光或投資。日本政府對中國大陸畏懼而防衛，擔心強盛的中國無法對抗，成為東北亞的威脅，卻不敢表明對中共政權畏厭的心態，轉而暗中支持台獨。

　　但是最近七、八年，特別是中曾根時代（註：中曾根康弘，日本前首相），新保守主義抬頭，同時蘇聯解體，美國雷根時代同樣走新保守主義的路線，奠下美國後來經濟復甦的基礎。不過，日本的新保守主義和美國仍有不同，日本是右翼抬頭，希望從經濟大國進一步成為政治大國，要求參與聯合國的安保理事國，改變聯合國的結構，在這種氣氛下，必須對自己的民族主義

重新認同和定位。

　　我從1955年開始在日本念書、教書，身處其中，刻意明哲保身，不捲入任何政治；加以兩岸分裂現實，使華僑社會更為複雜，我與僑界亦保持距離，不與任何黨派發生關係。這個堅持反倒使我能在學習院大學（皇族學校）兼課達13年之久，這是中國人任課於皇族學校，教授專業學門（歷史系）唯一一人。日本人只是奇怪，我身為台灣人，為何不回台灣？左派則質疑我為何不去北京？我追求獨立的思考，兩岸都不去。

知識分子的定位

　　中國知識分子始終有學而優則仕的傳統，但是不能把歷史特殊時空的產物和概念，永遠延伸下去。現代知識分子與傳統文化定義的知識分子不同，應該定位為資本主義生產方式下所形成的公民（市民）新階級。在這個過程中，政治上形成公民國家，經濟上則是公民經濟，同時有大學的出現，大學畢業生基本上應該就是知識分子，但到現在大眾化大學出現，僅僅是學歷及於大專，不能簡單等同於知識分子，學歷不等於學問的力量。不過大陸文盲比例太高，加以文革還有反智傾向，所以大陸大概還是以大學畢業生即為知識分子的想法，但這在先進國家，包括台灣，是不適用的。

　　此外，愈現代化的社會，學術分類愈細愈專，知識分子除了專業領域，對一般或普遍的文明，或社會科學問題關心，且比一般老百姓更能深入評論，願意言論，才當得起正派的知識分子。

這類型的知識分子在民主化愈發達的社會，有一部分會投入官場或積極從政，書生從政在西方帶有點反諷意味，和學術圈中的知識菁英又不同。但不論如何，理想中知識分子從政的政治家，都有追求理想的抱負，視政治為最高的藝術，這個標準在台灣顯然是不及的。

知識分子大概趨向兩個極端，一是直接參與當權派，奉獻於掌權者或執政黨，或站在在野黨立場，對實際政治做知性的奉獻。再不就是堅持不與政治掛勾，與不論在野在朝的權力都保持距離，並提供其批判或創見。

我在日本有這樣的經驗，大概歷任首相都會找些知識分子組成委員會，提供諮詢。約莫在1975年田中角榮下台後，接任的三木首相權力基礎不穩，故找了一位沒有國會議員資歷的人士永井道雄擔任教育部長。他是留美的開明學人，他的父親曾經批判過日本對台統治。當時他找了我，據他所知說，我也是唯一被聘為委員的亞洲人。

這個文明懇談會差不多一個月聚會一次，網羅居住在日本所有的諾貝爾獎得獎人，以及新力集團創辦人井深〔大〕，這個委員會後來編撰兩本書《歷史與文明的探求》〔《歷史と文明の探求》〕，我也發表了理論性的想法：「和魂和才」。日本自唐朝伊始，派留學生赴唐取經，稱之為「和魂漢才」，或從中土赴日，或取道朝鮮；明治維新前後，則一轉為「和魂漢、洋才」，即中土人才已不夠用，必須引進歐美西方的人才；明治維新成功迄攻占台灣，對中國清朝根本上是看不起的，於是口號再轉為「和魂洋才」；我在書寫論文時，就日本發展的趨勢提出日本進

入「和魂和才」的階段，意思是日本已經邁入經濟大國，必須負責任地以日本人的精神和才華參與世界的遊戲規則，隱而未宣的意思是日本必須為侵犯亞洲的行為擔負起責任，不過，日本友人似乎沒聽懂我的深意（笑）。

　　本來我懷疑這個委員會到底是花瓶還是工具？我歸納為「工具」，即因為三木的權力基礎不穩，所以找知識分子妝點門面。當年日本外務省還拿100萬要我為他們寫台灣政情，我拒絕，拿了這個錢，豈不成為日本的特務？我只編了三本有關台灣農業經濟發展的相關研究，以及華僑論。那段時間因為東南亞排華發生慘案，我周遭的學者幾乎都以華僑壟斷僑居地經濟資源為立論點，彷彿因此華僑遭受排擠，甚至無理的殺害，都有其理由，我深不以為然，故而做研究，釐清華僑成型的原因。事實上，自鴉片戰爭之後，華南農村結構劇烈轉型，所以才會大量移居海外，或赴美、或赴東南亞，都只是帝國主義利用的工人而已。後來西方人離開東南亞，華僑卻走不了，慘澹經營出局面，卻背負壟斷經濟的黑鍋。因為研究華僑，遂提出華僑主體性建構的問題，以認同理論提供解決辦法，我的理論是既然原鄉大陸已經赤化，不可能再回去，華僑必須成為「華人」，落地生根，拿當地的國籍，不能再受歧視。

　　此外，我也研究「霧社事件」。我研究這些問題，是基於人道關懷，無涉政治。對帝國主義、殖民統治，乃至封建統治，我都是反對的。二二八事件的發生，就是因為當年國民黨政權不夠現代化，帶有法西斯、封建的成分，來台接收大員對台灣人民沒有關懷之情，終至釀成民族病變，傷痕迄今。我謹慎地花了30年

時間搜羅二二八的材料，提出「中國結與台灣結」的「睪丸理論」，即台灣自立可以，不能獨立，同時在大陸不具備足夠的條件前，也不能統一，統一會使台灣活力喪失。

　　我的研究都是基於人道，而非政治，不希望台海起戰事。中國人應該有智慧處理兩岸問題，我回台灣後在國安會也把研究重心放在這裡，但漸漸發覺李登輝路線不大對勁，還和王院長深談個人進退之道，院長還安慰我，能做多少是多少。我是不願意成為權力者的花瓶或工具，外人或謂我自圓其說，我也莫可奈何，不論如何，知識分子對權力是要自覺地保持距離。

寄望李遠哲

　　我曾經想寄一本《愛因斯坦晚年文集》給李遠哲院長，文集中，愛因斯坦（Albert Einstein）對希特勒屠殺猶太人和廣島原子彈都有深刻的反省和批判。科學對人類文明可以帶來正面，也可以帶來負面的作用，愛因斯坦自覺且節制地走出象牙塔說良心話。為什麼會想寄這本書給李遠哲呢？因為我一直期待他能對TMD多發言，他在柏克萊時期，美國最有良心的科學家出面反對TMD，但是李總統後期，與大陸關係愈來愈緊張，連日本都希望台灣拿出錢來參加TMD，李院長的反對意見並未太強烈。做為自然科學的知識分子，對全人類普遍的問題，應該以專業高度發良心之言，我期待他能扮演更重要的角色。

　　王：不是書念得很好，或者有很高的學位，在大學教書，就是知識分子。知識分子是社會的菁英分子，即中國傳統所謂的

「士」，他一定要具備兩個要件：第一，充分的知識；第二，有很高的道德操守。二者缺一不可。這類人的作風，代表社會整體利益，即社會的良心，對國家社會的長期趨勢發展，有一定的見解和責任感。

知識分子的見解和責任感可以用兩種途徑表達，一是從政為官，進入官僚系統，擁有權力。發揮抱負最有力量的場所就是政治，這是知識分子貢獻一己很重要的一條路，這也是中國知識分子的傳統。孔老夫子一輩子想做官，做官實在搞不來，只有退下來，進退有據在此，所謂「用行舍藏」。第二條路，不做官，在野著書立說，宣揚理念，乃至結社組織團體，如古代即有「東林社」，這是走教育的一條路。不論在朝在野，都要有知識基礎和道德操守，為社會良心，以天下興亡為己任，非以個人窮達為己任，拿這個標準，現在合乎知識分子者，實在沒幾個夠格。以中研院長論，胡適之是夠格的，中研院長不算官職，他可以做官，但捨官不為；吳大猷也是一個，他也不做官，但勇於發言，政府做不好，就發其言為警示，看似沒有太多力量，但當權者仍有所忌憚，其發言形成潮流和思想，對社會大眾也有影響。

此外，做大官者之中，蔣廷黻和翁文灝也是。這兩人書都念得好，道德品行也好。從政為官之後，把學術地位放在一邊，蔣不再說是歷史專家，專心擔任大使；翁不再說是地質專家，專心在政治部門做事，擔任經濟部長、行政院長，為國家社會盡責任，發揮社會良心，還是稱得上知識分子。

再有一種，錢穆，他對國家民族有極高的責任感，從不涉足官場，拚命寫文章，著書立說，以知識見解影響社會。還有一

種，丁文江，他是國際上有名的地質專家，在國家存亡危急之秋，在全國奔走演講，呼籲政府革新，尋求救亡圖存之道。他毫無為官之心，在大陸，國民政府幾度請他為官，他堅定拒絕。他認為，踏入政界，影響力反而降低，以在野知識分子，更能影響社會人心。

上述幾類知識分子，各有實現抱負的途徑，不論是進入體制不為官，或者進入政府，或者完全不與政府發生關係，都是很了不起的。

至於李遠哲呢？當初他返台出任中研院長，對時事經常發表看法，我是很佩服他的，也公開稱讚過他；直到他站出來，為陳水扁助選，我就有不同的看法。我知道連戰、宋楚瑜和陳水扁三組人馬都找他搭檔，他都拒絕，我佩服極了，在野之身，更能心安理得地站在知識分子批判的立場。

後來宋楚瑜與陳水扁對決態勢形成，宋還略占優勢，即使興票案發生，宋楚瑜還是有優勢，李遠哲就跳出來了，還主動組織國政顧問團，親自打電話找人，我不知道國政顧問團的名單，是否陳水扁交給他的？如果不是，更嚴重，這些人幾乎清一色支持陳水扁，傾向台獨，那表示他平日即與這些人為伍，才可能在這麼短時間聚攏挺扁，這就有權謀的味道了，是搞政治手段。

至於李遠哲在陳水扁就職後，擔任跨黨派小組召集人，我也有不同看法。做為知識分子應秉持社會良心說話，你主張統一或獨立都可以理直氣壯，不必充當權力者的白手套，成為權力者的工具。從他為陳水扁站台到成為白手套，都使我對他的評價降低。

　　李遠哲想為陳水扁搭起兩岸對話的橋樑，我是不看好的。我認為，中共在這幾年裡，一定會解決台灣問題，等個三、五年，當他的武力足堪與美國對抗的時候，他就會動手，陳水扁和李遠哲都應該知道這個現實。他為陳水扁主持跨黨派小組之初，中共當局有強烈的情緒反彈，因為他曾經在北京科學研究單位做過一段時間，約莫一年多，中共政權視他為「愛國分子」，沒有想到他會去充當台獨路線的白手套。如果中共始終拒絕他，那麼他這個白手套就不能發揮作用，他的若干說法，包括50年兩岸必然統一等，都是企圖取信於中共，中共當局或者也和他和稀泥，以待攤牌時機，中共可能利用他，但終究不會信任他。

　　戴：對李遠哲扮演的角色和作用，我有不同於院長的看法。我的判斷不像王院長這麼悲觀，李遠哲基本上對政治涉入不深，可以說理解也不深，他根本對官場的遊戲規則是狀況外，但他自青年時期就有社會主義思想，這是他從不諱言，更不隱瞞的。我們有共同的朋友，就是我說過的張昭鼎。但是他身邊總是聚攏著一群爭寵的人，要分享李遠哲光環的人。當初李登輝曾動念找他搭檔競選，後來又想請他組閣，他的興趣並不大，反倒是身邊的一群人個個興味濃厚，拚命敲邊鼓。他自己很清楚，一個書呆子，怎麼當行政院長？除非他願意當權力者的傀儡，這是他不可能接受的。

　　在他確定婉拒李登輝的邀請後，我曾經和他見面，當時我的印象是，李遠哲真的是很單純的人，對國家未來的方向，乃至使命感，我相信應該都是出於善意與真誠，他也不至於是台獨主張的人，只是身邊確實包圍著一群傾向台獨的人。

　　他會同意主持跨黨派小組，他青年時期的社會主義思想應該
是發揮作用的，他同意台灣優先，但絕對不是台獨基本教義者。
就像李光耀，反對中共專制政權，但認同中國人的潛能。

後記

◎ 夏珍

　　認識戴師，其實很早。那一年，才從學校畢業，進入報館，初生之犢，橫衝直撞，在國建會場外，遞上名片，稀里呼嚕一陣採訪，寫了什麼，或沒寫什麼，自己早拋諸腦後。其時，對戴師的學術研究，談不上認識。

　　直到戴師的若干著作《愛憎二二八》、《台灣總體相》、《台灣結與中國結》，陸續在台灣出版，生吞活剝地一陣猛啃。那個時節，正逢政府有意為二二八做一總結，威權時期塵封的冤錯假案紛紛出土。歷史，一夕之間成為新聞，台灣史一躍而為「顯學」，自小到大，從未感覺到「族群認同」，轉而成為與生活息息相關的爭議話題。

　　戴師的著作，填補了學校時期的空白，甚至成為工作上必要的參考。戴師熱切關注台灣的政經社會發展，從學術角度深刻剖析台灣政治社會現象。李登輝總統每一次引起廣泛議論的言談，不論是「身為台灣人的悲哀」、「出埃及記」、「新台灣人主義」、「寧靜革命」、「國民黨是外來政權」、「特殊的國與國關係」，乃至2000年總統大選的變天效應，都是戴師研究的課題。

　　即使如此，面對這麼些熱得燙手的題目，戴師卻有不從時俗而轉移的執著。甚至在國內為李登輝是否加入過共產黨，各說各話之際，戴師即在日本發表的訪談中，率直引述日本原自衛隊陸將補（相當於陸軍少將）松村劭所寫《中國內戰》〔《中国内戰》〕一書中所引：「台灣的多數居民，對國民黨的反抗轉化為對日本統治時代的鄉愁（懷舊），一部分青年急速接近共產主義。直到戰爭結束還在日本京都大學學習的李登輝，也是其中一人。他在這一時期加入了共產黨。」戴師不為當道所喜，自可預料。

　　由於長期滯居日本，戴師與國內的學術界往來似亦不密切，身處日本，引用史料尺度更寬廣，他嘗言：「我研究左派，不是左派。」如同他說：「李登輝是我研究的對象。」但他的研究在台灣學術圈，卻是寂寞的。舉例而言，戴師的暢銷著作《台灣》（岩波，1988年。台灣版由魏廷朝翻譯，遠流出版社發行之《台灣總體相》），即引起兩端的批評，撰寫《蔣總統祕錄：中日關係八十年之證言》的古屋奎二，指其忽略國民黨統治積極的一面；而時任台灣獨立建國聯盟主席的許世楷則指責書中處處稱讚蔣經國，忽略台灣人在民主化運動上所做的自主性鬥爭。戴師對台灣政壇、學術圈，非統即獨，非獨即統的惡習，雖感遺憾，卻從不以為意，更不因此稍改其獨立論學的風格。

　　總統大選前，應友人之邀，參與一項餐會，戴師亦在座，聊起往事，他側著頭問：「夏小姐，你還記得我嗎？」我訝異著說：「當然。」十數年間，偶有電話採訪，雖是屈指可數，基於戴師每本著作，我幾乎搜羅集全，對戴師確有愈來愈熟之感，我

的訝異是，戴師竟還記得十數年前初出茅廬的小記者。由於餐會上師友眾多，我與戴師並未深談，僅相約改日再敘。

　　隔不多久，即接到戴師的電話，我們約在天母一家小巧的法國素菜館，午后冬陽暖暖地撒在窗外，我們談得卻是激亢的政局，話題圍繞著李登輝和國民黨。當時，已故行政院副院長徐慶鐘之子徐淵濤出了一本書批判李登輝，並敘述李登輝加入共產黨的經過，總統府當然斥為一派胡言。戴師卻如資料庫般，一樁樁細數他所熟悉的資料以及舊日歲月種種，我如同拾獲至寶般，拿起筆來猛記。餐後，戴師坐著我的破車上陽明山授課，兩人談得興味盎然，意猶未盡，約定不定期見面聊天。

　　就這麼，總統大選前後一年左右的時間，隔段時間，我們總會聚聚，大半時候在公館一家泰國料理店，吃得簡單，談得豐富。我問他，為什麼不把這些東西整理出來？戴師笑著談他的大計畫，包括四大冊的台灣史，從殖民時代以至於李登輝時代。最重要的是，他要從歷史的角度，為李登輝時代做個總結：肯定其推動民主之努力和用心，批判他錯誤的歷史觀，造成族群裂痕的擴大。

　　40歲不到的我，對老一輩經歷過的苦難歲月，總覺得應有體諒理解之情，因為歷史悲劇造成的代溝，還能多說什麼呢？戴師卻不同意，他認為，可以理解，但必須導正，畢竟李登輝的時代過去了，下一代的人還要過下去。戴師的嚴正，讓我沉默了，也開始反省，是否應該調整鄉愿和逃避的態度，正視台灣內部統獨兩端歷史詮釋的巨大差異。歷史是延續的，不可能有斷層，每一個環節的事實，都不能故意被扭曲。

　　幾次談話後，戴師提到了王作榮院長，說想和他出一本合集，因為他們的出身背景，代表戰亂時代的兩個族群，因緣際會，李登輝曾經是他們共同的朋友，從他們的經歷，或更能從大時代的背景，了解李登輝，和李登輝政策路線的起源與是非。我一聽，擊掌叫好。戴師立刻笑著問：「夏小姐，請妳來幫忙，可以嗎？」沒有考慮地，我點頭應允。

　　戴師起始動念得很早，我則概略列了若干題綱，但一直未有進度。直到總統大選過後，政黨輪替，政局丕變，戴師說，是時候了。和王院長聯絡，院長同樣想都沒想，就說好。戴師也更細密地列出他的題綱，做對談的參考。

　　對談從7月上旬，一直進行到11月下旬，在院長家，兩老盡情說話，我則埋首記錄，通常都是從早上9時30分談到12時左右，然後，一塊到樓下簡餐店吃飯，繼續未盡的話題；正事談李登輝，閒聊談陳水扁，很是暢快。由於我平日新聞工作繁瑣，夜眠時間極晚，早上赴會記錄，經常累得腰酸背痛，兩老神采奕奕、淋漓盡致地談往事、論新局，我卻不時地捶背挺腰，頗讓兩老見笑。這個時候，院長就會體貼地主動暫停，要我們喝茶吃點心。

　　戴師因為有大病開刀的病歷，聊著聊著，常常不時感慨自己的身體看要不行，院長同樣也曾動過大刀，就老是提醒戴師不能太勞累，得多注意保養。我只顧著捶自己的腰，從不以為意。

　　對談結束後，就是文稿整理的工作，院長和戴師都花很大工夫進行校正與修補。元月初，戴師修改前四章之後，來電催促我趕緊寄後二章去，我二日以快遞寄出，不意五日下午接到同事來

電，告訴我師母急著找我，才知戴師竟已昏迷住進台大加護病房。再隔四日，戴師竟已病逝，連完整的初稿都來不及看，原訂要親自書寫的〈李登輝與李光耀──代後記〉*6亦未及完成。

一卷悲吟墨尚新，當時恩怨未成塵。一邊整理著戴師對李登輝時代的褒貶評價，一邊回憶著我和戴師的對話。猶記初談時，戴師對落字針砭頗見躊躇，我反問他：「您還有何顧忌呢？」待得草稿初成，戴師毫不隱諱地直言，換成我猶疑了，再問他：「您確定要這麼談嗎？」戴師笑我：「難道當記者還怕權力者嗎？」文稿整理停當，寄交出版社當晚，戴師辭世，痛悔莫名。思及戴師過世前，仍如此敬謹地面對他的每一詞、每一句，後輩晚生，粗率如我，唯留憾恨而已。

---

*6 參見頁280之編註。

【附錄1】
1997年夏天的暗示
──推介《愛憎李登輝》

◎ **雨宮由希夫*著・林彩美譯**

　　戴國煇，1931年出生於台灣。1955年來日本，在東京大學修得農學博士後，經由亞洲經濟研究所調查研究部主任調查研究員，1976年受聘為立教大學文學部史學科教授。專攻台灣近現代史、華僑史，近代中日關係史等，看清自己的生活方式，用心於經營亞洲歷史像的再構成，做為歷史學者有其獨特的風格。

　　這樣的戴先生於1996年，告別住了40多年的日本，要與夫人攜帶6萬冊的藏書回台灣之前的送別會上，才獲知戴將要去當李登輝的政治顧問時，我在內心想著「一直不歸化日本，堅持做中國人的戴先生終於還是要返回故鄉啊」，並沉浸在既寂寞又祝福他新出發的複雜心境中。

　　香港即將「歸還中國」的前一年，在戴的故鄉台灣舉辦總統直選，在民主化的潮流之下「李登輝時代」踏實地進行著。

　　與戴的再會是1997年4月，他突然出現在我工作的書店，他說：「你幫我賣了很多我寫的書（《台灣近百年史的曲折路》，三省堂日文原版《台湾という名のヤヌヌ》），因此今天特地來感謝你。」然後請我與擔任戴著的總編輯，三省堂的伊藤雅昭到神保町的新世界飯店餐聚。

　　這對我而言是一次很愉快的聚餐。那時戴指著自己的下腹部說：「不覺得我瘦了嗎？我感覺這裡住著壞傢伙。」現在猶可清楚地想起他

＊　本名川野邊明，三省堂書店店長。

寂寞的表情。想想那是與戴最後相見的一次。

　　本書是台灣版《愛憎李登輝》（天下遠見出版公司，2001年）的日譯本。「愛憎」如字義，是對李登輝的愛與憎，把李登輝的虛像與實像仔細且周到地做了檢證。

　　與另一位著者王作榮以對談形式所構成的本書，把「李登輝執政12年的心路歷程與行動做了解剖，把台灣的政治思想與現象連接起來，多少留下真實的紀錄」為目的，在2000年夏天企畫，對談從2000年7月上旬至11月下旬之間舉行。

　　依王先生的說法是「戴教授希望2000年12月能出版」。可想見戴已自覺餘年所剩無幾。

　　受了早年的友人李登輝的三顧之禮，戴放棄立教大學教授職位而慨然歸國，做為國家安全會議諮詢委員準備為鄉土盡力的戴的心，在一年後的1997年夏天已開始與李登輝有了歧異，這可從書上讀到。（我在這年的春天與戴先生見面，卻未能發現先生病狀已重，且未覺察先生內心的糾葛，我對自己未能體察感到羞愧！）

　　在近距離觀察的李登輝與在日本遙望的李登輝有了出入。戴在就任顧問滿三年的1999年5月提出辭呈離開了總統府。

　　戴期待李登輝能愛國，改革國民黨使台灣走上真正自由民主之路，對大陸建立正面可予以刺激的模範，李登輝雖推進民主化路線改變了「中華民國」的實際狀況，但戴窺見了無法想像的黑金結構，以及改革國民黨體質為名的毀憲。當初對李的期待因為太大而戴國輝的失望也大。

　　李當選第二年治安便開始惡化，李登輝也從高處開始下滑。「回顧此間過程令人不能不悲哀」，戴這樣說。政治理念分道揚鑣，戴逐漸疏離，從支持李登輝轉變為批評李登輝。然後，要從歷史的視角對李登

輝時代下總結而加以企畫的就是本書。

　　書中戴國煇認為李登輝的背景有三個問題。其中一個是李登輝對日本統治的無以名狀的懷舊之情，而導致他無法正確認識國際情勢，戴指摘李登輝變成傲慢的媚日派。

　　他認為特別是李聽了司馬遼太郎甜言蜜語之後飄飄然而變為傲慢。李和司馬對談〈生為台灣人的悲哀〉發表時（1994年5月），在中國世界不分內外掀起很大回響，對於收錄此對談的司馬的《台灣紀行》，戴批評「司馬以欺騙讀者的小說手法，把對台灣的錯誤的觀點拿來騙日本人」。

　　司馬過世於李登輝將當選民選總統就任前的1995年2月12日，雖然司馬的晚年甚至現在，仍無法判斷台灣的國際情勢，但我覺得司馬比任何日本作家都擔心台灣的將來與台灣民眾的幸福。

　　對戴國煇或許形成反駁，但我們日本人對中國顧忌而不發言投機觀望的有識之士何其多之故，我對司馬的勇氣表示敬意。

　　誠如戴國煇所指摘，的確司馬的觀點也大有問題，但我還是感謝司馬先生留下這部《台灣紀行》。

　　日本人要對台灣問題發言是很難的。概括戴國煇對李登輝的評價是，肯定其推進民主化的努力與氣魄，但對李登輝錯誤的歷史觀與挑起「族群」對立的激化，是必須挺身批判的吧。然而，對於「族群」（依民族或出身的社會性集團）的含意與問題的深刻，我們日本人能理解多少？

　　台灣的人口2,200萬人。住在台灣的人們是中國人還是台灣人？他們自己怎麼想？台灣這個島是否是中國的？這些過於基本的問題，透過「台灣統治」其實與日本深深相牽連，此事我們日本人不能忘記。

　　未來的中國與台灣的將來會變成怎樣？

「台灣的自立可以，但不可獨立。中國大陸的條件不十分齊備之前，不應統一，硬要統一會使台灣失去活力」是戴國煇的意見。

戴國煇不願充當權力者的棋子，終究不失學者的本分，說了該說的話，燃盡生命之火，享年69歲，過早辭世令人為之惋惜。

依戴國煇夫人的來信，去年〔2002〕在台北《戴國煇文集》中文版出版了。

我相信在中國與台灣，和日本的年輕世代之間，有識之士戴國煇能夠被閱讀、被大大地議論，並給予他們理想與夢，希望如此。

本文原刊於《ブッククーリエ》第13號，東京：三省堂，2002年5月21日

【附錄2】

從期待到失望
—— 評《愛憎李登輝》

◎ 小倉芳彥*1著・李毓昭譯

　　先來談談戴國煇與王作榮兩人的對談成為譯書的經過。

　　1996年，戴從住了42年的日本返國，接受舊識李登輝總統的任命，擔任「國家安全會議諮詢委員」。戴去拜訪當時任職考選部的老友王（外省人），兩人談及有必要寫出沒有族群（依民族或出身決定的社會群體）偏見或意識形態的台灣歷史。王後來被任命為監察院長，兩人對李總統的專橫跋扈日益不滿，而於1999年先後辭職。隔年夏天，戴因為肝硬化，判斷自己無法依約定寫書，而在《中國時報》記者夏珍的陪同下拜訪王，提議由夏珍來記錄、整理兩人的對談。對談是從7月上旬到11月下旬，總共進行10次，但2001年1月初戴的病情突然惡化，9日就撒手人寰。此後在夫人林彩美女士的奔波下，2002年春天戴的12本文集出版，其中有一本是戴與王兩人的對談《愛憎李登輝——戴國煇與王作榮對話錄》（天下遠見出版公司，2001年），經過夫人與陳鵬仁全力合譯*2為日文，才有了這本《李登輝的虛像與實像》。

　　我不記得是何時首度閱讀有「戴國煇」之名的文章，並對「煇」字留下了印象。我最先看到的書應該是加藤祐三編的《與日本人的對話——日本・中國台灣・亞洲》（社會思想社，1971年），至於直接寫下的評論，最早是在1972年之後，在《朝日Journal》或《展望》上看

---

*1　學習院大學名譽教授。

*2　共同翻譯此書的，尚有永井江理子（真理大學應日系講師）、佐伯真代（致理技術學院應日系講師）。

到。但是他在同一時期頻頻刊登在《中日新聞》、《東京新聞》等其他雜誌上的時評與書評類文章，要等到日後編成《日本人與亞洲》（新人物往來社、1973年）、《境界人的獨白》（龍溪書舍，1976年）等書後我才知道。而且我是在更晚時才又知道，早在進行這些評論之前，戴就在1955年從台灣來到日本，於東大取得農學博士，進入亞洲經濟研究所後，就在出版的《中國甘蔗糖業之發展》（1967年）上大顯研究本領。

　　1976年4月，戴先生從亞洲經濟研究所改任職於立教大學文學部，住所也從船橋遷到杉並區的新居。我就是在該年與他結緣，請他每週來我任職的學習院大學史學科講一堂課，前後長達十年以上。他每個月都會在新居舉辦一次「梅苑沙龍」，由林彩美夫人招待廚藝精湛的中華料理後，就會有來自國內外的來賓演講。我有時候也會受邀參加，記得曾為戴廣闊得超乎想像的人脈驚歎不已。

　　在這段期間，戴陸續展開不同的研究，演講、討論、寫作也愈來愈活躍。除了在《台灣與台灣人——追求自我認同》（研文出版，1979年）、《華僑——從「落葉歸根」到「落地生根」的苦悶與矛盾》（研文出版，1980年）、《台灣總體相——住民‧歷史‧心性》（岩波新書，1988年）、《台灣往何處去？——診斷與預見》（研文出版，1990年）等書中，除了針對亞洲問題尖銳地提出含意深遠的意見，也有像《台灣霧社蜂起事件——研究與資料》（社會思想社，1981年）這種腳踏實地切入台灣裡層的編著。不用說，這些都是用日文寫給日本人看的言論，但他也有用中文寫下，在台灣出版的書籍，例如《愛憎二二八——神話與史實：解開歷史之謎》（遠流出版公司，1992年）、《台灣結與中國結——睪丸理論與自立‧共生的構圖》（遠流出版公司，1994年），在台灣擁有許多讀者。

　　草風館的內川千裕先生也曾是「梅苑沙龍」的成員，他在1996年

初春打電話告知將舉辦「為戴先生夫婦加油之會」。我從他那裡得知，戴要比退休年限早一年離開立教大學，接受首次由全民直接選舉當選第九任總統的李登輝邀請，就任「國家安全會議諮詢委員」。我在吃驚之餘，也有「啊，原來他一生走來就是要在此歸結」的感觸。在5月11日銀座東急飯店的歡送會上，我致詞祝福戴先生此後在台灣能充分發揮，但想到40年來一直在我們身邊的戴先生就這樣離開日本，不免有一股落寞的感覺。

本書的組成如下。在王作榮序文之後是：（一）對談緣起；（二）回首前塵話初識；（三）密使兼及兩岸；（四）大權在握的李登輝；（五）眺望新政府；（六）知識分子的抉擇六章，接著有夏珍寫的〈後記〉和矢吹晉寫的〈追悼戴國煇——代替解說〉，以及附錄中的人物略傳、李登輝相關年表、中華民國政府機關表，最後是林彩美夫人執筆的〈跋〉。

兩人對談總共十次，正如原書名所示，討論的是他們對李登輝總統不禁由「愛」（期待）轉「憎」（失望）的情況，以及圍繞他們複雜的人際關係，藉以讓下一代知道實情。

眾人皆知李登輝是從舊制台北高校到京都帝國大學農學部就學，日本敗戰後就改進入台灣大學農業經濟學系。他後來在愛荷華大學取得農學碩士、康乃爾大學取得農學博士後回國，雖然任職於農復會，卻有涉及「台獨」（台灣獨立派）之嫌。但當時擔任國民政府要職的王作榮讓李登輝隨同訪問韓國和日本，一起拜訪戴在船橋的家，品嚐夫人的料理，翻看其豐富的藏書。回國後，李登輝也是在王的推薦下，成為國民黨員。此後李登輝在蔣經國的行政院長任內成為政務委員，並在蔣介石逝世，蔣經國成為第七任總統後，先後擔任台北市長、台灣省政府主席，官位扶搖直上，進而在1984年成為副總統。1988年蔣經國去世後繼

任總統，並在1990年的國民大會上就任第八任總統。最後在1996年3月首次的總統直選中，當選第九任總統。

到此為止，王和戴都認為李登輝是足以託付台灣未來的人物，對他的期望很高。李登輝與兩人的關係也不錯，王獲得監察院長的要職，戴也中斷立教大學的任期，就任諮詢委員。然而，登上權力高位後，李登輝就不是昔日的李登輝了。在所有的改變中，王特別在意的是修憲使台灣省政府解體這一點，他認為這等於走上台灣獨立路線，砍斷了中華民國的根。王於1996年11月接受手術，在住院時公開提出批評，李登輝就開始討厭他，退職時也沒有給予敘勳。王後悔地說，之前應該更加直言極諫。

戴則指出李登輝談話中的虛假與浮誇，譬如他說其父是警察學校畢業的菁英、在台北高校時代有超過700本岩波文庫的書，大學時曾熟讀《資本論》等，每件事都是沒有根據的。當初戴期待李登輝能成為具有世界觀的改革派領袖，發展大陸與台灣經濟交流的關係，並改革國民黨的體質，成為對大陸有正面刺激的模範。可是他逐漸變得傲慢，與大陸的關係越顯狹隘，還有讚美日本殖民地時代的「媚日」傾向，讓日方調侃他是「可愛的領導人」，令戴大為憤慨。

篇幅有限，最後要談的可能誰都有過的疑問。戴應該很了解「伴君如伴虎」這句話，他是否相信登上權利最高位的人，會一直傾聽老友的意見？矢吹在「解說」中回想起有次在酒宴中聊天，某位台灣朋友惡言批評戴的「入府」是「被閣員級的職位沖昏了頭」，矢吹就為戴先生辯解說：「他有他自己的考量，我們應該默默支持才是。」

我認為戴先生的變換跑道與中國傳統知識分子的「學而優則仕」有所不同。戴曾經說過，知識分子除了自己的專業之外，也要去關心普遍的文明與社會科學的問題。有些知識分子進入官界或政界，認為「政

治是最高的藝術」，而去追求理想與抱負，但「以此標準來說，台灣還遠遠不及」。換句話說，戴先生對李登輝政權的期望太大，才會相對的有很大程度的失望。對於半途病逝的友人，矢吹認為應該視之為「死諫」，而不是「憤死」。

捧著這本「遺書」，我想戴先生旅日四十多年的思想結晶，對台灣與中國的未來會有什麼影響是值得注意的。

本文原刊於《東方》第260號，東京：東方書店，2002年10月10日，頁36～39

【附錄3】
現代台灣政治與日台關係的清晰構圖
　——介紹《愛憎李登輝》
◎ 遠藤あき著・李毓昭譯

　　本書是以對談形式討論台灣前總統李登輝，對談者為戴國煇與王作榮。原書《愛憎李登輝》是於2001年2月，由台灣的天下遠見出版公司出版，意外成為戴的遺作。

　　戴先生在日本的最後20年一直是立教大學文學部史學科教授，從事以中國〔台灣〕近現代史為主的研究，留下以岩波新書《台灣總體相》為首的諸多著作。他曾於1996年5月接受台灣首任民選總統李登輝的邀請，擔任國家安全會議諮詢委員，但三年後即因意見與李對立而辭職。另一方面，王先生是出身於中國湖北省，1949年9月與家人來到台灣，曾執教鞭擔任大學教授，也曾以技術官僚的身分，在財政、經濟界活躍，而後擔任監察院長。兩人在1999年之前，都是支持李的政府要人。本書內容組成如下。

　　第一章說明此次對談的緣由，以及戴王兩人的經歷。第二章是兩人與李登輝的認識經過，以及李曾經加入與離開共產黨的過去，並談到他加入國民黨時的細節，引人入勝。

　　第三章「密使兼及兩岸」具體描述台灣與「大陸」（中華人民共和國）實際上是如何進行交流，以及新加坡前總理李光耀扮演的角色。第四章討論李當選第九任總統後的功過，談到李透過三度修憲與凍省掌握大權，以至發表獨立言論「兩國論」，以及兩位作者與李分道揚鑣的決定性因素。

　　第五章是討論對新掌權的民進黨陳水扁的期待，以及他要面對的

課題。最後的第六章「知識分子的抉擇」闡述知識分子對政治力的立場，令人再度感覺到忠於自己的理念有多麼重要、多麼困難。

　　每一章開頭都有對談的綱要，加上記錄整理者夏珍女士（《中國時報》記者）的解說與註釋，因此對台灣沒有太多背景知識的讀者，也能充分領會內容，了解新聞報導之外的台灣政治，饒富興味。

　　看完全書的感覺是，本書並不僅是單純討論李登輝政權的功過，也廣泛提及台灣、中國和日本三方面從近代到現在的關係，以及此後的政治發展。尤其是戴先生身為歷史學者所提出來的主張，是我們日本人必須傾聽的。另外也從日本的台灣殖民地政策與影響的層面上，除了嚴詞批評李登輝這一代對歷史的了解之外，也確實掌握日本入侵的歷史。關於近年來在日本國內抬頭的民族主義，我也覺得那與扭曲而錯誤的歷史認識不無關係。

　　除了可藉以比較陳水扁目前在台灣引發爭議的「一邊一國論」之外，如果想要了解現代的台灣政治與日台關係，本書也可以說是必讀之書。

　　　　　本文原刊於《歷史と地理》第559號，東京：山川出版社，2002年11月，頁54

譯者簡介

林彩美
1933年生。中興大學農經系畢業，日本東京大學農經系博士課程修畢。旅日長達40年，中華料理研究家，曾主持梅苑中華料理研究室（日本）二十餘年。致力於梅苑書庫的保存與研究，長期投入《戴國煇全集》的編譯工作。
著有：《中菜健康瘦身法》（文經社）、《新灶腳的健康料理》（文經社）等；主編：《戴國煇文集》；策劃：《戴國煇全集》等。

喬軍
1974年生。日本橫濱國立大學教育學研究科碩士。留學期間積極參加各類翻譯活動。多次義務負責日本歸國及華僑子女的翻譯、輔導工作。曾擔任日本共同社短期新聞翻譯。現為自由翻譯者。

龐惠潔
1979年生。政治大學新聞研究所碩士，現就讀日本東京大學學際情報學府博士班。曾任日本樂天（rakuten）公司國際市場開發總部口譯、《動腦雜誌》日本特約記者。

（以上依姓氏筆畫序）

日文審校者簡介

邱振瑞

作家和日本思想文化研究者，現任教於文化大學中日筆譯班，並從事翻譯及創作。

著有：短篇小說集《菩薩有難》；譯有：山崎豐子、松本清張、宮本輝等小說，鶴見俊輔《戰爭時期日本精神史》（行人）。

戴國煇全集 18
【採訪與對談卷一】

著　作　人　　戴國煇
策劃／總校　　林彩美

編 輯 製 作　　財團法人台灣文學發展基金會
　　　　　　　10048台北市中山南路11號6樓
　　　　　　　02-2343-3142
編 輯 委 員　　王曉波　吳文星　張錦郎　張隆志
　　　　　　　陳淑美　劉序楓（依姓氏筆畫序）
主　　　編　　封德屏
執 行 編 輯　　江侑蓮　王為萱
美 術 設 計　　不倒翁視覺創意

出　　　版　　文訊雜誌社
發　行　人　　王榮文
發　行　所　　遠流出版事業股份有限公司
　　　　　　　10084台北市中正區南昌路二段81號6樓
　　　　　　　（02）2392-6899
　　　　　　　http：//www.ylib.com

排　　　版　　浩瀚電腦排版股份有限公司
印　　　刷　　松霖彩色印刷事業有限公司
初　　　版　　民國100年（2011）4月
定　　　價　　全27冊（不分售）精裝新台幣16,000元整
ISBN　978-986-6102-01-1（全集18：精裝）
　　　　978-986-85850-4-1（全套：精裝）

國家圖書館出版品預行編目（CIP）資料

戴國煇全集．18-26，採訪與對談卷／戴國煇著．
　-- 初版.-- 台北市：文訊雜誌社出版；遠流
發行 , 2011.04
　　冊；　公分
ISBN　978-986-6102-01-1（第1冊：精裝）.--
ISBN　978-986-6102-02-8（第2冊：精裝）.--
ISBN　978-986-6102-03-5（第3冊：精裝）.--
ISBN　978-986-6102-04-2（第4冊：精裝）.--
ISBN　978-986-6102-05-9（第5冊：精裝）.--
ISBN　978-986-6102-06-6（第6冊：精裝）.--
ISBN　978-986-6102-07-3（第7冊：精裝）.--
ISBN　978-986-6102-08-0（第8冊：精裝）.--
ISBN　978-986-6102-09-7（第9冊：精裝）

1. 史學　2. 文集

607　　　　　　　　　　　　　100001715